CAHİLLİKLER KİTABI

CAHİLLİKLER KİTABI

BİLMEDİKLERİMİZ VE YANLIŞ BİLDİKLERİMİZ

John Lloyd ve John Mitchinson

ÇEVİRİ
Cihan Aslı Filiz ve Emre Ergüven

THE BOOK OF GENERAL IGNORANCE
John Lloyd - John Mitchinson

1. Baskı: Temmuz 2008
2. Baskı: Ağustos 2008
3. Baskı: Ağustos 2008
4. Baskı: Ağustos 2008

YAYINA HAZIRLAYAN
Mustafa Alp Dağıstanlı

İNGİLİZCEDEN ÇEVİRENLER
Cihan Aslı Filiz - Emre Ergüven

TÜRKİYE'YLE İLGİLİ MADDELERİN YAZARLARI
Necdet Sakaoğlu - Nuran Yıldırım

KAPAK TASARIM
Füsun Turcan Elmasoğlu

GRAFİK
Halili Budak Akalın

NTV Yayınları, Necati Güvenç Mamıkoğlu ve Ayşe Polatöz'e
katkılarından dolayı teşekkür eder.

BASKI
Mas Matbaacılık A.Ş.
Hamidiye Mah. Soğuksu Cad. No:3 Kağıthane 34408 İstanbul
Tel: (212) 294 10 00

ISBN: 978-605-5813-00-0

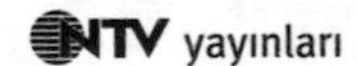

Doğuş Grubu İletişim Yayıncılık ve Ticaret A.Ş.
Eski Büyükdere Cad. USO Center No:61 Kat:2 Maslak 34398 İstanbul
Tel: (212) 335 00 00 Faks: (212) 330 03 23

kitap.ntvmsnbc.com
info@ntvyayinlari.com

Sertifika No: 0607-34-008724

İÇİNDEKİLER

ÖNSÖZ

Stephen Fry

İnsanlar beni bazen çok şey bildiğim için suçlar. Suçlayıcı bir edayla "Stephen, çok şey biliyorsun" derler. Bu durum, üzerinde çok az kum tanesi bulunan birine kumla dolu olduğunu söylemek gibidir. Yeryüzündeki devasa kum miktarını göz önünde bulundurduğumuzda böyle bir insanın üzerinde neredeyse hiç kum yoktur. Bizim üzerimizde de hiç kum yoktur. Hepimiz cahiliz. Bırakın ziyaret etmeyi, varlığını tahmin bile edemeyeceğimiz bilgi kumsalları, çölleri ve tepecikleri var.

Bilinecek ne varsa bildiklerini düşünenlere karşı gözümüzü dört açmalıyız. Bize aynen şunu söylerler: "Her şey bu metinde açıklanmıştır, bilmeniz gereken başka hiçbir şey yok." Binlerce yıldır bu tür şeylere tahammül ediyoruz. "Bir dakika, bu konuda bilgisiz olabiliriz, bir bakalım..." diyenlere zehir içirilmeli ya da gözleri oyulup bağırsakları makatlarından dışarı çıkarılmalıdır.

Her şeyi bildiğimizi sandığımız konusunda, belki de şu anda (eğer gerçekten kurtulabildiysek) dini hurafelerin karanlık çağlarından bile daha fazla tehlikedeyiz. Bugün insan bilgisinin bütün hazinesine bir "mouse" tıklaması mesafesindeyiz; bu oldukça hoş ve güzeldir ama başka bir kutsal metne dönüşme tehlikesi taşır. İhtiyacımız olan şey bir hazine dairesidir; bilginin değil cehaletin hazine dairesi. Cevapları değil soruları veren bir şey. Zaten gösterişli olan olgular üzerine değil, cehaletin karanlık ve buğulu köşelerine ışık tutan bir şey. Ve eliniz-de tuttuğunuz kitap, dinginleşme yolculuğuna koyulmamızı sağlayabilecek bir tür fenerden başka bir şey değil.

Bu kitabı akıllıca oku Küçük İnsan, zira cehaletin gücü çok büyüktür.

GİRİŞ

John Lloyd

İnsan soyunun, evrenin nasıl işlediğini temel olarak anladığına dair bir kanı var. Sen ya da ben değil elbette, ama bir ihtimal "bilimciler" ya da "uzmanlar". Maalesef durum böyle değil. Thomas Edison'un (ki ampulü icat eden adam değildir) sözleriyle: "Herhangi bir şey hakkında yüzde birin milyonda biri kadar şey bilmiyoruz."

Bu kitap, çok fazla şey bilmediklerini bilen insanlar içindir. Sıradan insanların bilmedikleri yüzlerce şey içermektedir. Ama insanın cahilliğini yüzeysel olarak ele almakla işe başlamaz, çünkü bu durum cevapları içeren bir şeydir. Gerçekten ilginç sorular böyle olmaz. Hayat nedir? Kimse bilmiyor. Işık nedir? Ya da aşk? Ya da kahkaha?

Bu (bize okulda öğretilmeyen) o kadar iyi tutulmuş bir sırdır ki, kimsenin yerçekimi kuvvetinin ne olduğu hakkında en ufak bir fikri yoktur. Ya da bilinç, elektrik veya virüsler hakkında. Neden bir hiçlik değil de bir şeyler olduğunu bilmiyoruz; evrenin nasıl ya da neden ortaya çıktığını da bilmiyoruz. Daha da kötüsü, muhtemelen evrenin yüzde 96'sı kayıptır. Dünya katı değildir; boş alandan ve enerjiden oluşur. Ancak, kimse enerjinin ne olduğunu bilmiyor ve boşluk diye bir şeyin olmadığından şüphe etmeye başlıyorlar.

Anlamadığımız birçok şeyden biri de şu: İlginçlik nedir? İlginç bir şekilde, Romalılarda "ilginç" kelimesinin karşılığı yoktu. Şu ana kadar hiçkimse ilginçliğin gerçekte ne olduğunu başarıyla tanımlayamadı – ya da bilmediğimiz şeylerin bildiğimiz şeylerden neden çok daha ilginç olduğunu çözemedi.

Biyologlar birincil dürtülerimizin yemek, cinsellik ve barınma olduğunu (bu haliyle hayvanlarınkinden bir farkı yoktur) söylerler. Biz de bizi eşsiz bir biçimde insan yapan bir dördüncü dürtü olduğunu söylüyoruz: Merak. Oklu kirpiler varoluşun anlamı hakkında endişe duymaz. Pervaneler ve karıncayiyenler geceleyin gökyüzüne bakıp parıldayan şeylerin ne olduğunu merak etmez. Ama insanlar merak eder. W. H. Auden'in sözleriyle: "Davranışlarımızı açıklamak için insansı maymunlara başvuranlar, kıç delikleri hakkındaki bilgiyi yerde açılmış bir delikten edinecek kadar budala olan kalın kafalılardır."

İnsan beyni kendi başına evrendeki en karmaşık nesnedir. Görünür evrendeki pozitif yüklü parçacıkların kurduğundan daha fazla bağlantı kurabilir. Hiçkimse insan beyninin neden bu kadar karmaşık olduğunu ya da bu şaşırtıcı bilgisayarvari güçle ne yapmamız gerektiğini bilmiyor.

Bu kitapla cevabı biliyoruz: Daha fazla soru sorun.

Burada o sorulardan 210 tane var.

CAHİLLİKLER KİTABI

Hakikatin yolu cehaletten geçer.

Henry Suso (1300-1365),
The Little Book of Truth [Küçük Hakikat Kitabı]

Kaç tane burun deliğimiz var?

Dört. İki tane görebildiğimiz, iki tane de göremediğimiz.

Bu keşif balıkların nasıl nefes aldığının gözlemlenmesi sonucunda ortaya çıktı. Balıklar oksijenlerini sudan alır. Çoğunun iki çift burun deliği vardır, ön yüzdeki bir çift suyun girişi, bir çift "egzoz borusu" da suyun çıkışı içindir.

Asıl soru şu: Eğer insanlar balıktan evrimleştiyse, diğer iki burun deliği nereye gitti?

Cevabı da şu: Kafanın içine girerek *choannae* (Yunanca "huniler") denilen iç burun delikleri haline geldiler. Bunlar boğaza bağlanır ve burundan nefes alabilmemizi sağlarlar.

Bunu yapabilmek için bir şekilde dişler arasından geriye doğru çalışmak zorundaydılar. Bu kulağa pek mümkün gibi gelmiyor, ama Çinli ve İsveçli bilimciler yakın zamanlarda bu sürecin yarısına kadar olan aşamayı gösteren *Kenichthys campbelli* adında bir balık –395 milyon yıllık bir fosil– buldular. Bu balığın ön dişleri arasında burun deliğine benzer iki tane delik var.

Burnumuzun ucundaki şeyi görmek sürekli mücadele gerektirir.
GEORGE ORWELL

Kenichthys campbelli, kara hayvanlarının doğrudan atasıdır, hem havada hem suda nefes alabilir. Bir çift burun deliği, timsahınki gibi sudan dışarı çıkarken, diğer çift burun deliği sığ yerlerde uzanıp yemek yemesini sağlardı.

Dişler arasındaki benzer bir boşluk insan embriyosunun ilk zamanlarında da görülebilir. Eğer bu boşluk birleşemezse yarık bir damak ortaya çıkar. Yani eski bir balık, iki eski insan gizemini açıklıyor.

Burunlarla ilgili en son araştırma da tesadüfen, iki dış burun deliğimizi farklı farklı kokuları ayırt etmek için kullandığımızı, her birinden farklı miktarlarda nefes alarak bir tür burunsal stereo yarattığımızı gösteriyor.

Dünyadaki en kurak yer neresidir?

Antarktika. Kıtanın bazı kesimleri 2 milyon yıldır yağmur yüzü görmedi.

Bir çöl teknik olarak yılda 254 mm'den az yağış alan yer olarak tanımlanır.

Sahra Çölü yılda sadece 25 mm yağış alır.

Antarktika'ya düşen yıllık ortalama yağış da hemen hemen aynıdır, ama kıtanın Dry Valleys [Kurak Vadiler] olarak bilinen yüzde 2'lik kısmında buz ve kar yoktur ve buraya hiç yağmur yağmaz.

Dünyadaki ikinci kurak yer Şili'deki Atacama Çölü'dür. Buradaki bazı bölgelere 400 yıldır hiç yağmur yağmamıştır ve buraya düşen yıllık ortalama yağış miktarı yalnızca 0,1 mm'dir. Bir bütün olarak bakıldığında, dünyanın en kurak çölü burasıdır (Sahra'dan 250 kat daha kurak).

Antarktika dünyadaki en kurak yer olmanın yanısıra, en çok su barındıran ve en rüzgârlı yer olma iddiasını da taşıyabilir. Dünyadaki suyun yüzde 70'i buz şeklinde burada bulunur ve rüzgârın en hızlı estiği yer burasıdır.

Antarktika'nın Dry Valleys bölgesindeki eşsiz koşullar katabatik (Yunancada "alçalan" anlamına gelir) rüzgârlardan kaynaklanıyor. Bu rüzgârlar, soğuk ve yoğun havanın yerçekimi kuvveti tarafından aşağı doğru çekilmesiyle meydana gelir.

Bu rüzgârlar saatte 320 km hıza ulaşarak bütün nemi (su, buz ve kar) buharlaştırır.

Antarktika bir çöl olmasına rağmen, kıtanın tamamen kurak olan bu kısımları, biraz da ironik olarak, vaha olarak adlandırılır. Buralar Mars'taki koşullarla o kadar benzerlik taşıyor ki, NASA, Viking misyonunu test etmek için buraları kullandı.

En yüksek dağ nerededir?

Mars'tadır.

Dev volkan Olympus Dağı (Latincede *Olympus Mons*) güneş sistemindeki ve bilinen evrendeki en yüksek dağdır.

22 km yüksekliğinde ve 624 km genişliğindeki bu dağ Everest Dağı'nın yaklaşık üç katı uzunluğundadır ve o kadar geniştir ki, tabanı Arizona'yı ya da Britanya adalarının bulunduğu alanın tamamını kaplayabilir. Dağın tepesindeki kraterin genişliği yaklaşık 72 km'yken, derinliği 3 km'den fazladır: Yani Londra'yı rahatlıkla kapsayacak kadar büyük.

Olympus Mons birçok kişinin kafasındaki dağ tanımına uymaz. Bu dağın tepesi düzdür (suyu çekilmiş bir denizdeki geniş bir plato gibi) ve yamaçları dik bile değildir. Bu yamaçlardaki 1 ila 3 derece arasındaki hafif eğim, bu dağa tırmandığınızda ter bile atmayacağınız anlamına geliyor.

Aslında dağları yüksekliklerine göre ölçeriz. Onları boyutlarına göre ölçseydik, herhangi bir dağı, bir dağ silsilesinde geri kalanlardan ayırmak anlamsız olurdu. Böyle olsaydı, Everest Dağı Olympus Mons'u gölgede bırakırdı. Çünkü Everest Dağı, yaklaşık 2400 km uzunluğundaki dev Himalaya-Karakurum-Hindukuş-Pamir sıradağlarının bir parçasıdır.

Dünyadaki en uzun dağın adı nedir?

Mauna Kea. Burası Hawaii adasındaki en yüksek noktadır. Faal durumda olmayan bu volkanın deniz seviyesinden yüksekliği 4206 metredir; ama deniz yatağından zirvesine kadar olan yüksekliği 10.200 metredir; yani Everest Dağı'ndan, 1352 metre daha uzundur.

Dağlar sözkonusu olduğunda, mevcut uygulamaya göre, "en yüksek" deyince deniz seviyesinden zirveye kadar olan ölçü, "en uzun" deyince de dağın dibinden tepesine kadar olan ölçü anlaşılır.

Böylece 8848 metrelik Everest Dağı dünyadaki en yüksek dağ iken, en uzun dağ değildir.

Dağları ölçmek göründüğünden daha güçtür. Dağın tepesinin nerede olduğunu görmek yeterince kolaydır, ama bir dağın "dibi" tam olarak nerededir?

Örneğin bazıları Tanzanya'daki Klimanjaro Dağı'nın (5895 m) Everest'ten daha uzun olduğunu ileri sürer; çünkü Klimanjaro, doğrudan Afrika ovasından yükselirken, Everest Himalayaların devasa tabanının (dünyanın sonraki en yüksek on üç dağı bu tabanı paylaşır) üstünü kaplayan birçok doruktan yalnızca biridir.

Bazıları ise en mantıklı ölçünün, bir dağın doruğunun dünyanın merkezine olan uzaklığı olması gerektiğini iddia ediyor.

Dünya tam bir küre olmaktan ziyade yassı bir şekle sahip olduğu için, Ekvator'dan yerin merkezine olan uzaklık, kutuplardan yerin merkezine olan uzaklıktan yaklaşık 21 km daha fazladır.

Bu durum, Ekvator'a çok yakın olan dağların (Andlar'daki Chimborazo Dağı gibi) namı için iyi haberdir, ama bu aynı zamanda Ekvator'daki kumsalların bile Himalayalar'dan "daha yüksek" olduğunu kabul etmek anlamına gelir.

Devasa boyutuna rağmen Himalayalar şaşırtıcı derecede gençtir. Bu dağlar oluştuğunda, dinozorların yokoluşunun üzerinden 25 milyon yıl geçmişti.

Everest Nepal'de Chomolungma ("Evrenin Anası*") olarak bilinir. Tibet'teki adı Sagarmatha'dır ("Gökyüzünün Alnı"). Sağlıklı herhangi bir genç gibi halen büyümektedir –yılda 4 mm gibi çok parlak olmayan bir hızla.

Yaşayan en büyük şey nedir?

Bir mantar.

Ve bu, çok nadir görülen bir türü de değildir. Kesilmiş bir ağaç kütüğünün üzerinde büyüyen bal mantarından (*Armillaria ostoyae*) muhtemelen bahçenizde vardır.

> ***Beni hiçbir şeyin masanın üzerinde mantarların belirmesi kadar korkutmadığını (özellikle de küçük bir taşra kasabasında) itiraf ediyorum.***
>
> ***ALEXANDRE DUMAS***

Dua edin şu ana kadar görülen en büyük numunenin (Oregon'daki Malheur Ulusal Ormanı'nda bulunuyor) boyutlarına ulaşmasın. Bu numune 890 hektarlık bir alan kaplıyor ve yaşı 2000 ila 8000 arasında. Bu mantarın çok büyük bir bölümü, dokunaç benzeri beyaz *misel-yumlar*dan (mantarda köke karşılık gelen uzuv) oluşan devasa bir saç yığını şeklinde yerin altında bulunuyor. Bunlar ağaç

---

* "Dünyanın Ana Tanrıçası" diye de çevrilir (ç.n.).

kökleri boyunca yayılarak ağaçları öldürür ve bal mantarlarının zararsız görünümlü kümeleri olarak ara sıra toprağın üstünde görünürler.

Oregon'un dev bal mantarının orman boyunca ayrı kümelerde büyüdüğü sanılıyordu; ama araştırmacılar bu mantarın dünyanın en büyük tek parça organizması olduğunu (bu kümeler toprağın altında birleşiyorlar) ortaya çıkardılar.

Bir mavi balinanın yutabileceği en büyük şey nedir?

a. Çok büyük bir mantar
b. Küçük bir araba
c. Greyfurt
d. Yelkenli

Greyfurt.

Oldukça ilginç bir biçimde, bir mavi balinanın boğazı onun göbek deliğiyle (küçük bir yemek tabağı boyutunda) hemen hemen aynı çapa sahipken, kulak zarından (daha çok büyük bir yemek tabağı boyutunda) biraz daha küçüktür.

Mavi balinalar yılın sekiz ayı neredeyse hiçbir şey yemezler ama yaz aylarında neredeyse sürekli beslenerek günde üç ton yemek yerler. Biyoloji derslerinden hatırlayabileceğiniz gibi bu balinaların besinleri *kril* adlı küçük, pembe, karides benzeri kabuklu hayvanlardan oluşur; bu, balina için bir ziyafettir. Kriller 100.000 tonun üzerinde bir ağırlığa sahip büyük yığınlar halinde balinanın önüne gelir.

Kril kelimesi Norveççedir. Felemenkçe *kriel* kelimesinden ("yavru balık" anlamına gelir ama günümüzde bücür ve "önemsiz kişiler" anlamlarında da kullanılır) gelir. Kril çubukları Şili'de büyük bir başarıyla pazarlanıyor, ama kril kıyması tehlike yaratacak derecede yüksek flüorür düzeyleri yüzünden Rusya, Polonya ve Güney Afrika'da tam bir başarısızlıkla sonuçlandı. Bu flüorür, krilin kıyma haline getirmeden önce, tek tek çıkarılamayacak kadar küçük olan kabuklarından kaynaklanıyor.

Bir mavi balinanın boğazının dar hattı, onun Yunus peygamberi yutmuş olamayacağı anlamına gelir. Bütün bir insanı yutacak kadar geniş boğazı olan tek balina ispermeçet balinasıdır ve bu balinanın midesinin sularındaki yoğun asit, içine giren birinin hayatta kalmasını imkansız kılar. 1891'deki meşhur "Modern Yunus Peygamber" hadisesinin (James Bartley kendisini bir ispermeçet balinasının yuttuğunu ve on beş saat sonra mürettebattaki arkadaşları tarafından kurtarıldığını iddia etmişti) bir sahtekarlık olduğu ortaya çıkarıldı.

Mavi balinanın boğazının dışındaki her yeri büyüktür. 32 metrelik uzunluğuyla şimdiye kadar yaşamış en büyük hayvandır; en büyük dinozorun boyutunun üç katıdır ve 2700 insanın ağırlığına denktir. Mavi balinanın dili bir filden daha ağırdır; kalbi bir araba boyutundadır; midesi bir tondan fazla yiyecek alabilir. Aynı zamanda tek bir hayvanın çıkarabileceği en yüksek sesi çıkarır: Düşük frekanstaki bir "mırıltısı" diğer balinalar tarafından 16.000 km uzaklıktan duyulabilir.

Boyutuna göre en küçük yumurtayı hangi kuş yumurtlar?

Devekuşu.

Bir devekuşu yumurtası tek başına doğadaki en büyük hücre olmasına rağmen, annesinin ağırlığının yüzde 1,5'inden hafiftir. Karşılaştırmak gerekirse, bir çalıkuşunun yumurtası kendi ağırlığının yüzde 13'üne denktir.

Kuşun boyutuyla karşılaştırdığımızda en büyük yumurta, benekli küçük kivininkidir. Bu kuşun yumurtası, kendi ağırlığının yüzde 26'sına denk gelir: Bu da bir kadının altı yaşındaki bir çocuğu doğurmasına denktir.

Devekuşu yumurtasının ağırlığı 24 tavuk yumurtasının ağırlığına eşittir; az kaynamış hale 45 dakikada gelir. Kraliçe Victoria kahvaltısında bu yumurtalardan bir tane yiyip onu şu ana kadar yediği en iyi yemek olarak ilan etmişti.

Herhangi bir hayvan tarafından yumurtlanmış en büyük yumurta (dinozorlar da dahil) Madagaskar'da yaşayan fil kuşuna aitti; bu kuşun soyu 1700 yılında tükendi. Fil kuşunun yumurtası devekuşu yumurtasının 10 katı büyüklüğündeydi, 9 litre hacmindeydi ve 180 tavuk yumurtasına denkti.

Fil kuşunun (*Aepyornis maximus*), Sinbad'ın *1001 Gece Masalları*'nda savaştığı yırtıcı *anka kuşu* efsanesinin temelini oluşturduğu düşünülür.

Kafası olmayan bir piliç ne kadar yaşayabilir?

Yaklaşık iki yıl.

10 Aralık 1945'te Colorado'nun Fruita şehrinde semiz bir horoz yavrusunun kafası kesildi ve bu horoz yavrusu yaşamaya devam etti. Bu horozun kafasını kesen balta inanılmaz bir biçimde horozun şahdamarını ıskaladı ve beyin sapının yaşamasına, hatta büyümesine yetecek kadarlık kısmını boynunda bıraktı.

Mike olarak tanınan bu horoz ulusal bir şöhret olarak ülkeyi dolaştı; *Time* ve *Life* dergilerine çıktı. Sahibi Lloyd Olsen

ABD'nin tamamında düzenlediği etkinliklerde "Kafası Olmayan İnanılmaz Horoz Mike"ı göstermek için 25 sent ücret aldı. Mike kart bir pilicin kafasını alarak eksiksiz bir biçimde boy gösterebilecek durumdaydı. Aslında Mike'ın kafasını Olsen'in kedisi yemişti. Mike şöhretinin doruğunda ayda 4500 dolar kazanıyordu ve kendisine 10.000 dolar değer biçiliyordu. Onun başarısı, piliçlerin kafasını kesen bir dizi taklitçiyi beraberinde getirdi, ama bu taklitçilerin talihsiz kurbanlarından hiçbiri 1-2 günden fazla yaşamadı.

Mike'ın yemeği ve suyu bir göz damlalığıyla veriliyordu. Kafasını kaybetmesinin ardından geçen 2 yılık süre zarfında yaklaşık 2,7 kilo aldı ve mutlu bir biçimde boynuyla yiyecekleri "gagalayarak" ve tüylerini düzelterek vaktini geçirdi. Mike'ı çok iyi tanıyan biri şu yorumu yaptı: "O, kafası olmadığının farkında olmayan büyük, şişman bir piliçti."

Felaket, Arizona'nın Phoenix şehrindeki bir otel odasında geceleyin meydana geldi. Mike'ın nefesi tıkandı ve Olsen'in korktuğu başına geldi: Göz damlalığını önceki günkü gösteride bırakmıştı. Solunum yollarını açamayınca, Mike nefesi kesilerek öldü.

Mike Colorado'da hâlâ bir idoldür ve Fruita 1999'dan bu yana her Mayıs ayında onun ölümünü "Kafasız Horoz Mike" günüyle anmaktadır.

Üç saniyelik hafızaya sahip olan şey nedir?

Yeni başlayanlar için söyleyelim: Japon balığı değil.

Yaygın kanının aksine, bir Japon balığının hafızası birkaç saniyelik değildir.

2003'te Plymouth Üniversitesi'ndeki Psikoloji Okulu tarafından yapılan bir araştırma, hiçbir şüpheye yer bırakmayacak şekilde, Japon balığının en az üç aylık bir hafızaya sahip olduğunu ve değişik şekilleri, renkleri ve sesleri ayırt edebildiğini gösterdi. Japon balıkları, karşılığında yiyecek kazanmak üzere bir manivelayı hareket ettirmek için eğitildiler; manivela günde yalnızca bir saat işleyecek şekilde ayarlandığında Japon balığı onu doğru zamanda harekete geçirmesini çok geçmeden öğreniyordu. Bir dizi benzer çalışma, çiftlik balıklarının algılanabilir bir işarete karşılık olarak belirli zamanlarda ve yerlerde beslenmek üzere kolaylıkla eğitilebildiğini gösterdi.

Japon balıkları akvaryumun yan taraflarında yüzmez; görebildikleri için değil, yanal çizgi adı verilen bir basınç algılama sistemi kullandıkları için. Kör mağara balıklarının bazı türleri, sadece yanal çizgi sistemlerini kullanarak, karanlık ortamlarında kusursuz bir biçimde seyredebilir.

Şu ana kadar yaşamış en tehlikeli hayvan nedir?

Şu ana kadar ölmüş olan insanların yarısını (muhtemelen 45 milyar kadar) dişi sivrisinekler öldürmüştür (erkek sivrisinekler sadece bitkileri ısırır).

Sivrisinekler potansiyel olarak ölümcül olan yüzden fazla hastalık taşır; bunlar arasında sıtma, sarı humma, dang humması, ansefalit (beyin iltihabı), filarya enfestasyonu ve fil hastalığı var. Günümüzde bile her 12 saniyede bir kişiyi öldürüyorlar.

Şaşırtıcı bir biçimde, 19. yüzyılın sonuna kadar hiçkimsenin sivrisineklerin tehlikeli olduğu konusunda bir fikri yoktu. 1877'de İngiliz doktor Sir Patrick Manson ("Sivrisinek" Manson olarak biliniyordu) fil hastalığının sivrisinek ısırıklarından kaynaklandığını kanıtladı.

Fark edilmek için çok küçük olduğunu düşünüyorsan, kapalı bir odada bir sivrisinekle uyumayı dene.
AFRİKA ATASÖZÜ

17 yıl sonra, 1894'te, sıtmaya da sivrisineklerin sebep olabileceği aklına geldi. Öğrencisi Ronald Ross'u (o zamanlar Hindistan'da genç bir doktordu) bu hipotezi sınamaya teşvik etti.

Ross, dişi sivrisineklerin *Plazmodyum* (sıtma mikrobu) parazitini salyalarıyla nasıl taşıdıklarını gösteren ilk kişiydi. Ross teorisini kuşlardan faydalanarak sınadı. Manson daha da ileri gitti. Bu teorinin insanlar üzerinde geçerli olduğunu göstermek için kendi oğluna hastalığı aşıladı; bunu da diplomatik çanta içinde Roma'dan getirilen sivrisinekleri kullanarak yaptı. (Neyse ki, derhal bir kinin* dozu verilmesiyle çocuk iyileşti.)

Ross 1902'de Nobel Tıp Ödülü'nü kazandı. Manson, Kraliyet Akademisi Üyeliği'ne seçildi, kendisine şövalye unvanı verildi ve Londra Tropikal Tıp Okulu'nu kurdu.

Bilinen 2500 sivrisinek türü var; bunlardan 400'ü *Anopheles* familyasına aittir ve bunlardan da 40'ı sıtmayı bulaştırabilir.

Dişi sivrisinekler, suya bıraktıkları yumurtalarını olgunlaştırmak için emdikleri kanı kullanırlar. Suyun içinde, larvalar yumurtaları kırarak dışarıya çıkar. Birçok böcekten farklı olarak, sivrisineklerin pupası (krizalit olarak da bilinir) faaldir ve yüzebilir.

---

* Bazı hastalıklarda ateşi düşürmek için (özellikle de sıtma tedavisinde) kullanılan ilaç (ç.n.).

Erkek sivrisinekler dişilerden daha yüksek bir perdeden vızıldar: Erkek sivrisinekler Si-natürel bir diyapozon notasıyla cinsel olarak ayartılabilirler.

Dişi sivrisinekleri beslendikleri yere çeken şeyler nem, süt, karbondioksit, vücut sıcaklığı ve harekettir. Terli insanların ve hamile kadınların ısırılma şansları daha fazladır.

Sivrisinek, İspanyolca ve Portekizcede "küçük sinek" anlamına gelir.

Dağ sıçanları adam öldürür mü?

Evet, insanları öksürerek öldürürler.

Dağ sıçanları, sincap familyasının yumuşak huylu ve koca göbekli üyeleridir. Yaklaşık olarak bir kedi ebadındadırlar ve tehlike sezdiklerinde yüksek sesle ciyaklarlar. Daha nahoş bir biçimde, Moğol steplerinde görülen bobak türü, *Yersinia pestis* bakterisinin neden olduğu bir akciğer enfeksiyonuna (yaygın olarak bilinen adıyla hıyarcıklı veba) karşı özellikle hassastır.

Dağ sıçanları bu hastalığı öksürerek etrafındakilere yayarlar; pirelere, sıçanlara ve en nihayetinde de insanlara bulaştırırlar. Doğu Asya'dan Avrupa'ya sıçrayan bütün büyük vebalar Moğolistan'daki dağ sıçanlarından gelir. Dağ sıçanlarından kaynaklanan tahmini ölü sayısı bir milyarın üzerindedir; bu da dağ sıçanlarını sıtma taşıyan sivrisineklerin ardından en çok insan öldüren ikinci hayvan yapar.

Dağ sıçanları ve insanlar vebaya yakalandıklarında, koltukaltlarındaki ve kasıklardaki lenf bezleri siyahlaşır ve şişer (bu yaralara "hıyarcık" adı verilir; bu kelime Yunancada "kasık", daha sonra da "hıyarcık" anlamına gelen *boubon* kelimesinden gelmektedir). Moğollar bir dağ sıçanının koltukaltlarını asla yemez, çünkü "dağ sıçanının koltukaltları ölü bir avcının ruhunu içerir".

Dağ sıçanının diğer kısımları Moğolistan'da lezzetli birer yiyecektir. Avcılar avlarını takip ederkenki ritüelleri karmaşıklaştırdılar: Bu ritüellerin arasında takma tavşan kulakları takmak, dans etmek ve bir Tibet öküzünün (yak) kuyruğunu sallamak yer alır. Yakalanan dağ sıçanları sıcak taşlar üzerinde bütün olarak ızgara yapılır. Avrupa'da Alpler'deki dağ sıçanlarının yağına romatizma ilacı olarak büyük değer verilir.

Diğer dağ sıçanı türleri arasında çayır faresi ve marmota yer alır. Marmota Günü 2 Şubat'ta kutlanır. Her yıl Punxsutawney Phil adlı bir dağ sıçanı, Pennsylvania'daki Gobbler's Knob'ta bulunan ve elektrikle ısıtılan yuvasından smokinli "bakıcıları" tarafından alınıp, kendisine gölgesini görüp göremediği sorulur. Eğer "evet" derse kış altı hafta daha uzayacak demektir. Phil 1887'den bu yana hiç yanılmadı.

Hıyarcıklı veba hâlâ görülüyor (ciddi olarak en son 1994'te Hindistan'da görüldü) ve bu hastalık ABD'de karantina gerektiren üç hastalıktan biridir (diğer ikisi sarı humma ve koleradır).

Kuzey fareleri (lemming) nasıl ölür?

Eğer aklınızdan toplu şekilde intihar ettikleri geçiyorsa, kesinlikle değil.

Kuzey farelerinin intihar ettikleri fikri muhtemelen Norveç kuzey faresinin (*Lemmus lemmus*) dört yıllık inişli çıkışlı nüfus çevrimine tanık olan (ama anlayamayan) 19. yüzyıl natüralistlerinin eserlerinden kaynaklanmaktadır.

Kuzey fareleri olağandışı üretken bir kapasiteye sahiptir. Tek bir dişi kuzey faresi yılda 80 yavru verebilir. Kuzey farelerinin sayılarındaki ani artışlar İskandinavyalıları, bu farelerin havalara göre kendiliğinden ürediklerini düşünmeye yöneltmişti.

Gerçekte olup biten ise, ılıman kışların aşırı nüfusa, bunun da aşırı otlanmaya yol açtığıdır. Kuzey fareleri aşina olmadıkları topraklarda yiyecek arayışına girerler ve bu durum uçurum, göl ve deniz gibi doğal engellere toslayıncaya kadar sürer. Kuzey fareleri ilerlemeye devam eder. Bunun sonucunda panik ve şiddet baş gösterir. Kazalar meydana gelir. Ama bu intihar değildir.

İkinci bir mite göre toplu intihar fikri, 1958 tarihli Walt Disney filmi *White Wilderness* [Beyaz Kalabalık] tarafından icat edildi. Filmin tam bir düzmece olduğu kesindir. Film, denize çıkışı olmayan ve kuzey farelerinin yaşamadığı Alberta'da (Kanada) çekildi: Kuzey fareleri yüzlerce mil uzaktaki Manitoba'dan taşınmak durumundaydı. "Göç" sahneleri, karla kaplı bir döner platformun üzerindeki birkaç kuzey faresi kullanılarak çekildi. Meşhur final sahnesi (geri planda Winston Hibbler'ın acıklı sesi –"Bu, geri dönmek için son şanstır, fakat ilerliyorlar ve bedenlerini boşluğa bırakıyorlar"– eşliğinde kuzey farelerinin denize daldıkları sahne) yapımcıların kuzey farelerini bir nehre atmalarıyla gerçekleştirildi.

Ama Disney'in suçu, yerleşik bir hikayeyi canlandırmaya çalışmaktan başka bir şey değildi. Aşağıdaki satırlar 20. yüzyılın başında çocuklar için çıkan en etkili başvuru kitabı *Children's Encyclopaedia*'da (Arthur Mee, 1908) yer alıyor:

"Dosdoğru yürüyorlar; tepeleri ve vadileri aşarak, bahçelerden, çiftliklerden, köylerden geçerek, kuyuların ve göletlerin içine girip buralardaki suyu zehirleyerek ve tifoya sebep olarak ... boyuna denize yürüyüp suya dalıyorlar ve yok oluyorlar. ... Bu durum üzücü ve korkunç ama bu kederli göç olmasaydı kuzey fareleri Avrupa'yı çoktan çiğ çiğ yemiş olurdu."

Bukalemunlar ne yapar?

Bulundukları ortama uymak için renk değiştirmezler.

Bunu hiç yapmamışlardır; hiçbir zaman da yapmayacaklardır. Bu tamamen bir mittir. Tümüyle uydurmadır. Koca bir yalandır.

Bukalemunlar değişik duygusal haller sonucunda renk değiştirirler. Eğer bu renk değiştirme ortama uymak için oluyorsa bu tamamen tesadüftür.

Bukalemunlar korktuklarında, bir tehlike atlattıklarında ya da bir kavgada başka bir bukalemunu alt ettiklerinde renk değiştirirler. Karşı cinsten bir bukalemunu gördüklerinde ve bazen de ışık ya da ısıdaki değişiklikler sonucu renk değiştirirler.

Bir bukalemunun derisi *kromatofor* (Yunanca renk anlamına gelen *chroma* ve taşımak anlamına gelen *pherein*'den oluşur) adlı özel hücrelerden oluşan birçok katman içerir, bu katmanların her biri de değişik renkte pigmente sahiptir. Bu katmanlar arasındaki dengenin değişmesi derinin değişik ışık türlerini yansıtmasına neden olarak bukalemunları yürüyen bir renk çarkı haline getirir.

Bukalemunların ortama uymak için renk değiştirdikleri düşüncesinin bu kadar ısrarcı olması tuhaftır. Bu uydurmaca ilk defa, eğlenceli öyküler ve kısaltılmış biyografiler yazan Karistoslu Antigonos adlı genç bir Yunan yazarın MÖ 240 civarında yazdığı eserinde görülür. Çok daha nüfuzlu olan ve bir yüzyıl daha önce yazan Aristoteles (oldukça doğru bir biçimde) renk değişimini korkuya bağlamıştı ve Rönesans'a kadar "ortama uyma" teorisi neredeyse bütünüyle terk edilmişti. Bu teori intikam alarak geri döndü ve bugüne kadar belki de birçok insanın bukalemunlar hakkında "bildiklerini" düşündükleri tek şeydir.

Bukalemunlar aynı anda, saatlerce, tamamen hareketsiz kalabilirler. Bu yüzden ve çok az yediklerinden dolayı yüzyıllardır bukalemunların havayla beslendikleri düşünülüyordu. Elbette bu da doğru değil.

Bukalemun kelimesi Yunancada "yerdeki aslan" anlamına gelir. En küçük türleri 25 mm uzunluğundaki *Brookesia minima*'dır; en büyükleri ise 610 mm'den uzun olan *Chaemaeleo parsonni*'dir. Bayağı Bukalemun Latincede *Chamaeleo chamaeleon* diye bilinir ve bir şarkının girişine benzer.

Bukalemunlar birbirinden tamamen farklı iki yöne aynı anda bakabilmek için gözlerinden her birini birbirinden bağımsız olarak döndürüp odaklayabilirler. Ama bukalemunlar tamamen sağırdır.

İncil, bukalemun yemeyi yasaklamıştır.

Kutup ayıları nasıl kılık değiştirir?

Siyah burunlarını beyaz pençeleriyle kapatırlar, öyle değil mi?

Kulağa hoş geliyor ama asılsız bir şey. Öte yandan kutup ayıları solak da değildir. Doğa bilimciler kutup ayılarını yüzlerce saat gözlemledi ve burunlarını gizlediklerine ya da solak olduklarına dair herhangi bir bulguya rastlamadı.

Buna karşılık kutup ayıları diş macununu sever. Kutup ayılarının Kuzey Kutup bölgesindeki turist kamplarını yerle bir ettiklerine, çadırları devirdiklerine, alet edevatları ezip geçtiklerine ve bütün bunları bir diş macunu tüpünü emmek için yaptıklarına dair sürekli anlatımlar var.

Manitoba'daki Churchill kasabasında* büyük bir "kutup ayısı hapishanesi" bulunmasının sebeplerinden biri bu olabilir. Kasabada gezinen bütün ayılar yakalanıp buraya tıkılır. Bazıları topluluğun içine salıverilmeden önce aylarca hapis yatar ve çıktıklarında acı dolu, ıslah edilmiş ve başıboşturlar. Eskiden bir askeri üssün deposu olan yer, resmen D-20 Binası olarak belirlenmiştir. Burası aynı anda 23 ayı alabilir. Kutup ayıları yazın bir şey yemez, bu yüzden hapisteki bazı kutup ayılarına aylarca yemek verilmez. Bunlar ilkbahara ya da sonbahara kadar (bu mevsimler avlanma mevsimleridir) burada tutulur; böylece serbest kaldıklarında balık tutmaya giderler ve Churchill'de dolanmamış olurlar.

Bilinen en eski tutsak kutup ayısı Mısırlı II. Ptolemeus'a (MÖ 308-246) aitti ve Ptolemeus'un İskenderiye'deki özel hayvanat bahçesinde tutuluyordu. MS 57'de Romalı yazar Calpurnius Siculus, suyla kaplı bir amfiteatrda kutup ayılarıyla fok balıklarının kapıştırıldıklarını yazıyordu. Viking avcılar, anne kutup ayılarını öldürüp derilerini yüzdükten sonra postlarını karın üzerine seriyorlar, kutup ayısı yavruları da postun üzerine geldiğinde bu yavruları yakalıyorlardı.

Bilimsel adlandırmalar bazen yanıltıcı olabilir. *Ursus arctos* kutup ayısı demek değildir, boz ayı anlamına gelir. *Ursus* Latincede "ayı" demekken, *arctos* da Yunancada "ayı" anlamına gelir. Kutup bölgesine ayının adı verildi, ayıya Kutup

---

* Kanada'da Hudson Körfezi'nin batı kıyısında, en çok kutup ayısının yaşadığı yerlerden biri (ç.n.).

bölgesinin adı değil; orası "ayının bölgesiydi", ayıların yaşadığı ve gökyüzündeki Büyük Ayı'nın (Büyük Ayı takımyıldızının) işaret ettiği yer. Kutup ayısı *Ursus maritimus*'tur (deniz ayısı anlamına gelir).

Büyük Ayı takımyıldızı birçok kültür (doğuda Japon Ainu, batıda Amerikalı Kızılderililer, ortada Avrupalılar) tarafından ayı olarak tanımlanmıştır. Bütün kutup ayıları tam anlamıyla Büyük Ayı takımyıldızının altında doğmalarına rağmen bu ayıların hepsi Oğlak burcudur (Aralık sonu ya da Ocak başı doğarlar).

Boz ayı (*Ursus arctos*) , Kuzey Amerika boz ayısıyla (*Ursus horribilis*) aynı türdendir; zaten Kuzey Amerika'nın içlerinde yaşayan boz ayılara bu ad verilir. İngilizcede erkek ayıya "boar", dişi ayıya da "sow" adı verilir, aynı zamanda "boar" erkek domuz ve "sow" da dişi domuz anlamına gelir; halbuki ayılar domuzlara, neredeyse fok balıklarının koalalara olduğu kadar yakındır. Aslında ayının en yakın akrabası köpektir.

Çıplak gözle kaç galaksi görülebilir?

Beş bin? İki milyon? On milyar?

Hayır, dört tane görebiliriz. Aslında oturduğumuz yerden yalnızca iki tane görebiliriz, bunlardan biri de içinde bulunduğumuz Samanyolu'dur.

Evrende 100 milyardan fazla galaksi bulunduğunu ve bunların her birinde de 10 ila 100 milyar arası yıldız olduğunu göz önünde bulundurduğumuzda, bu durum biraz hayal kırıklığı yaratır. Dünyadan çıplak gözle toplamda sadece dört galaksi görülebilir; bunlardan da sadece yarısı aynı anda görülebilir (her yarımküreden iki tane). Kuzey Yarımküreden Samanyolu'nu ve Andromeda'yı (M31) görebilirken, Güney Yarımküreden Büyük ve Küçük Macellan Bulutları'nı görebiliriz.

Olağandışı görme yeteneğine sahip bazı insanlar üç galaksi daha gördüklerini iddia ediyor: Üçgen Takımyıldızı'ndaki M33 galaksisi, Büyük Ayı Takımyıldızı'ndaki M81 galaksisi ve Su Yılanı Takımyıldızı'ndaki M83 galaksisi; ama bunu kanıtlamak çok zordur.

Çıplak gözle görüldüğü düşünülen yıldız sayısı büyük bir değişkenlik gösterir, ama toplam sayının 10.000'in oldukça altında olduğu konusunda herkes hemfikirdir. Astronomiyle ilgili amatör bilgisayar yazılımlarının çoğu aynı veritabanını kullanır: Bu veritabanının listesinde "çıplak gözle görülebilir" 9600 yıldız vardır. Ancak, kimse bu rakama gerçekten inanmaz. Diğer tahminler 8000 civarından 3000'in altına kadar iner.

Sovyetler Birliği'nde, geceleyin gökyüzünde görülebilen yıldız sayısından daha fazla sinema salonu olduğu (5200 civarı) söylenirdi.

Kanadalı internet sitesi www.starregistry.ca'da 98 Kanada doları karşılığında bir yıldıza sizin veya bir arkadaşınızın ismini verebiliyorsunuz; 98 yerine 175 Kanada doları verirseniz size bir de çerçeveli belge veriyorlar. Bu site, çıplak gözle görülebilen 2873 yıldız listeliyor. Bu yıldızlar daha önceden tarihsel ya da bilimsel isimler almış oldukları için bunların hiçbirine isim verilemiyor.

İnsanoğlunun inşa ettiği hangi yapı aydan görülebilir?

Çin Seddi dediyseniz on puan kaybettiniz.

İnsan eliyle yapılmış hiçbir şey aydan çıplak gözle görülemez.

Çin Seddi'nin "insanoğlunun inşa ettiği ve aydan görülebilen tek yapı" olduğu düşüncesi çok yaygındır, ama "ay"la uzayı birbirine karıştırmaktadır.

"Uzay" oldukça yakındır. Yerin yüzeyinden 100 km uzaklaşıldığında uzay başlar. Bu noktadan birçok yapı görülebilir: Otobanlar, denizdeki gemiler, demiryolları, şehirler, tarlalar ve hatta bazı şahsi binalar.

Bununla birlikte, dünyanın yörüngesini terk edip yalnızca birkaç bin km yüksekliğe çıkılınca insanoğlunun yaptığı hiçbir şey görülmez. Dünyaya uzaklığı 400.000 km'den fazla olan aydan, kıtalar bile güçlükle görülür.

Trivial Pursuit oyunu aksini söylemesine rağmen, uzayın başladığı noktayla ay arasında, "sadece" Çin Seddi'nin göründüğü hiçbir yer yoktur.

Aşağıdakilerden hangisi Çin icadıdır?

a. Cam

b. Çekçek

c. Chop suey

d. Fal kurabiyesi

Chop suey*. Bu yemeğin Amerika kökenli olduğuna dair bir-

---

* Sıcak servis edilen (Çin usulü) sebzeli (genellikle fasulye filizi, bambu filizi, su kestanesi, soğan, mantar bulunur) et veya balık (ç.n.).

çok hayali hikaye var, ama bu bir Çin yemeğidir.

> ***Bilgi Çin'de olsa da gidip alınız.***
> ***MUHAMMED***

E. N. Anderson'ın *Çin Yemeği* (1988) adlı kitabına göre, chop suey Güney Kanton'daki Toisan'a özgü yerel bir yemektir. Onlar bu yemeğe, Kantoncada "çeşitli yemek artıkları" anlamına gelen *tsap seui* adını verdiler. California'ya ilk göç edenlerin büyük bölümü Toisan'dan geldikleri için bu yemek ilk olarak Amerika'da ortaya çıktı.

Cam Çin icadı değildir: Bilinen ilk cam ürünler MÖ 1350'de eski Mısır'da yapılmıştır. İlk Çin porseleni Han hanedanlığı (MÖ 206 – MS 220) dönemine aittir. Eski Çin, porselen üzerine koca bir kültür inşa etmiştir ama saydam camla hiç uğraşmamıştır. Bu durum bazen, Çin'in hiçbir zaman Batı'daki gibi bir bilimsel devrim yaşamamış olmasını açıklamak için kullanılır; zira Batı'daki bilimsel devrimi mümkün kılan, lensler ve cam eşyalardı.

Çekçek, Amerikalı bir misyoner olan Jonathan Scobie tarafından icat edildi; Scobie bu aleti ilk defa 1869'da Japonya'nın Yokohama şehrinin sokaklarında yatalak karısını taşımak için kullandı.

Fal kurabiyeleri de Amerika kökenlidir, buna karşılık Japon göçmen Makato Hagiwara tarafından icat edilmiştir; Hagiwara San Francisco'daki Golden Gate çay bahçesini yaratmış olan bir bahçe tasarımcısıdır. Hagiwara yaklaşık 1907'den itibaren içine teşekkür notları koyarak küçük ve tatlı Japon kurabiyeleri yapmaya başladı. Şehrin Çin mahallesindeki lokantalar bunu taklit ettiler ve bu notlarda gelecek tahminleri yazmaya başladı.

Şikayet eden kim? Çinlilerin becerisi bize şunları kazandırdı: Abaküs, zil, konyak, takvim, pusula, tatar yayı, ondalık sistem, petrol çıkarma amaçlı sondaj, havai fişek, olta makarası, alev makinesi, sifonlu tuvalet, barut, helikopter, hamut, demir saban, uçurtma, vernik, gelecekten haber veren ayna, kibrit, mekanik saat, minyatür balon, negatif sayılar, kağıt, paraşüt, porselen, baskı teknikleri, kabartma harita, dümen, sismograf, ipek, üzengi, asma köprü, şemsiye, su pompası ve el arabası.

Marco Polo nereliydi?

Hırvatistan.

Marco Polo 1254'te (daha sonra Venedik'in bir protektorası olan) Dalmaçya'nın Korcula adasında Marko Piliç olarak dünyaya geldi.

Uzakdoğu'ya gerçekten 17 yaşındayken tüccar amcalarıyla beraber mi gittiğini, yoksa yalnızca Karadeniz'deki alışveriş yerlerinde konaklayan İpek Yolu tüccarlarının hikayelerini mi kağıda geçirdiğini muhtemelen asla bilemeyeceğiz.

Kesin olan bir şey varsa, o da Marco Polo'nun meşhur seyahat kitabının büyük ölçüde, 1296'da Cenevizlilere esir düştükten sonra aynı hücrede kaldığı aşk öyküleri yazarı Rustichello da Pisa'nın eseri olduğudur. Marco Polo dikte ettirdi, Rustichello da Marco Polo'nun hiç bilmediği bir dil olan Fransızca olarak yazdı.

1306'da ortaya çıkan eser eğlendirici bir biçimde tasarlandı ve matbaadan önceki dönemde çok satan bir kitap oldu. Ama doğru tarih bilgileri açısından çok daha az güvenilirdir.

Şu anda bilinmeyen nedenlerle orijinal başlığı *Il Milione* ("Milyon") idi; ama çok geçmeden kitaba "bir milyon yalan" adı takıldı ve (artık zengin ve başarılı bir tüccar olan) Marco Polo "Bay Milyon" olarak anıldı. Bu kitap "Harikaların Harika Kitabı" türünden bir başlığın ilgi çekici bir 13. yüzyıl versiyonuydu. Günümüze hiçbir orijinal el yazması kalmadı.

Marco Polo'nun makarna çeşitlerini ve dondurmayı İtalya'ya getirdiği bilinir.

Aslında makarna çeşitleri 9. yüzyılda Arap ülkelerinde biliniyordu ve 1279'da (Marco Polo'nun döndüğünü iddia ettiği tarihten 25 sene önce) Cenevizlilerde kurutulmuş makarnadan bahsediliyordu. Yemek tarihçisi Alan Davidson'a göre bu mit, gitse gitse ancak 1929'a kadar geri gidiyor; ilk kez o tarihte Amerika'daki bir makarna dergisinde söz edilmiş çünkü.

Dondurma bir Çin icadı olabilir, ama batıya Marco Polo tarafından getirilmiş olması pek muhtemel gözükmüyor; zira batıda 17. yüzyılın ortasına kadar dondurmanın bahsi geçmiyordu.

Buhar makinesini kim icat etti?

a. James Watt
b. George Stephenson
c. Richard Trevithick
d. Thomas Newcomen
e. Mısırlı Heron

Heron (bazen Hero –kahraman– olarak adlandırılır), Newcomen'in 1711'deki buhar makinesinden yaklaşık 1600 yıl önce bu makineyi icat etti.

Heron MS 62 yılı civarında İskenderiye'de yaşadı ve matematikçi ve geometrici olarak ün saldı. O aynı zamanda ileri görüşlü bir mucitti ve icat ettiği *aeolopile* ("rüzgar topu"), çalışan ilk buhar makinesiydi. Tepkili itimle aynı ilkeyi kullanan buhar itişli metal bir küre dakikada 1500 devir dönüyordu.

Heron'un şanssızlığına, kimse bu aletin pratikteki işlevini fark edemedi ve bu alet eğlenceli bir yenilikten başka bir şey olarak görülmedi.

Şaşırtıcı gelecek ama, demiryolu 700 yıl önce Korinthos tiranı Periander tarafından icat edilmişti (keşke Heron bunu bilseydi). Diolkos (gemi kızağı) adlı mekanizma Yunanistan'daki Korinthos kıstağı boyunca 6 km yürütüldü; kireçtaşı kalıplarıyla kaplı bir yol içeriyordu ve bu yolu aralarında 1,5 m mesafe olan tekerlek olukları kesiyordu. İçine gemilerin yüklendiği tekerlekli arabalar bu yolda gidiyordu. Bu arabalar köle grupları tarafından itiliyordu; böylece Ege Denizi ile İyon Denizi arasında kestirme bir yol sunan bir tür "karadan kanal" oluşuyordu.

Diolkos, MS 900 civarında bakımsızlıktan harap olana kadar yaklaşık 1500 yıl boyunca kullanıldı. Bunun ardından demiryolunun çalıştığı ilkeler 500 yıl kadar (14. yüzyılda madenlerde kullanılma fikri ortaya çıkıncaya kadar) tamamıyla unutuldu.

Tarihçi Arnold Toynbee, eğer bu iki icat; hızlı bir demiryolu ağına, Atina demokrasisine ve Pisagor'un öğretilerinden oluşan Budizm benzeri bir dine dayanan küresel bir Yunan imparatorluğunu meydana getirmek üzere birarada gerçekleşseydi neler olabileceğiyle ilgili başarılı bir deneme yazdı. Toynbee laf arasında, "Demiryolu Geçidi, No: 4 Nasıra" adresinde oturmuş bir yalancı peygamber olma ihtimalinden bahsediyor.

Heron aynı zamanda madeni parayla çalışan içecek makinesini (dört drahmiye bir bardak kutsanmış su alınıyordu) ve herkesin kendi içkisini getirdiği bir ziyafette, getirdiğiniz şarabı başka kimsenin içmemesi için taşınabilir bir düzenek icat etti.

Telefonu kim icat etti?

Antonio Meucci.

Sağı solu belli olmayan ama bazen de parlak başarılara imza atan Floransalı mucit Meucci ABD'ye 1850'de gitti. 1860'ta, *teletrofono* adını verdiği bir elektrikli aygıtın çalışma modelini gözler önüne serdi. Meucci, Alexander Graham Bell'in telefon patentinden beş yıl önce, 1871'de bir tür geçici patent (caveat*) başvurusunda bulundu.

> ***Bir gün ABD'deki her büyük şehirde bir tane telefon olacak.***
>
> ***ALEXANDER GRAHAM BELL***

Meucci aynı yıl, Staten Island feribotunun kazanının patlaması sonucu ciddi biçimde yanarak hastalandı. Çok iyi İngilizce bilmeyen ve işsiz olan Meucci 1874'te başvurusunu yenilemek için gerekli olan 10 doları gönderemedi.

Bell'in patenti 1876'da tescillendiğinde Meucci dava açtı. Meucci orijinal krokilerini ve çalışma modellerini Western Union'ın laboratuvarına yollamıştı. Olağanüstü bir tesadüf

* 1836 tarihli ABD Patent Yasası'yla uygulamaya konan "caveat" sistemi bir tür ön patent başvurusuydu; buna göre mucit icadının kısa bir tanımını yolluyor, karşılığında ise, başka bir mucidin aynı konuda başvuru yapması halinde kendisine danışılma hakkını elde ediyordu. "Caveat" başvurusunun geçerlilik süresi bir yıldı ve süre dolduğunda yıllık 10 dolarlık ücret ödenerek yenilenebiliyordu. Bir patent çıkarılmadan önce bir yıl öncesine kadar olan "caveat" başvuruları inceleniyor, eğer aynı icat için bir "caveat" başvurusu bulunuyorsa Patent Ofisi "caveat" başvurusunun sahibini uyarıyor ve resmi patent başvurusu yapması için ona üç aylık bir süre tanıyordu. "Caveat" sistemi 1909'da kaldırıldı (ç.n.).

eseri Bell tam da bu laboratuvarda çalıştı ve modeller esrarengiz bir biçimde kayboldu.

Meucci, Bell'e açtığı dava devam ederken 1889'da öldü. Bunun sonucunda icadın sahibi Meucci değil Bell oldu. 2002'de ABD Temsilciler Meclisi'nin aldığı "Antonio Meucci'nin hayatının ve başarılarının tanınması ve Meucci'nin telefonu icat ettiğinin kabul edilmesi" kararıyla denge kısmen sağlandı.

Bell'in tamamen bir sahtekar olduğunu söylemek istemiyorum. Bell gençliğinde, büyükannesi başka bir odadayken onunla iletişim sağlamak amacıyla köpeğine "Nasılsın büyükanne?" demeyi öğretmişti. Daha sonra telefonu pratik bir alet haline getirdi.

Arkadaşı Thomas Edison gibi Bell de yenilik arayışında son derece acımasızdı. Yine Edison gibi, her zaman başarılı da değildi. Bell'in metal dedektörü, yaralı Başkan James Garfield'in bedenindeki kurşunun yerini saptayamamıştı. Muhtemelen Başkan'ın yatağının metal yayları Bell'in dedektörünü yanıltmıştı.

Bell'in hayvan genetiğine el atması, koyunlardaki ikiz ve üçüz doğumları arttırma isteğinden kaynaklandı. Bell, ikiden fazla meme ucuna sahip koyunların daha çok ikiz doğurduklarının farkına vardı. Tüm yapabildiği, daha çok meme ucuna sahip koyun ortaya çıkarmak oldu.

Hanesine yazılacak artılar arasında ise ayaklı teknenin (hydrofoil) icat edilmesine katkıda bulunması yer almaktadır; bu tekne 1919'da saatte 114 km'lik hızla sudaki hız rekorunu kırmış ve bu rekoru 10 sene boyunca elinde bulundurmuştur. Bell bu sırada 82 yaşındaydı ve bu teknede yolculuk yapmayı reddetmişti.

Bell her zaman için kendisinden öncelikle "sağırların öğretmeni" olarak bahsetti. Annesi ve karısı sağırdı ve genç Helen Keller'a ders verdi. Keller daha sonra otobiyografisini Bell'e adadı.

İskoçya, İskoç eteği, gayda, İskoç sakatat yahnisi (haggis), yulaf lapası, viski ve ekose kumaş hakkında ilginç olan şey nedir?

Bunların hiçbiri İskoç değildir.

İskoçya'nın ismi Scoti'den geliyor; Scoti, Romalıların Kaledonya olarak adlandırdıkları yere 5. ya da 6. yüzyılda gelen İrlandalı bir Kelt kabilesidir. Bu kabile 11. yüzyılda İskoçya anakarasının tamamına hâkim oldu. "İskoç dili" aslında İrlanda dilinin bir lehçesidir.

İskoç eteğini İrlandalılar bulmuştur, ama İskoç eteği ("kilt") kelimesi Dancadır ("kıvrılmak" anlamına gelen *kilte op*).

Gayda daha eskidir ve muhtemelen Orta Asya'da icat edilmiştir. Eski Ahit'te (Daniel 3:5, 10, 15) ve 4. yüzyıldaki Yunan şiirinde gaydadan bahsedilmektedir. Gaydayı Britanya'ya muhtemelen Romalılar getirmiştir, ama ilk Pikt* oymaları 8. yüzyıla denk düşer.

İskoç sakatat yahnisi (haggis) eski bir Yunan bağırsak dolmasıydı (MÖ 423'te Aristophanes'in *Bulutlar* adlı eserinde bu yemeğin –bağırsaktan dolup taşarken– bahsi geçmekteydi).

Yulaf lapası, Orta Avrupa ve İskandinavya'da Neolitik döneme ait 5000 yıllık bataklık cesetlerinin midesinde bulundu.

---

* Britanya'yı işgal etmiş olan Keltlerden ve Bretonlardan daha önce Britanya'da bulunan, daha sonra Bretonlar tarafından yerlerinden edilen ve 9. yüzyıl civarında İskoçlarla karışan bir halk (ç.n.).

Viski eski Çin'de bulundu. İskoçya'dan önce İrlanda'ya geldi ve ilk olarak keşişler tarafından damıtıldı. Viski kelimesi İrlanda dilindeki *uisge beatha* ya da Latincedeki *aqua vitae* ("hayat suyu") kelimelerinden geliyor.

Her klanın kendi ekosesine sahip olduğu sistem 19. yüzyıl başına dayanan koca bir uydurmadır. 1745 isyanının ardından, ekose kumaş da dahil bütün İskoç giysileri yasaklandı. İngiliz garnizon alayları özentilik yaparak ve Kral IV. George'un 1822'de Edinburgh'a gerçekleştirdiği ziyareti kutlamak için kendi ekose kumaşlarını tasarlamaya başladılar. Kraliçe Victoria bu eğilimi teşvik etti ve çok geçmeden bu bir Victoria modası haline geldi.

Bütün bunlara karşın, İskoçlar işe yaramaz insanlar değillerdir. İskoç icatları ve keşifleri şöyle sıralanabilir: Yapışkanlı pul, İngiltere Merkez Bankası, bisiklet pedalı, Bovril*, arkadan dolma tüfek, hücre çekirdeği, kloroform, buhar hücresi, renkli fotoğraf, mısır unu, sıtma ilacı, ondalık noktası, elektromanyetizma, *Encyclopaedia Britannica*, parmak izi, dolmakalem, hipnoz, derialtı şırıngası, insülin, kaleydoskop, Kelvin ölçeği, çim biçme makinesi, ıhlamur likörü, logaritma, kamyon, marmelat, araç sigortası, MR tarama cihazı, yandan çarklı gemi, gazyağı, piyano pedalı, havalı lastik, posta damgası, radar, yağmurluk, aynalı teleskop, tasarruf bankası, pervane, hızölçer, buharlı şahmerdan, asfalt yol, uzyazar (telem), çelik boru, tifo aşısı, ultrason tarayıcı, ABD Donanması, evrensel saat, termos, dalga enerjisiyle çalışan elektrik jeneratörleri ve çelik halat.

---

* Sıcak su ile karıştırılıp bir tür içki yapılan ya da yemeklere lezzet vermek için kullanılan et özü (ç.n.).

Fransız tostu (yumurtalı ekmek) Fransız mı?

Hem evet hem hayır. Ekmeği yumurtaya batırıp kızartmak bayat ekmeği değerlendirmenin tüm dünyada yaygın olan bir yoludur.

Fransızların hiç şüphesiz, *tostees dorees* ("altın tost") adlı bir Ortaçağ versiyonu vardı ve bu daha sonra *pain perdu* ("kayıp ekmek") adını aldı; bu isim Cajun mutfağında servis edilen lüks numuneler için büyük bir şevkle benimsendi.

Bilinen ilk yemek tarifi, Romalı aşçı Apicius'un 1. yüzyıldaki eserinde yer alıyor. *Yemek Sanatı* adlı eserinde Apicius, daha çok gelişigüzel bir biçimde, bunun "lezzetli bir diğer yemek" olduğunu yazıyor: "Kabuğu çıkarılmış katıksız beyaz ekmeği tercihen büyük parçalara ayırın; süte batırın, yağda kızartın, üzerine bal sürün ve servis yapın."

Bu tarife eski Fransız belgelerinde *pain à la Romaine* ("Roma ekmeği") olarak referansta bulunuluyor. Bu da onun İtalyan Tostu olduğu anlamına geliyor. Her zamanki gibi, o anda nerede bulunduğunuza bağlı olarak, Alman Tostu, İspanyol Tostu, Amerikan Tostu ve hatta Rahibe Tostu tabirleri kullanılır.

"Fransız Tostu" tabirine İngilizcede ilk defa 1660'ta, Robert May'in *Usta Aşçı* adlı eserinde rastlanır. Aynı yıl Gervase Markham'in önde gelen eseri *İngiliz Ev Kadını pain perdu*'nün yağlı ve baharatlı bir versiyonunu içeriyordu; bu durumda, İngilizler açısından en azından o günlerde Fransız Tostu Fransız kökenliydi.

Bu yemek aynı zamanda "Windsor'un Fakir Şövalyeleri" adıyla anılır. Bu ifadenin Almanca (*arme Ritter*), Danca (*arme riddere*), İsveççe (*fattiga riddare*) ve Fince (*köyhät ritarit*) versiyonları hep "fakir şövalyeler" anlamına gelir.

Bir teoriye göre Ortaçağ'daki bir ziyafetin en pahalı kısmı tatlıydı – baharatların ve fındık, ceviz türü yemişlerin ithalatı maliyetliydi. Soyluluk unvanına sahip olmalarına rağmen bütün şövalyeler zengin değildi; bu durumda yumurtaya batırılıp kızartıldıktan sonra üzerine reçel ya da bal sürülerek servis edilen bir yemek, kuralları bozmadan bu adabımuaşeretin gerekliliklerini yerine getirirdi.

Şampanyayı kim icat etti?

Fransızlar değil.

Fransızlar şaşıracak –hatta rencide olacaklar– ama şampanya bir İngiliz icadıdır.

Zencefilli biraya aşina olan herkesin bileceği gibi mayalanma doğal olarak köpük yaratır. Asıl sorun daima bu köpüğü kontrol altına almak olmuştur.

İngilizler 16. yüzyılda Champagne'dan fıçılarca ham ve asitsiz şarap ithal edip, bu şarapların mayalanmaya başlaması için şeker ve melas ilave ederek köpüklü şarap yaptılar. Bu şarabı muhafaza etmek için de kömür ateşinde yaptıkları sağlam cam şişeler ve mantar geliştirdiler.

Kraliyet Akademisi'nin kayıtlarının gösterdiği gibi, şu anda *méthode champenoise* [Şampanya Metodu] olarak bilinen yöntem ilk olarak 1662'de İngiltere'de kayda geçirildi. Fransızlar buna ustalık ve pazarlama yeteneği kattılar, ama modern sek (*brut*) usulü kusursuz hale getirmeleri 1876'ya kadar gerçekleşmeyecekti (ve o zaman dahi, bunu İngiltere'ye ihracat yapmak için gerçekleştirmişlerdi).

İngiltere Fransa'nın en büyük şampanya müşterisidir. 2004'te İngiltere'de 34 milyon şişe şampanya tüketildi. Bu rakam bütün ihracat pazarının neredeyse üçte biri büyüklüğündedir – ABD'nin iki katı, Almanların üç katı ve İspanyolların yirmi katı.

Benediktin keşişi Dom Pérignon (1638-1715) şampanyayı icat etmedi: Aslında o, vaktinin çoğunu köpükleri ortadan kaldırmaya çalışarak geçirdi.

Onun meşhur haykırışı şöyleydi: "Koşun, koşun; yıldızları içiyorum." Bu haykırış 19. yüzyılın sonunda bir reklam için tasarlandı. Pérignon'un şampanyaya gerçek katkısı, değişik bağlardan üzüm çeşitlerini ustaca harmanlaması ve mantar için tel veya kenevir kafes kullanmasıydı.

Yasal bir boşluk, sadece Amerikalıların, köpüklü şaraplarına şampanya demelerine izin veriyor. Madrid Anlaşması (1891) sadece Champagne bölgesinin bu ismi kullanabileceğini karara bağladı. Versailles Anlaşması (1919) bu kararı teyit etti, ama ABD Almanya'yla ayrı bir barış anlaşması imzaladı.

Yasak kalktığı zaman Amerikalı şarap tüccarları bu boşluktan yararlanarak kendi "Şampanyalarını" serbestçe sattılar; bu da Fransızların canını oldukça sıktı.

Zaman zaman şampanya içmek için kullanılan çay tabağına benzer kupa (*coupe*), Marie Antoinette'in göğüslerinin kalıbını aldırmasıyla yapılmamıştır. Bu kupa ilk olarak (Marie Antoinette'in saltanatından çok daha önce) 1663'te İngiltere'de imal edilmiştir. Bu, şimdiye kadar hiçbir üstsüz İngiliz modeli de çağrıştırmamıştır.

Giyotin nerede icat edildi?

İngiltere'de Yorkshire bölgesinin Halifax şehrinde.

Halifax Darağacı (Halifax Gibbet), yaklaşık 4,5 metre uzunluğundaki iki dikey destekten oluşuyordu; bu desteklerin arasında da bir ip ve makarayla kontrol edilen, kurşun kaplama bir çapraz kirişe yerleştirilmiş demir bir balta asılıydı. Resmi kayıtlara göre, 1286 ile 1650 arasında bu aletle en az 53 kişi idam edildi.

Halifax Ortaçağ'da geçimini kumaş ticaretinden sağlıyordu. Çok büyük miktarlarda pahalı kumaş, kuruması için imalathanelerin dışarısında bırakılıyordu. Hırsızlık çok ciddi bir sorundu ve şehirdeki tüccarların hırsızları caydıracak etkili bir şeye ihtiyaçları vardı.

Fransızlar, bunlardan ve daha sonra bunun İskoçya'daki bir benzeri olan Maiden adlı aletlerden esinlenip kendi isimlerini ortaya atmış olabilirler.

Dr. Joseph Ignace Guillotin insancıl, yumuşak huylu bir doktordu ve halkın huzurundaki infazlardan hoşlanmıyordu. Guillotin 1789'da, Fransız ceza sistemini ıslah etmek ve onu daha insancıl bir hale getirmek için Ulusal Meclis'e iddialı bir plan sundu. Guillotin, fakirler (kir pas içinde asılıyorlardı) ile zenginler (görece daha temiz biçimde idam ediliyorlardı) arasında ayrım yapmayan, standartlaştırılmış ve mekanik bir idam yöntemi önerdi.

Guillotin'in önerileri biri dışında tereddütsüz reddedildi: Etkili bir öldürme makinesi kavramı. Guillotin'in önerisi Cerrahlar Akademisi Sekreteri Dr. Antoine Louis tarafından geliştirildi. 1792'de, bildiğimiz çapraz bıçak ağzıyla çalışan ilk aygıtı yapan, Guillotin değil, Louis idi. Hatta onu geliştiren kişiye istinaden, kısaca *Louison* ya da *Louisette* diye adlandırıldı.

Ama her nasılsa, Guillotin'in adı bu aletle anılır oldu ve ailesinin tüm çabalarına rağmen bu isim öyle kaldı. Yaygın söylencenin aksine Guillotin, adını verdiği aygıt tarafından öldürülmedi; o 1814'te omzundaki bir çıban yüzünden öldü.

> ***Varlıklı sınıfları gördükçe giyotinin varlığını daha iyi anlıyorum.***
> *GEORGE BERNARD SHAW*

Giyotin ilk "demokratik" idam yöntemi oldu ve tüm Fransa'da benimsendi. Tarihçiler giyotinin ilk on yılında 15.000 kişinin idam edildiğini tahmin ediyor. Bu aletle yalnızca Nazi Almanya'sı daha fazla kişi idam etti: 1938 ile 1945 arasında 40.000 kişinin giyotinle idam edildiği tahmin ediliyor.

Giyotinle idam edilen son Fransız, Hamida Djandoubi adında Tunuslu bir göçmendi; Djandoubi 1977'de bir genç kıza tecavüz edip öldürmekten suçlu bulunmuştu. Fransa'da idam cezası 1981'de kesin olarak kaldırıldı.

Koparılan bir kafanın bilincinin ne kadar süre yerinde kaldığını (o da kalıyorsa) tam olarak sınamak imkansız. En iyi tahmin beş saniye ila on üç saniye arasındadır.

Bastille'in zapt edilmesi sonucu kaç mahkum serbest kaldı?

Yedi.

Fransa'da 14 Temmuz Bastille Günü milli bayramdır ve şanlı bir milli simgedir (bu açıdan ABD'deki 4 Temmuz'a eşdeğerdir).

Bu sahneyi tasvir eden coşkulu tablolara baktığınızda, yüzlerce şanlı devrimcinin üç renkli bayraklarla sokaklara akın ettiğini düşünebilirsiniz. Gerçekteyse, kuşatma sırasında yarım düzineden yalnızca biraz fazla kişi içerde tutuluyordu.

Bastille 14 Temmuz 1789'da zapt edildi. Bundan kısa bir süre sonra, mahkumları iskeletlerin yanında bitkin bir biçimde zincire vurulmuş yatarken gösteren tüyler ürpertici gravürler Paris sokaklarında satışa sunuldu; o zamandan bu yana Bastille'deki koşulların halkta uyandırdığı izlenimi bu gravürler oluşturdu.

13. yüzyılda kale olarak kullanılan Bastille yüzyıllardır bir hapishaneydi; XVI. Louis zamanında, kralın ya da bakanlarının talimatları üzerine, komplo ya da yönetimi devirme girişimi gibi suçlardan tutuklananlara ev sahipliği yaptı. Burada kalan tanınmış eski mahkumlar arasında Voltaire de vardı ve Voltaire *Oedipe* adlı eserini 1718'de burada yazdı.

O gün orada bulunan yedi mahkum şunlardı: Dört kalpazan, Solanges Kontu ("cinsel bir suçtan" içeride bulunuyordu) ve iki akıl hastası (bunlardan biri Major Whyte adlı bir İngiliz ya da İrlandalıydı, beline kadar sakalı olan bu adam kendisini Julius Caesar zannediyordu).

Bastille'e gerçekleştirilen saldırı sırasında yüz kişi öldü; ölenler arasında vali de vardı ve valinin kafası bir kargının üzerinde Paris sokaklarında dolaştırıldı.

Hapishanenin muhafız birliği, askere alınmayıp çürüğe çıkarılan kişilerden oluşan bir gruptu ve (gevşek ziyaret saatleri ve tam donanımlı odalarıyla) koşullar birçok mahkum için oldukça rahattı.

Ressam Jean Fragonard'ın 1785'teki ziyaret gününü tasviri, avluda mahkumlarla (ki bunlara cömert bir harçlık, bolca tütünle alkol ve evcil hayvan besleme izni veriliyordu) dolaşan şık kadınları gösteriyordu.

1759'dan 1760'a kadar burada hapis yatan Jean François Marmontel şunları yazıyordu: "Şarap mükemmel değildi ama idare ederdi. Tatlı yoktu: Bir şeylerden mahrum kalmanız kaçınılmazdı. Bir bütün olarak baktığımda hapistekilerin burada çok iyi ağırlandığını söyleyebilirim."

Bastille'in zapt edildiği gün için XVI. Louis'nin günlüğünde şu satırlar okunuyordu: "*Rien* [Hiçbir şey]."

O gün avladığı hayvan sayısından bahsediyordu.

"Ekmek bulamıyorlarsa pasta yesinler" diyen kimdir?

Yine yanlış. O değil.

Muhtemelen tarih dersinde gördüğünüz şeyi dün gibi hatırlıyorsunuz: "1789 yılıydı ve Fransız Devrimi tüm hızıyla cereyan etmekteydi. Paris'teki yoksullar ayaklandı, çünkü yiyecek ekmekleri yoktu. Bu sırada Kraliçe Marie Antoinette (katı yürekli bir umursamazlık sergileyerek, komik olmaya çalışarak ya da yalnızca aptalca davranarak) 'ekmek bulamayanlar pasta yesin' şeklindeki ahmakça öneriyi ortaya attı."

İlk sorun şu ki, bahsedilen şey pasta değil *brioche* adlı bir çörekti (kullanılan ifadenin Fransızca aslı "*Qu'ils mangent de la brioche*" idi). Alan Davidson'un *Oxford Companion to Food* [Oxford Yemek Rehberi] adlı eserinde *brioche* hakkında şunlar yazılı: "18. yüzyıldaki *brioche* (az miktarda tereyağı ve yumurtayla) çok az lezzetlendirilmiştir ve taze bir beyaz somun ya da ekmekten çok farklı değildir." Bu durumda bu sözler iyi niyetli bir girişim olabilir: "Eğer ekmek istiyorlarsa onlara iyi cinsinden verin."

Kaldı ki, bu sözleri söyleyen Marie Antoinette değildi. Bu ifade en aşağı 1760'tan beri aristokratik çürümenin tasviri olarak yazılı bir biçimde kullanılıyordu. Jean-Jacques Rousseau bu ifadeyi daha 1740'ta duyduğunu ileri sürüyordu.

Yakın dönemde Marie Antoinette'in biyografisini yazan Lady Antonia Fraser, bu ifadeyi XIV. Louis'nin ("Güneş Kral") karısı Kraliçe Marie-Thérèse'e atfetmiştir; ama bu lafı söylemiş olabilecek bir sürü heybetli 18. yüzyıl leydisi vardır. Bu ifadenin propaganda amacıyla uydurulmuş olması da oldukça mümkündür.

Marie Antoinette'in kruvasan Fransa'ya memleketi Viyana'dan getirdiğine dair bir başka hikaye daha vardır. Bu da pek muhtemel gözükmüyor çünkü Fransızlar kruvasandan ilk defa 1853'te bahsetmiştir.

İlginç bir şekilde, Avusturyalı gezgin hamur işi ustaları katmeri Danimarka'ya yaklaşık bu zamanlarda getirdiler; Danimarka, burada *wienerbrød* ("Viyana ekmeği") olarak bilinen "Danimarka" böreklerinin isim babası olmuştur.

Viyana'da bu böreklere *Kopenhagener* adı verilir.

İsviçre'yi ne kadar iyi tanıyorsunuz?

a. Swiss roll (rulo pasta) yerler
b. Köpek yerler
c. Guguklu saati icat etmişlerdir
d. Orduları yoktur

Swiss roll İsviçre pastası değildir: Hiçkimse bu pastaya neden "Swiss" adı verildiğini bilmiyor. İsviçre'de bu pastaya *Biscuitrolle* ya da *gâteau roulé* denir; İspanyollar *brazo de gitano* ("çingenelerin silahı"), Amerikalılar da *jelly roll* (jelly, reçel demektir) der.

Carl Reed'in *The Third Man* (1949) filminde yer alan Orson Welles'in meşhur iç monoloğuna rağmen, guguklu saat

1738'de Almanya'da icat edilmiştir.

İsviçreliler daha modern ve modern hayata daha faydalı icatlara imza atmışlardır: Suni ipek, selofan, Velcro (yüzeyleri birbirine tutturmak için kullanılan bir tür sentetik kumaş), sütlü çikolata ve İsviçre ordu çakısı.

İsviçreliler tarafsızdır, ama savaş karşıtı değildir. Yaşı 20 ile 40 arasında olan her İsviçreli erkek İsviçre ulusal milis gücünde yer alır ve evinde bir tüfek bulundurur. Eğer İsviçre bir savaşa girecek olsa 500.000 kişilik bir "ordu" hazırdır. İsviçre Hava Kuvvetleri İkinci Dünya Savaşı sırasında Alman ve Müttefik uçaklarını çok rahat biçimde vurup düşürmüştür.

Geriye köpek yemeyle ilgili olan şık kalıyor. Makul ve yasalara saygılı İsviçreliler, Avrupa'da köpek eti yiyen tek halktır.

Uzak Alp köylerinde kaç köpeğin tuzlanarak, tütsülenerek ya da sucuk, sosis yapılarak yendiği bilinmiyor, ama bunun gerçekleştiği kesin. Aynı şey kediler için de geçerli. Savunmaları da şu: Çok sevdiğimiz bir evcil hayvanı kullanıma sokmak mantıklıdır ve bizim için de faydalıdır. Köpeğin en lezzetli parçalarını yedikten sonra geriye kalan parçalar yağa dönüştürülür ve öksürük tedavisinde kullanılır.

Bir St. Bernard boynunda ne taşır?

St. Bernardlar boyunlarında asla konyak fıçısı taşımaz.

Bu köpekler tamamen yeşilaycıdır (her şey bir yana, vücut ısısı düşük birine konyak vermek çok vahim bir hatadır), ama bu düşünce turistlerin hoşuna gider ve bu köpeklerle boyunlarına konyak fıçısı takılıyken fotoğraf çektirirler.

St. Bernardlar dağda kurtarma köpekleri olarak eğitilmeden önce, Büyük St. Bernard Geçidi'ndeki (Alp Dağları üzerinde bulunan ve İsviçre'yi İtalya'ya bağlayan yol) misafirhanede keşişler tarafından yiyecek taşımak için kullanılıyorlardı, zira büyük boyutları ve uysal yapıları onları iyi birer yük hayvanı yapıyordu.

Konyak fıçısı, Kraliçe Victoria'nın himayesinde bulunan Sir Edwin Landseer (1802-1873) adında genç bir İngiliz sanatçının fikriydi. Landseer manzara ve hayvan resimleriyle meşhurdu ve *Glen'in Hükümdarı* adlı tablosu ve Nelson Sütunu'nun zeminindeki aslan heykelleriyle tanınıyordu.

1831'de *Alplerdeki Güçlü Mastılar Baygın Bir Yolcuyu Hayata Döndürüyor* başlıklı bir tablo yaptı; bu tabloda, bir tanesi boynunda minyatür bir konyak fıçısı taşıyan (bunu "dikkat çeksin" diye eklemişti) iki St. Bernard resmediliyordu. St. Bernardlara o zamandan bu yana bu çağrışım yüklendi. Landseer'in ayrıca bu tür için (Alp mastısı yerine) St. Bernard ismini yaygınlaştırdığı kabul edilir.

St. Bernardlar esasında Barry av köpekleri (Almancada "ayı" anlamına gelen *Bären* kelimesinden gelmektedir) olarak biliniyordu. İlk cankurtaranlardan birinin adı "Büyük Barry" idi; bu köpek 1800-1814 arasında 40 kişiyi kurtardı, ama maalesef onu kurt zanneden kırk birinci kişi tarafından öldürüldü.

Barry'nin içi doldurulup Berne'deki Doğal Tarih Müzesi'nin onur köşesine konulmuştur. Onun anısına, St. Bernard Misafirhanesi'nde bir defada doğan yavrulardan en iyi erkek yavruya Barry adı verilir.

Bazen misafirhanenin isteyen herkese yiyecek ve kalacak yer sağlama görevi zahmetli olabiliyor. 1708'de, bir gece Canon Vincent Camos 400'ü aşkın yolcuya yemek sağlamak durumunda kaldı. İnsan gücünden tasarruf etmek için, şişe bağlı büyük bir hamster tekerleğine benzeyen bir aygıt kullanıyordu. Bu aygıtın içinde bir St. Bernard koşarak şişe geçirilmiş etleri döndürüyordu.

Bu köpeklerin 1800'den bu yana 2500'ü aşkın kişiyi kurtardıkları tahmin ediliyor; buna karşılık son 50 yılda kimseyi kurtaramadılar. Bunun üzerine, Manastır bunları satıp yerlerine helikopter almaya karar verdi.

Hank hank diye ses çıkaran şey nedir?

Arnavutluk'taki domuzlar.

Arnavutluk'taki köpekler *hem hem* diye ses çıkarır. Katalancada köpekler *bap bap* der. Çin'deki köpekler *veng veng*, Yunanistan'daki köpekler *gav gav*, Slovenya'dakiler *hov hov*, Ukrayna'dakiler *haf haf*, Türkiye'dekiler *hav hav* der. Bu ses İzlanda'da *voff*, Endonezya'da *gong gong* ve İtalya'da *bau bau*'dur.

İlginç bir biçimde, bir hayvanın sesinde daha az değişkenlik olduğunda, diller bu sesin yorumlanması üzerinde daha çok anlaşıyorlar. Örneğin, neredeyse her dilde *möö* diyen bir inek, *miyavlayan* bir kedi ve *guguk* diyen bir guguk kuşu vardır.

Cumbria'daki Köpek Davranışı Merkezi'ndeki araştırmacılara göre köpeklerin bölgesel aksanları bile var. En ayırt edici aksanlara Liverpoollu ve İskoç köpekler sahip. Liverpoollu köpekler daha yüksek perdeden bir sese sahipken, İskoç köpeklerin sesi daha "düşük perde"dendir.

Köpek Davranışı Merkezi bu verileri toplayabilmek için köpeklerden ve sahiplerinden yanıt makinesine mesaj bırakmalarını istedi; daha sonra uzmanlar, insanların ve köpeklerin çıkardığı seslerin perdesini, tonunu, yüksekliğini ve uzunluğunu karşılaştırdılar.

Uzmanlar, köpeklerin sahiplerine daha yakın olabilmek için seslerini taklit ettikleri sonucuna vardı; aralarındaki bağlar ne kadar yakınsa seslerindeki benzerlik de o kadar yakın oluyordu.

Köpekler aynı zamanda sahiplerinin davranışlarını da taklit eder. Genç bir ailenin beslediği bir teriyer hareketli olma eğilimindedir ve bu köpeği zapt etmesi zor olur. Aynı cins köpek yaşlı bir kadınla yaşadığında sessiz ve hareketsiz kalmaya ve uzun süre uyumaya meyilli olur.

Dünyadaki en büyük kurbağa nasıl bir ses çıkarır?

Hiç ses çıkarmaz. Orta Afrika'da yaşayan 90 cm'lik Golyat kurbağası dilsizdir.

Kurbağalar çok çeşitli sesler çıkarırlar: Vıraklarlar, horuldarlar, homurdarlar, seslerini titretirler, gıdaklarlar, cıvıldarlar, çın çın öterler, çığlık atarlar, ıslık çalarlar ve hırlarlar. Sığırlar, sincaplar ve cırcırböcekleri gibi ses çıkarırlar. Bağıran ağaç kurbağası (*Hyla gratiosa*) köpek gibi havlar; dülger kurbağanın (*Rana virgatipes*) sesi, iki marangozun çivilere farklı anlarda çekiçle vururken çıkardığı sese benzer; Fowler kara kurbağası (*Bufo fowleri*) ise soğuk algınlığına yakalanmış bir koyunun melemesine benzeyen bir ses çıkarır. Güney Amerika cennet kurbağası (*Pseudis paradoxa*) bir domuz gibi hırıldar (bu kurbağa paradoksaldır, çünkü bu türün yavru hali kurbağanın üç katı büyüklüğündedir).

Dişi kurbağalar çoğunlukla ses çıkarmaz. Sesi, potansiyel eşlerine karşı yerlerini belli eden erkek kurbağalar çıkarır. En çok ses çıkaran kurbağa Porto Riko'nun minik *coqui*'sidir; bu kurbağanın Latince adı (*Eleutherodactylus coqui*) kendisinden daha uzundur. Erkek coquiler ormanda sıkış tıkış toplanırlar (her on metrekareye bir tane) ve kimin daha yüksek ses çıkarabildiğini belirlemek için yarışırlar. En yüksek ses, yaklaşık 1 metreden 95 desibel olarak kaydedilmiştir; bu da bir havalı matkabın çıkardığı sese ve insanın ağrı eşiğine yakındır.

Son zamanlarda yapılan araştırmalar, "nasıl oluyor da kurbağaların kulak zarları patlamıyor" sorusunun cevabını vermiştir: Kurbağalar duymak için akciğerlerini kullanır. Akciğerler, kurbağaların çıkardıkları seslerin titreşimlerini emerek kulak zarının yüzeyindeki iç ve dış basıncı eşitler, böylece hassas iç kulağı korur.

Kurbağaların çıkardığı sesler radyo istasyonları gibi işler: Her tür kendi frekansını seçer. Böylece ortaya çıkan sesler (birbirleriyle yarışan kurbağaların gürültüleriyle dolu bir ormanda ya da gölette) dişi kurbağaların dikkatini dağıtmaz; dişi kurbağalar sadece kendi türlerinin çıkardığı seslere kulak kesilir.

Uluslararası alanda, kurbağaların genel olarak ördeklerinkine benzer ses çıkardıkları kabul edilir. Ama bu her yerde böyle değildir. Örneğin Tayland'da kurbağalar *ob ob* diye ses çıkarır, Polonya'da *kam kam*, Arjantin'de *börp*, Cezayir'de *gar gar*, Çin'de buna benzer bir biçimde *gau gau*, Bengal'de *gangor-gangor*, Hindistan'da *mi:ko:mi:k-mi:ko:mi:k* (iki nokta işareti, önce gelen sesli harfin uzatıldığını ve genizden telaffuz edildiğini belirtir), Japonya'da *kirokiro*, Kore'de *gae-gool-gae-gool*, Türkiye'de *vırak vırak* sesini çıkarırlar.

ABD'de ise herkes bütün kurbağaların "ribbit" sesini çıkardığını düşünür; halbuki bilinen 4360 kurbağa türünden yalnızca biri "ribbit" sesini çıkarır. İnsanların böyle düşünmesinin sebebi, "ribbit" sesinin, Hollywood'da yaşayan Pasifik ağaç kurbağasına (*Hyla regilla*) ait olmasıdır. Bu kurbağanın yaşadığı bölgede kaydedilmiş olan bu ses, Florida'daki bataklıklardan Vietnam'daki balta girmemiş ormanlara kadar herhangi bir yerdeki atmosferi pekiştirmek için yıllardır bütün filmlere yerleştirilmiştir.

Hangi baykuş "tu-vit, tu-vu" der?

"Tu-vit, tu-vu" ifadesini ilk defa William Shakespeare *Love's Labour's Lost* (*Aşkın Çabası Boşuna*, çev. Ali H. Neyzi, İstanbul: Mitos-Boyut Yayınları, Eylül 2002) adlı eserinde yer alan "Kış" başlıklı şiirinde kullanmıştır:

> Gözlerini dikip bakan baykuş her gece şöyle öter,
> Tu-vu;
> Tu-vit, tu-vu: Hoş bir ses,
> Joan yağ içinde karıştırır tencereyi bu esnada.

Hiçbir baykuş "tu-vit, tu-vu" sesini çıkarmaz.

Peçeli baykuşlar tiz bir sesle çığlık atar. Kır baykuşları genellikle ses çıkarmaz. Kulaklı orman baykuşu ise düşük perdeden uzatılmış bir "uu-uu-uu" sesi çıkarır.

"Tu-vit, tu-vu"ya en çok benzeyen baykuş sesini alaca baykuşlar (dişisi ve erkeği) çıkarır.

Erkek alaca baykuş siren gibi "huuu-huuu-huuu" diye öter; dişisi de daha boğuk bir biçimde "kiv-vik" diye karşılık verir.

Darwin ölü baykuşlara ne yaptı?

Onları yedi; ama bunu sadece bir kere yaptı.

Charles Darwin bilimin yanısıra gastronomiye de meraklıydı. Cambridge Üniversitesi'nde gönülsüz bir şekilde ilahiyat okurken "Gurme Kulübü"ne üye oldu; bu kulüpte haftada bir toplanıyor ve normalde mönülerde bulunmayan hayvanları yemeye çalışıyorlardı.

Darwin'in oğlu Francis babasının mektuplarını yorumlarken, Gurme Kulübü'nün her şeyden önce şahin ve balabankuşunu beğendiğini, ama "tarifi imkansız" buldukları "yaşlı bir alaca baykuşun ardından heveslerinin kırıldığını" belirtiyordu.

Yıllar geçtikçe Darwin akademik alanda iyice sivrildi ve tanrıya olan inancını kaybetti, ama sıradışı bir mönünün cazibesine olan isteğini asla kaybetmedi.

Beagle yolculuğu sırasında armadillo ve çikolata renkli bir kemirgen (muhtemelen *Dasyproctidae* familyasına mensup bir aguti idi) yedi; armadillo için "tadı ve görünüşü ördeğe benziyor" derken, kemirgen için "hayatımda yediğim en iyi etti" diyordu. Patagonya'da bir tabak puma (dağ aslanı, *Felis concolor*) yedi ve tadının dana etine benzediği kanısına vardı. Gerçekten de ilk başta bunun dana eti *olduğunu* zannetmişti.

Daha sonra Darwin Küçük Nandu (Küçük Rea) bulmak için Patagonya'yı karış karış aradıktan sonra bu nandudan, 1833'te Port Desire'dan ayrılırken Noel akşamı yemiş olduğunu fark etti. Bu kuşu gemideki ustabaşı Conrad Martens vurmuştu.

Darwin bu kuşun bayağı Büyük Nandulardan (ya da kendi tabiriyle "devekuşu") biri olduğunu farz etmişti; hatasını ancak tabaklar temizlenirken anladı: "Aklım başıma gelmeden önce bu kuş pişirilmiş ve yenmişti. Neyse ki kafası, boynu, bacakları, kanatları, büyük tüylerinden birçoğu ve derisinin büyük bölümü sağlam kalmıştı." Darwin geri kalan parçaları Londra'daki Zooloji Derneği'ne yolladı ve bu kuş Darwin Nandusu (*Rhea Darwinii*) adını aldı.

Darwin, Galapagos'ta iguana (*Conolophus subcristatus*) yiyerek yaşamını sürdürdü; James Island'da ise birkaç porsiyon dev tosbağayı mideye indirdi. Darwin dev tosbağanın daha sonra geliştireceği evrim kuramı açısından taşıdığı önemin farkında olmadan, *Beagle* gemisine bunlardan 48 tane yükledi. Darwin ve gemideki arkadaşları bu tosbağaları yemeye devam ettiler, yemeyi bitirdikten sonra da kabuklarını denize attılar.

Filum Ziyafeti (Phylum Feast), mümkün olduğunca çok tür kullanılarak hazırlanan ve biyologların 12 Şubat'ta Darwin'in doğum gününü kutlamak için yedikleri ortak bir öğündür.

İnsanın kaç duyusu vardır?

En az dokuz.

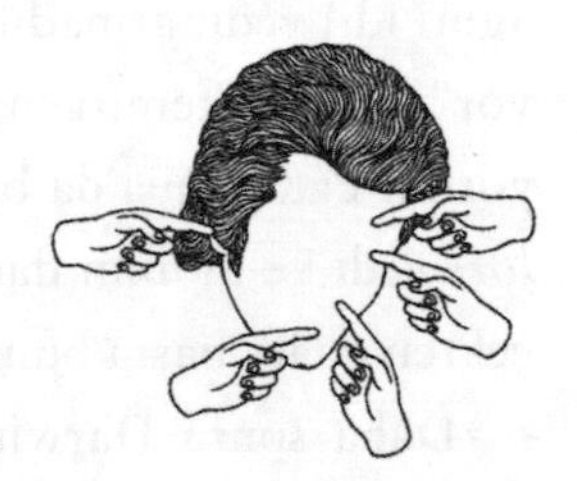

Hepimizin bildiği beş duyu (görme, işitme, tat alma, koku alma ve dokunma) ilk olarak Aristoteles tarafından sıralanmıştır; Aristoteles gösterişli olmasına rağmen genellikle yanılmıştır. (Örneğin kalbimizle öğrendiğimizi, arıların çürüyen boğa leşlerinden ortaya çıktığını ve sineklerin yalnızca dört bacaklarının olduğunu söylemiştir.)

Üzerinde genellikle uzlaşılan dört duyu daha vardır:

1 *Isı duyusu*: Derimizde ısıyı (ya da ısının yokluğunu) hissetmemizi sağlayan duyu.

2 *Denge duyusu*: İç kulaktaki sıvı içeren boşluklar tarafından yönlendirilir.
3 *Ağrı duyusu*: Deride, eklemlerde ve organlarda hissedilen acının algılanması. Tuhaf bir biçimde bu duyu beyni kapsamaz; beyinde hiç acı reseptörü yoktur. Baş ağrıları, göründüğünün aksine, beynin içinden gelmez.
4 *İçalgı* (ya da "beden farkındalığı"): Bu duyu, vücudumuzdaki bileşenleri görmediğimizde ya da hissetmediğimizde bunların nerede olduğunu bilinçaltında bilmemizi sağlar. Örneğin gözlerinizi kapatın ve ayağınızı havada sallayın. Ayağınızın vücudunuza göre nerede olduğunu yine de bilirsiniz.

İzzetinefis sahibi her nöroloğun bu dokuzundan daha fazla duyu olup olmadığı konusunda kendi görüşü vardır. Bazıları yirmi bir tane duyu olduğunu ileri sürer. Açlık bir duyu mudur? Ya da susama? Derinlik duyusu, anlam duyusu ya da dil duyusuna ne demeli? Ya da son derece ilgi çekici sinestezi konusuna: Müziğin renk olarak algılanabilmesi için duyuların çatışması ve birarada hareket etmesi.

Peki saçlarımız dikeldiği zamanki elektrik duyusu ya da yaklaşan tehlike duyusuna ne demeli?

Bunların yanında, hayvanların sahip olduğu ama bizde olmayan duyular da vardır. Köpekbalıklarının güçlü *elektrik duyuları* vardır; elektrik içeren bölgeleri fark ederler. *Manyetik duyusu*, manyetik alanların algılanmasını sağlar ve kuşların ve böceklerin uçma sistemlerinde kullanılır. *Yankı duyusu* ve "yanal çizgi", balıklar tarafından basıncı algılamak için kullanılır. Kızılötesi görüş, baykuşlar ve geyikler tarafından geceleyin avlanmak ve yemlenmek için kullanılır.

Maddenin kaç hali vardır?

Çok basit, üç: Katı, sıvı, gaz.

Aslında üçten daha fazladır: On beş tane. Ve liste neredeyse her gün genişlemektedir.

İşte listenin son hali:

> Katı, amorf katı, sıvı, gaz, plazma, süper akışkan, süper katı, dejenere katı, nötronyum, güçlü simetrik madde, zayıf simetrik madde, kuark-gluon plazma, fermiyonik yoğunlaştırma, Bose-Einstein yoğunlaştırması, acayip madde.

Karmaşık (ve birçok açıdan gereksiz) ayrıntılara girmezsek, en ilginçlerinden biri Bose-Einstein yoğunlaştırmasıdır.

Bose-Einstein yoğunlaştırması, bir elementi çok düşük bir sıcaklığa –genel olarak mutlak sıfırın (-273°C, hiçbir şeyin hareket etmediği teorik sıcaklık derecesi) çok az üzerinde bir sıcaklık– gelinceye kadar soğuttuğumuzda ortaya çıkar.

Bu koşul sağlandığında gerçekten çok özel şeyler meydana gelmeye başlar. Normalde yalnızca atomik düzeyde görülen davranışlar, gözlemlemeye yetecek kadar geniş ölçeklerde meydana gelir. Örneğin bir Bose-Einstein yoğunlaştırmasını yeterince soğutarak bir deney kabına koyarsanız, bu yoğunlaştırma kabın kenarlarından yükselerek dışına taşacaktır.

Bu muhtemelen, kendi enerjisini (zaten olabilecek en düşük düzeydedir) azaltmak için gerçekleştirdiği boşuna bir girişimdir.

Bose-Einstein yoğunlaştırmasının varlığı, Satyendra Nath Bose'nin çalışmasını inceledikten sonra Einstein tarafından 1925'te öngörüldü; ama fiili olarak 1995'te Amerika'da imal edildi (bu çalışma yaratıcılarına 2001 Nobel Ödülü'nü kazandırdı). Einstein'ın elyazması da ancak 2005'te ortaya çıkarıldı.

Cam katı mıdır, sıvı mıdır?

Cam, bir katıdır.

Camın soğutulan ama kristalleştirilmeyen ve fevkalade biçimde yavaşça akan bir sıvı olduğunu duymuş olabilirsiniz. Bu doğru değildir; cam gerçek bir katıdır.

Camın bir sıvı olduğu iddiasını desteklemek için genellikle eski kilise pencereleri örnek gösterilir; bu pencerelerdeki cam, pencerenin dibinde daha kalındır.

Bunun nedeni camın zamanla aşağı akması değil, Ortaçağ'daki camcıların her zaman tam olarak tektip bir cam tabakası kalıbı çıkaramamalarıydı. Camcılar tektip bir kalıp çıkaramadıklarında, anlaşılır bir biçimde, camın kalın ucunu aşağıya yerleştiriyorlardı.

Camın katı mı sıvı mı olduğu konusundaki karışıklık, Alman fizikçi Gustav Tammann'ın (1861-1938) çalışmasının bir yanlış okumasından kaynaklanmaktadır; Tammann camı incelemiş ve cam katılaşırken onun davranışını tasvir etmişti.

Tammann, –sözgelimi– metallerdeki düzenli molekül dizilişinden farklı olarak, camın molekül yapısının düzensiz ve dağınık olduğunu gözlemledi.

Bir benzetmede bulunarak, camı, "donmuş süpersoğuk bir sıvıyla" karşılaştırdı. Ama camın bir sıvıya benzediğini söylemek onun bir sıvı olduğu anlamına gelmez.

Günümüzde katılar, kristal ve amorf olmak üzere iki kategoriye ayrılır. Cam amorf bir katıdır.

Hangi metal oda sıcaklığında sıvı haldedir?

Cıvanın yanısıra galyum, sezyum ve fransiyum da oda sıcaklığında sıvı olabilir. Bu sıvılar çok yoğun metaller olduklarından tuğla, at nalı ve top güllesi teorik olarak bu sıvıların içinde yüzebilir.

Galyum (Ga), Fransız kimyager Lecoq de Boisbaudran tarafından 1875'te keşfedildi. Herkes bunun yurtsever bir isim olduğunu zannetti, ama *gallus* Latincede "Galyalı" ve "horoz" (yani "Lecoq") anlamlarına geliyordu. Bu element, Dmitri Medeleeyev'in periyodik tablo tahminini doğrulayan ilk elementti. Galyum, alışılmadık elektronik özelliklerinden ötürü asıl olarak silikon çiplerinde kullanılır. CD çalarlarda da galyum kullanılır, çünkü bu element arsenikle karıştırıldığında elektrik akımını doğrudan lazer ışığına dönüştürür; bu da diskten veri "okumak" için kullanılır.

Sezyum (Cs) özellikle atom saatlerinde kullanılır –atom saniyesini (bkz. s. 220) tanımlamaya yarar. Bu element suyla temas ettiğinde son derece şiddetli bir biçimde patlar. Tayfındaki parlak mavi çizgilerden dolayı, "gök mavisi" anlamına gelen sezyum adını almıştır. Bu elementi Robert Bunsen, Gustav Kirchoff'la (daha önce telgraf tellerinden geçen sinyallerin ışık hızında hareket ettiğini keşfetmişti) beraber icat ettiği spektroskopu kullanarak 1860'ta keşfetmiştir.

Fransiyum (Fr) en nadir elementlerden biridir: Bu elementten Dünya'da yalnızca 30 gram olduğu hesaplanmıştır. Bunun nedeni şudur: Bu element o kadar radyoaktiftir ki, bozunarak diğer (daha kararlı) elementlere dönüşür. Bu element sıvı bir metaldir, ama çok uzun bir süre için değil: En fazla birkaç saniyeliğine sıvı haldedir. Bu elementi Marguerite Perey 1939'da Paris'teki Curie Enstitüsü'nde diğer maddelerden ayırmıştır.

Doğada bulunan son elementtir.

Bu elementler metaller için olağandışı düşük sıcaklıklarda sıvıdırlar; çünkü bunların atomlarındaki elektronların dizilişi, kristal bir kafes oluşturabilmeleri için birbirlerine yeterince yaklaşmalarını zorlaştırmaktadır.

Her bir atom komşu atomlar tarafından çekilmeden serbestçe dolaşır; diğer sıvılarda meydana gelen tam da budur.

Hangi metal en iyi iletkendir?

Gümüş.

Isıyı ve elektriği en iyi ileten element aynı zamanda bütün elementler arasında en yansıtıcı olandır. Sakıncası, pahalı olmasıdır. Elektrikli aletlerde bakır tel kullanmamızın sebebi bakırın (ikinci en iyi iletken element) çok daha ucuz olmasıdır.

Gümüş süs amaçlı kullanımının yanısıra günümüzde en çok fotoğraf endüstrisinde, uzun ömürlü pillerde ve güneş panellerinde kullanılıyor.

Gümüş, suyu sterilize etme gibi ilginç bir özelliğe sahiptir. Bunun için de çok küçük miktarlar (suyun yüz milyonda biri gibi) yeterlidir. Herodot MÖ 5. yüzyılda Pers kralı Kiros'un özel bir akarsudan alınıp kaynatılarak gümüş kaplara kapatılan kendi su rezerviyle dolaştığını bildirdiğinden beri bu çarpıcı gerçeği biliyoruz.

Hem Romalılar hem Yunanlar, gümüş kaplara konan yiyecek ve içeceğin çabuk bozulmadığını fark etti. Gümüşün güçlü anti-bakteriyel özelliklerinden, bakteriler keşfedilmeden yüzyıllarca önce yararlanıldı. Bu durum aynı zamanda, neden eski kuyuların dibinde genellikle gümüş para bulunduğunu açıklayabilir.

Gümüş kupanızı doldurmaya başlamadan önce birkaç uyarıyı dile getirmekte fayda var.

Birincisi, gümüş, bakterileri laboratuvarda kesinlikle öldürse de, aynı şeyi vücudumuzda yapıp yapmayacağı tartışmalıdır. Gümüşün sahip olduğu farz edilen avantajlarından birçoğu kanıtlanmamıştır: ABD Gıda ve İlaç İdaresi (FDA), şirketlerin gümüşün sağlık açısından taşıdığı yararların reklamını yapmalarını yasaklamıştır.

İkincisi, arjiri denilen ve suda seyreltilmiş gümüş parçacıklarının vücuda girmesinden kaynaklanan bir hastalık var; bu hastalığın en açık belirtisi göze çarpan mavi bir deridir.

Öte yandan, gümüş tuzu yüzme havuzlarında klorun yerine kullanılabilecek güvenli bir maddedir ve ABD'de atletlerin ayaklarının kokmasını önlemek için çoraplarına gümüş doldurulur.

Su (özellikle de izolatör olarak kullanılan saf su) elektriği son derece az iletir. Elektriği ileten H_2O molekülleri değil, bu moleküllerin içinde çözünen kimyasallardır (örneğin tuz).

Deniz suyu elektriği iletme konusunda tatlı sudan yüz kat daha iyidir, ama elektriği gümüşten bir *milyon* kat daha kötü iletir.

En yoğun element hangisidir?

Nasıl ölçtüğünüze bağlı olarak osmiyum ya da iridyum.

Bu iki metal yoğunluk olarak birbirlerine son derece yakındır ve yıllardır birçok defa yer değiştirmişlerdir. Üçüncü en yoğun element platindir; bunu renyum, neptünyum, plütonyum ve altın izler. Kurşun listenin alt sıralarındadır; osmiyum ya da iridyumun ancak yarısı kadar yoğunluktadır.

İngiliz kimyager Smithson Tennant (1761-1815) tarafından 1803'te (iridyumla beraber) keşfedilmiş olan Osmiyum (Os) çok nadir bulunan, çok sert, gümüşi-mavi bir metaldir.

Tennant, Richmond'lı bir papazın oğluydu ve aynı zamanda elmasın saf kömürün bir biçimi olduğunu gösteren ilk kişiydi.

Tennant osmiyum adını, Yunanca koku anlamına gelen *osme* kelimesinden türetmişti. Bu element son derece zehirli olan osmiyum tetroksit yayar; keskin ve tahriş edici bir kokuya sahip olan bu madde akciğerlere, deriye ve gözlere zarar verebilir ve şiddetli baş ağrısına yol açabilir. Osmiyum tetroksit, parmak izi almada kullanılır çünkü bu maddenin buharı, parmakların bıraktığı çok küçük yağ izleriyle tepkimeye girerek siyah tortular oluşturur.

Son derece dayanıklı olması ve paslanmazlık özelliği, osmiyumu uzun ömürlü gramofon iğnesi, pusula iğnesi ve kaliteli dolmakalem ucu (Osmiroid adlı kalem markasının adı buradan geliyor) yapımında kullanışlı kılıyor.

Osmiyum aynı zamanda son derece yüksek bir erime noktasına sahiptir: 3054°C. Osram adı Auer tarafından 1906'da tescil ettirildi; bu kelime OSmiyum ve WolfRAM'dan (Almancada volfram) geliyor.

Dünyada her yıl 100 kg'dan daha az osmiyum çıkarılıyor.

İridyum (Ir) sarımsı beyaz bir metaldir ve tıpkı osmiyum gibi platine çok benzer. İridyum'un adı, alaşımlarının ortaya çıkardığı birçok güzel renkten ötürü, Yunanca gökkuşağı anlamına gelen *iris* kelimesinden gelir.

İridyum da son derece yüksek bir erime noktasına sahiptir (2446°C) ve asıl olarak metal dökümhaneleri için eritme kapları yapmakta ve platini sertleştirmekte kullanılır.

İridyum yeryüzündeki en nadir elementlerden biridir (92

element arasında 84.'dür), ama imkansız bir biçimde, yaklaşık 65 milyon yıl önce oluşan ve KT (Kretase-Tersiyer) sınırı olarak bilinen ince jeolojik katmanda bu elementten bol miktarda bulunur.

Jeologlar bunun ancak uzaydan gelmiş olabileceğini düşünüyorlar ve bu düşünce, dinozorların bir asteroidin çarpması sonucu yokoldukları şeklindeki kuramı destekliyor.

Elmaslar nereden gelir?

Volkanlardan. Bütün elmaslar yerin altında devasa bir ısı ve basınç altında oluşur ve yer yüzeyine volkanik patlamalar sonucu gelir.

Elmaslar yerin 160 ila 480 km altında oluşur. Bunların çoğu kimberlit adlı volkanik bir kayanın içinde bulunur ve volkanik faaliyetin hâlâ yaygın olduğu bölgelerde çıkarılır. Diğer elmaslar orijinal kimberlitlerinden ayrılarak başıboş vaziyette bulunur.

Dünyada yirmi ülkede elmas çıkarılır. Güney Afrika günümüzde elmas üretiminde Avustralya, Demokratik Kongo Cumhuriyeti, Botsvana ve Rusya'nın ardından beşinci sıradadır.

Son derece sert olan üç şey vardır: Çelik, elmas ve kendini bilmek.

BENJAMIN FRANKLIN

Elmas, saf karbondan meydana gelir. Kurşunkalem "ucu"nun yapıldığı madde olan grafit de karbondan oluşur, ama bu maddede karbon atomları farklı şekilde dizilmiştir. Elmas yeryüzünde doğal olarak varolan maddelerin en sertlerinden biridir: Mohs Sertlik Skalası'nda (10) değerine sahiptir. Ama (1,5) değerine sahip olan grafit (talk pudrasından birazcık daha serttir) en yumuşaklarından biridir.

Bilinen en büyük elmas 4000 km boyundadır ve on milyar trilyon trilyon kırattır. Doğrudan Avustralya'nın üzerinde (sekiz ışık yılı uzakta) bulunan bu elmas Erboğa takımyıldızındaki "Lucy" yıldızındadır.

"Lucy", adını Beatles'ın "Lucy in the Sky with Diamonds [Gökyüzünde Elmaslarla Lucy]" adlı şarkısından aldı; teknik adı ise beyaz cüce BPM 37093'tür. Beatles'ın şarkısı bu adı, John Lennon'ın oğlu Julian'ın dört yaşındaki arkadaşı Lucy Richardson'ı çizdiği bir resim üzerine aldı.

Elmas eskiden dünyadaki bilinen en sert maddeydi. Ama Ağustos 2005'te Alman bilimciler laboratuvarda daha sert bir madde oluşturmayı başardı. Toplanmış karbon nano çubuk (ACNR – aggregated carbon nanorod) adlı bu madde çok güçlü karbon moleküllerini sıkıştırıp 2226°C'ye kadar ısıtarak meydana getirildi.

Bu moleküllerden her biri, beşgen ve altıgen biçiminde içiçe geçen 60 atom içerir; bu moleküllerin minik futbol toplarına benzediği söylenebilir. ACNR o kadar serttir ki, elması rahatlıkla çizebilir.

Depremleri nasıl ölçeriz?

MMS ile. Son on yılda sismoloji camiasında Richter ölçeğinin yerini MMS (Moment Magnitude Scale – Moment Büyüklüğü Ölçeği) aldı.

MMS, 1979'da California Teknoloji Enstitüsü'nden Hiroo Kanamori ve Tom Hanks (meşhur Tom Hanks değil) adlı sismologlar tarafından bulundu. Bu sismologlar Richter ölçeğini yetersiz buluyorlardı, çünkü Richter ölçeği sadece şok dalgalarının kuvvetini ölçüyordu, bu da bir depremin yarattığı tesiri tam olarak tanımlamıyordu. Richter ölçeğinde, büyük depremler aynı rakamla gösterilip son derece farklı tahrip gücüne sahip olabilir.

Richter ölçeği, 600 km mesafede meydana gelen sismik dalgaları ya da titreşimi ölçer. Bu ölçek 1935'te Charles Richter tarafından bulundu; Richter de, Kanamori ve Hanks gibi California Teknoloji Enstitüsü sismoloğuydu. Richter bu ölçeği Beno Gutenberg'le (Dünya'nın çekirdeğinin yarıçapını doğru olarak ölçen ilk kişiydi) beraber geliştirdi. Gutenberg, Büyük Şili Depremini ölçemeden 1960'ta gripten öldü; Gutenberg'in ölümünden dört ay sonra meydana gelen bu deprem şu ana kadar ölçülen en büyük depremdir (Richter ölçeğiyle 9,5).

MMS ise Richter'in aksine, bir depremin açığa çıkardığı enerjinin ifade edilmesidir. MMS, fayın iki parçası arasındaki kayma mesafesini etkilenen toplam alanla çarpar. Richter değerleriyle karşılaştırıldığında, makul değerler sunmak için tasarlanmıştır.

Her iki ölçek de logaritmiktir: İki puanlık artış 1000 kat daha fazla güç anlamına gelir. Bir el bombası Richter ölçeğine göre 0,5 büyüklüğündeyken, Nagazaki'ye atılan atom bombası 5,0 büyüklüğündedir. MMS sadece büyük depremlerde (Richter ölçeğine göre 3,5'in üzerindekilerde) kullanılır.

ABD Jeolojik Araştırma Merkezi'ne göre, hasar gören alan (600.000 km^2) ve hissedilen alan (5.000.000 km^2) açısından Kuzey Amerika'daki bilinen en büyük depremler, Mississippi Nehri vadisindeki pek az bilinen 1811-1812 depremleridir. Bu depremler yeni göller meydana getirdi ve Mississippi'nin akış yönünü tamamen değiştirdi. Şiddetli bir biçimde sarsılan alan,

1906 San Francisco depremindekinden on kat daha büyüktü. Kilise çanları ta Massachusetts'te kendiliğinden çaldı.

Bir depremin ne zaman meydana geleceğini öngörmek imkansızdır. Bir uzmanın iddiasına göre bunu öngörmenin en iyi yolu, yerel gazetedeki kayıp kedi ve köpek ilanlarını saymaktır.

Dünyada en yaygın olarak bulunan madde nedir?

a. Oksijen
b. Karbon
c. Nitrojen
d. Su

Hiçbiri. Yanıt perovskittir. Perovskit; magnezyum, silikon ve oksijenden oluşan bir mineraldir.

Perovskit, gezegenimizin toplam kütlesinin yarısını oluşturuyor. Dünya'nın katmanlarından manto, büyük ölçüde bu maddeden oluşur; ya da bilimciler öyle tahmin etmektedirler: Şu ana kadar hiçkimse bu bölgeden bir numune alıp bu tahmini kanıtlamamıştır.

Perovskitler, adını 1839'da Rus mineralog Count Lev Perovski'den alan bir mineral ailesidir. Perovskitler, süperiletkenlik (normal sıcaklıklarda direnç olmadan elektriği iletebilen bir madde) araştırmalarında aranan şey olduklarını kanıtlayabilir.

Bu, "yüzen" trenleri ve hayal edilemeyecek hızdaki bilgisayarları gerçek kılabilir. Şu anda süperiletkenler sadece çok düşük sıcaklıklarda (şu ana kadar kaydedilen en yüksek sıcaklık –135°C) çalışıyor; bu da bunların kullanışsız olmasına neden oluyor.

Mantonun, perovskitin yanısıra magnezyum-vustitten (göktaşlarında da bulunan bir tür magnezyum oksit) ve az miktarda şistovitten (bu maddenin adı, Moskova Üniversitesi'nde yüksek lisans öğrencisi olan ve laboratuvarında 1959'da silikon oksidin yüksek basınç altındaki yeni bir biçimini oluşturan Lev Shistov'dan gelmektedir) oluştuğu düşünülmektedir.

Manto, yerkabuğu ile çekirdek arasında bulunur. Genel olarak mantonun katı olduğu varsayılır, ama bazı bilimciler bunun çok yavaş hareket eden bir sıvı olduğunu düşünür.

Bütün bunları nereden biliyoruz? Volkanlardan püsküren kayalar bile yeryüzeyinin altındaki ilk 200 km'den gelir ve alt manto 660. km'de başlar.

Sismik dalgaların titreşimlerini aşağıya doğru gönderip bunların karşılaştıkları direnci ölçerek, Dünya'nın iç kesiminin hem yoğunluğu hem de sıcaklığı tahmin edilebiliyor.

Bu tahminler daha sonra, –yerkabuğundan ve göktaşlarından– örneklerine sahip olduğumuz minerallerin yapısı hakkında ve bu minerallere yoğun ısı ve yüksek basınç altında ne olduğu konusunda bildiğimiz şeylerle karşılaştırılabiliyor.

Ama bilimdeki birçok şey gibi, bu da aslında bilgiye dayalı bir tahminden başka bir şey değil.

Ay nasıl kokar?

Anlaşıldığı kadarıyla barut gibi.

Ay'da yalnızca on iki kişi yürüdü; bunların hepsi de Amerikalıydı. Astronotlar hava geçirmez uzay elbiseleri içinde Ay'ı koklayamıyorlardı, ama Ay'daki toprak yapışkan bir madde olduğundan, Ay yüzeyinden kabine döndüklerinde yanlarında bu tozlardan bol miktarda sürüklüyorlardı.

Astronotlar Ay'daki toprağın kara benzediğini, barut gibi koktuğunu ve tadının çok kötü olmadığını söylediler. Bu toprak büyük ölçüde, Ay'ın yüzeyine çarpan göktaşlarının yol açtığı silikon dioksitten meydana gelmektedir; bunun yanısıra demir, kalsiyum ve magnezyum gibi mineraller de içerir.

NASA, uzay uçuşlarına katılan her bir ekipmanı koklayan küçük bir tim görevlendiriyor. Bunun sebebi, Uluslararası Uzay İstasyonu'ndaki havanın hassas dengesini değiştirebilecek herhangi bir maddenin uzay mekiğine girmesini önlemek.

Ay'ın peynirden oluştuğu fikri muhtemelen 16. yüzyıla dayanıyor. Bu konuya yapılan ilk atıf John Heywood'un *Atasözleri* (1564) kitabında geçiyor: "Ay, taze peynirden meydana gelir." Taze peynir tıpkı Ay'ın kraterli yapısı gibi, benekli bir görünüme sahiptir.

Dünya mı Ay'ın etrafında döner, Ay mı Dünya'nın etrafında?

İkisi de birbirinin etrafında döner.

Bu iki kütle, Dünya'nın yüzeyinin yaklaşık 1600 km altındaki ortak bir ağırlık merkezinin yörüngesinde dönerler. Böylece Dünya üç farklı dönüş gerçekleştirir: Kendi ekseni etrafındaki, Güneş'in etrafındaki ve bu ağırlık merkezinin etrafındaki dönüşü.

Kafanız mı karıştı? Newton bile, Ay'ın hareketi hakkında düşünmenin kendisinde baş ağrısına yol açtığını söylemişti.

Dünya'nın kaç uydusu var?

En az yedi.

Hiç şüphe yok ki Ay (ya da gökbilimcilerin tabiriyle Luna), Dünya'nın yörüngesini tam olarak izleyen tek gök cismidir. Ama Dünya'ya Yakın Asteroidler (NEAs) olarak adlandırılan altı tane daha gökcismi var; bunlar Dünya'yı Güneş'in etrafından takip eder ve çıplak gözle görülemezler.

Bu "ortak yörüngeler"den ilki Cruithne'ydi (Kru-iin-ya olarak telaffuz edilir ve adını, Britanya'da görülen ilk Kelt kabileden almıştır). 5 km'lik bir çapa sahip olan bu uydu 1997' de keşfedildi. At nalı şeklinde tuhaf bir yörüngeye sahiptir.

O tarihten sonra beş uydu daha tanımlandı ve bunlar şu şekilde adlandırılıverdiler: 2000 PH_5, 2000 WN_{10}, 2002 AA_{29}, 2003 YN_{107} ve 2004 GU_9.

Bunlar gerçekten uydu mudur? Birçok gökbilimci böyle olmadığını söylüyor, ama bunlar kesinlikle sıradan asteroidlerden daha fazlasıdır. Bu asteroidler tıpkı Dünya gibi, yaklaşık bir yıl süresince Güneş'in yörüngesinde dönerler (bir yarış pistinde aynı hızda ama farklı şeritlerde tur atan iki arabayı düşünün) ve zaman zaman, çok küçük bir çekim etkisinde bulunmaya yetecek kadar yakınlaşırlar.

Bu durumda, bunları ister sahte uydu, ister yarı uydu, isterseniz de refakatçi asteroid olarak adlandırın, izlemeye değerdirler; çünkü bazıları ya da tamamı bir gün daha düzenli bir yörünge düzlemine oturabilir.

Güneş sisteminde kaç gezegen var?

Doğru cevap kesinlikle dokuz değil.

Cevap sekiz ya da on ya da muhtemelen yirmi bir. Bazıları birkaç milyon olduğunu söylüyor. Uluslararası Astronomi Birliği uzun süredir uğraştığı "gezegen" tanımında nihai bir karara varana kadar buna kesin bir cevap veremeyeceğiz.

Artık kimse Plüton'un dokuzuncu gezegen olduğunu düşünmüyor. En muhafazakar gökbilimciler bile, Plüton'un bilimsel olmaktan ziyade "kültürel" nedenlerle bir gezegen olduğunu istemeyerek de olsa kabul ediyor (bu durum bu gökbilimcilerin, insanları hayal kırıklığına uğratması durumunda Plüton'u daha alt bir seviyeye indirmeyecekleri anlamına geliyor)*.

Plüton'u 1930'da keşfedenler tam olarak ikna olmamışlardı; Plüton'dan Neptün ötesi bir nesne (Güneş sisteminin ucunda, Neptün'ün ötesinde bir şey) olarak bahsediyorlardı.

Plüton diğer bütün gezegenlerden ve hatta bu gezegenlerin uydularının yedisinden daha küçüktür. Kendi ana uydusu Charon'dan da çok daha büyük değildir (2005'te Plüton'un kendisinden daha küçük iki uydusu daha keşfedildi). Yörüngesi düzgün olmayıp diğer gezegenlerin düzleminden değişiktir ve bileşimi tamamen farklıdır.

En derinlerdeki dört gezegen orta büyüklüktedir ve kayalıktır; sonraki dördü ise gaz kütlesidir. Plüton küçük bir buz topudur ve Güneş sisteminin ucunda Kuiper kuşağını oluşturan en az 60.000 küçük, kuyrukluyıldız benzeri nesneden biridir.

---

* Uluslararası Astronomi Birliği 24 Ağustos 2006'da Plüton'u gezegen statüsünden çıkardı ve "cüce gezegen" olarak adlandırdı. 12 Haziran 2008'de ise, Güneş'in yörüngesinde Neptün'den daha uzakta bulunan, küçük, küre biçimindeki cisimlere "plütoid" adının verilmesini kararlaştırarak Plüton'un unvanını bir kez daha değiştirdi (y.n.).

Bütün bu gezegenimsi nesneler (asteroidler, Neptün ötesi nesneler ve bir dizi diğer alt sınıflandırma da dahil) küçük gezegenler olarak bilinir. Bunlardan kayıtlı olan 330.795 tane var; her ay 5000 tane daha keşfediliyor ve çapı bir kilometrenin üzerinde yaklaşık iki milyon cisim olabileceği tahmin ediliyor. Bunların çoğu gezegen olarak kabul edilmek için çok fazla küçük, ama on iki tanesinin Plüton'dan aşağı kalır yanı yok.

Bunlardan 2005'te keşfedilen ve 2003 UB_{313} olarak bilineni, aslında Plüton'dan daha büyük. Sedna, Orcus ve Quaoar gibileriyle de çok ara yok.

Bu sürecin sonunda iki sisteme sahip olmamız mümkün. Sekiz gezegenli güneş sistemi ile Plüton ve diğer yeni gezegenlerin bulunduğu Kuiper kuşağı sistemi.

Bu değişiklik daha önce görülmemiş değil. En büyük asteroid Ceres, 1801'deki keşfinden 1850'de asteroid konumuna düşürülene kadar, onuncu gezegen olarak kabul ediliyordu.

Bir asteroid kuşağında nasıl uçarsınız?

Gözünüzü dört açın; ama bir şeye çarpmanız gerçekten pek olası değildir.

Kötü bilimkurgu filmlerinde gördüklerinize rağmen, asteroid kuşakları genellikle tenha yerlerdir. Uzayın geri kalanıyla karşılaştırıldığında işlek olmasına rağmen tenhadır.

Genel olarak, büyük asteroidler (bir uzay gemisine kaydadeğer bir hasar verebilecek olanlar) arasındaki boşluk yaklaşık iki milyon kilometredir.

Yakın zamanda daha büyük bir cisimden oluşmuş ve "takım" adı verilen bazı kümeler olsa da, bir asteroid kuşağında hareket etmek çok zor olmayacaktır. Hatta, rasgele bir güzergah seçerseniz tek bir asteroid bile göremeyebilirsiniz.

Eğer bunlardan biriyle karşılaşırsanız, ona pekala bir isim verebilirsiniz.

Bugünlerde Uluslararası Astronomi Birliği, küçük gezegenlerin gittikçe genişleyen isimlendirilmelerini kontrol altına almak için on beş kişilik bir Küçük Cisimleri Adlandırma Komitesi'ne sahip. Aşağıdaki son örneklerin gösterdiği gibi, bu bütünüyle ciddi bir iş değil:

> (15887) *Daveclark*, (14965) *Bonk*, (18932) *Robinhood*, (69961) *Millosevich*, (2829) *Bobhope*, (7328) *Seanconnery*, (5762) *Wanke*, (453) *Tea*, (3904) *Honda*, (17627) *Humptydumpty*, (9941) *Iguanodon*, (9949) *Brontosaurus*, (9778) *Isabelallende*, (4479) *Charlieparker*, (9007) *James Bond*, (39415) *Janeausten*, (11548) *Jerrylewis*, (19367) *Pink Floyd*, (5878) *Charlene*, (6042) *Cheshirecat*, (4735) *Gary*, (3742) *Sunshine*, (17458) *Dick*, (1629) *Pecker* ve (821) *Fanny*.

Smith, Jones, Brown ve Robinson asteroidlerin resmi isimleridir; Bikki, Bus, Bok, Lick, Kwee, Hippo, MrSpock, Roddenberry ve Swissair de öyle.

Gezegenlere isim vermedeki tuhaflık yeni değil. Plüton'un adı 1930'da, 11 yaşındaki Oxford'lu kız öğrenci Venetia Burney tarafından verildi; Venetia'nın dedesi, onun kahvaltıda yaptığı öneriyi yakın arkadaşı ve Oxford Astronomi Profesörü Herbert Hall Turner'a iletmişti.

Belki de 2003 UB_{313} sonuç olarak Rupert adını (Douglas Adams'ın *Otostopçunun Galaksi Rehberi*'nde onuncu gezegene verdiği isim) alacak. Adams konusunda tuhaf şeyler oldu. Adams'ın 2001'de aniden ölmesinden bir gün önce (18610)

Arthurdent[*] adı ilk defa bir asteroide verildi. Şu anda Adams'ın kendi adını taşıyan bir asteroid de var: (25924) *Douglasadams*.

Bir atomun içinde ne vardır?

Çoğunlukla hiçbir şey yoktur. Bir atomun büyük çoğunluğu boş uzaydır.

> ***Atomlardan ve boş uzaydan başka hiçbir şey mevcut değildir; geri kalan her şey düşüncedir.***
> *ABDERALI DEMOKRİTOS*

Daha derinlemesine bakmak için, uluslararası bir stadyum boyutunda bir atom düşünün. Elektronlar tam yukarıda, tribünlerin tepesinde bulunur, her biri bir toplu iğne başından daha küçüktür. Atomun çekirdeği, sahanın orta noktasındadır ve bir bezelye boyutundadır.

Bütünüyle teorik olan atomların, yüzyıllar boyunca maddenin mümkün olan en küçük birimi olduğu düşünüldü; Yunancada "parçalara ayrılamaz" anlamına gelen atoma bu ad bu yüzden verilmişti.

Daha sonra 1897'de elektron keşfedildi; 1911'de de çekirdek. 1932'de atom parçalara ayrıldı ve nötron keşfedildi.

Maddenin sonu kesinlikle burası değildi. Çekirdeğin içindeki pozitif yüklü protonlarla yüksüz nötronlar daha da küçük bileşenlerden oluşuyor.

Kuark adlı bu daha küçük birimlere "strange" (garip) ve "charm" (tılsım) gibi isimler verilir ve bunlar farklı şekillerde

---

[*] Arthur Dent, Douglas Adams'ın *Otostopçunun Galaksi Rehberi*'ndeki kahramanıdır (ç.n.).

ve boyutlarda değil, farklı "çeşni"lerdedir (flavor).

Çekirdeğin uzak uyduları, yani negatif yüklü elektronlar o kadar dağınıktır ki, bunlara artık "Olasılık Yoğunluk Yükleri" deniyor.

1950'lere gelindiğinde o kadar çok yeni atomaltı parçacık (100'ün üzerinde) bulundu ki, bu durum sıkıntı vermeye başladı. Hangi madde olursa olsun, hiçkimse onun dibine kadar gidebilecek gibi görünmüyordu.

1938'de atom reaktörleri çalışmasıyla Nobel Fizik Ödülü'nü kazanan İtalyan fizikçi Enrico Fermi şöyle diyordu: "Bütün bu parçacıkların adlarını aklımda tutabilseydim botanikçi olurdum."

Fermi'nin döneminden bu yana bilimciler, bir atomun içindeki atomaltı parçacıkların sayısının 24 olduğu konusunda karara vardılar. Bu en yakın tahmin Standart Model olarak bilinir ve neyin ne olduğu konusunda ołdukça iyi bir fikre sahip olduğumuz izlenimi verir.

Bilebildiğimiz kadarıyla evren genel olarak, atomun kendisi gibi az nüfusludur. Uzayda ortalama olarak, metreküp başına sadece birkaç tane atom vardır.

Kütleçekim kuvveti yerine göre atomları biraraya getirerek yıldızları, gezegenleri ve zürafaları oluşturur; bunların her biri eşit derecede sıradışıdır.

Havanın temel bileşeni nedir?

a. Oksijen
b. Karbondioksit
c. Hidrojen
d. Nitrojen

Nitrojen. On iki yaşındaki her çocuğun bildiği gibi nitrojen, havanın yüzde 78'ini oluşturur.

Havanın yüzde 21'inden daha azı oksijendir. Karbondioksitin oranı yalnızca on binde 3'tür.

Nitrojenin havada bu kadar yüksek oranda bulunması, Dünya'nın oluşumu sırasındaki volkanik patlamaların bir sonucudur. Bu sırada büyük miktarda nitrojen atmosfere karıştı. Hidrojen ya da helyumdan daha ağır olan nitrojen, gezegenin yüzeyine daha yakın durumdadır.

76 kg ağırlığındaki bir kişi yaklaşık bir kg nitrojen içerir.

Nitre, güherçilenin (potasyum nitrat) eski adıdır. Barutun kilit bir bileşeni olan potasyum nitrat aynı zamanda etleri tütsülemek için, dondurmada bir koruyucu madde olarak ve hassas dişlere yönelik diş macununda uyuşturucu olarak kullanılır.

Yüzyıllar boyunca güherçilenin en zengin kaynağı, konutlardaki toprak zemine sızmış olan organik malç oldu. 1601'de, "Güherçilecilerin" ahlaksız faaliyetleri, İngiltere'de meclisin gündemine geldi. Bunlar evlere ve hatta kiliselere zorla girip yerleri kazıyor ve içindeki baruttan dolayı toprağı satıyorlardı.

Nitrojen kelimesi Yunancada "soda oluşumu" anlamına geliyor.

Basınca duyarlı plastik kapsül (widget) içeren bira kutularında karbondioksit değil nitrojen bulunur. Küçük nitrojen kabarcıkları, daha yumuşak ve pürüzsüz bir köpük meydana getirir.

Havadaki diğer tek kaydadeğer gaz argondur (yüzde 1).

Argon, William John Strutt (Lord Rayleigh) tarafından keşfedildi. Strutt aynı zamanda gökyüzünün neden mavi olduğunu bulan kişidir.

Ciğerlerinize temiz hava çekmek için nereye gidersiniz?

Deniz kenarına gitmek için canınızı sıkmayın.

19. yüzyıl kültü olan sağlıklı deniz havası, temel bir yanlış anlaşılmaya dayanıyor. İngilizcede "ozone" kelimesi, hem temiz hava hem de ozon elementi anlamına gelmektedir; sağlıklı ve temiz havanın, kararsız ve tehlikeli bir gaz olan ozonla hiçbir alakası yoktur.

Ozon, 1840'ta Alman kimyager Christian Schönbein tarafından keşfedildi. Elektrikli aletlerden kolay kolay geçmeyen tuhaf kokuyu inceleyen Schönbein, bir gaz (O3) buldu ve buna Yunanca "koku" (*ozein*) anlamına gelen ozon adını verdi.

Ozon ya da "ağır gaz", hâlâ "miyasma" teorisine (bu teoriye göre sağlık bozukluğunun kötü kokulardan kaynaklandığı düşünülüyordu) bağlı olan tıp bilimcilerinin dikkatini çekti. Bu bilimcilere göre ozon tam da ciğerden zararlı maddeleri temizleyecek şey, deniz kenarı da bunun alınacağı yerdi.

"Ozon kürleri" ve "ozon otelleri" etrafında koca bir endüstri ortaya çıktı (Avustralasya'da hâlâ bu adı taşıyan yerler var). Blackpool şehri 1939'da hâlâ, "Britanya'daki en sağlıklı ozona" sahip olmakla övünüyordu.

Günümüzde, deniz kenarının ozon kokmadığını biliyoruz – deniz kenarı, çürüyen deniz yosunu kokar. Bu kokunun size iyi mi kötü mü geleceği konusunda bir belirti yok (büyük ölçüde kükürtten oluşur). Çocukluğunuzdaki mutlu tatillerle bağ kurarak, beyninizde olumlu çağrışımlara neden olabilir.

Ozona gelince, arabanızın egzozundan çıkan dumanlar (güneş ışığıyla birleşince) sahildeki her şeyden daha fazla ozon ortaya çıkarır. Ciğerlerinizi gerçekten ozonla doldurmak istiyorsanız, bunun en iyi yolu ağzınızı bir egzoz borusuna dayamaktır. Bu kesinlikle tavsiye edilmez. Akciğerlerinize telafisi mümkün olmayan zararlar vermenizin yanısıra dudaklarınızı yakabilirsiniz.

Ozon, beyazlatıcı olarak ve içme suyundaki bakterileri öldürmek için klorun sağlığa daha az zararlı bir alternatifi olarak kullanılır. Ozon aynı zamanda, televizyon ve fotokopi makinesi gibi yüksek voltajlı elektrikli aletler tarafından da ortaya çıkarılır.

Meşe ve söğüt gibi bazı ağaçlar ozon çıkarırlar ve bu, civardaki bitkileri zehirleyebilir.

Gezegenimizi tehlikeli morötesi radyasyondan koruyan ve gittikçe küçülen ozon tabakası, teneffüs edildiği takdirde öldürür. Bu tabaka Dünya'nın yüzeyinden 24 km yukarıdadır ve hafiften sardunya çiçeği gibi kokar.

Işık hangi hızda yol alır?

Duruma göre değişir.

Genellikle ışık hızının sabit olduğu söylenir ama öyle değildir. Işık sadece boşlukta en yüksek hızına, saniyede yaklaşık 300.000 km'ye ulaşır.

Diğer ortamlarda ışık hızı oldukça değişkendir ve herkesin bildiği rakamdan daima daha yavaştır. Örneğin elmasın içinden, yarı hızdan daha düşük bir hızla geçer: Saniyede yaklaşık 130.000 km.

Yakın zamana kadar, ışığın kaydedilen en yavaş hızı (–272°C'deki sodyumun içinden geçerken) saatte 60 km'nin biraz üzerindeydi: Bir bisikletten daha yavaş.

2000 yılında, (Harvard Üniversitesi'ndeki) aynı ekip ışığı, rubidyum elementinin Bose-Einstein yoğunlaştırmasına yansıtarak tamamen durma noktasına getirmeyi başardı.

Rubidyumu Robert Bunsen (1811-1899) keşfetti; ama kendi adının verildiği Bunsen bekini Bunsen icat etmemiştir.

Şaşırtıcı bir şekilde, ışık görünmezdir.

Işığın kendisini göremeyiz, yalnızca onun çarptığı şeyi görebiliriz. Boşluktaki bir ışık ışını, ona bakan kişiye dik açıyla ışıldadığında görülemez.

Bu çok garip olmasına rağmen oldukça mantıklıdır. Eğer ışığın kendisi görülebilseydi, gözlerimizle karşımızdaki her şey arasında bir tür pus meydana getirirdi.

Karanlık da aynı ölçüde tuhaftır. Karşımızda öyle bir şey yoktur, ama onun arasından hiçbir şey göremeyiz.

Pervaneler neden ışığın etrafında dolanır?

Işık pervaneleri çekmez; onlara yönlerini şaşırtır.

Arasıra çıkan orman yangınlarını saymazsak, yapay ışık kaynaklarının ömrü, Güneş ve Ay ile pervaneler arasındaki ilişkinin süresiyle karşılaştırıldığında son derece kısadır. Birçok böcek, gece ve gündüzün konumuna göre yolunu bulmak için bu ışık kaynaklarını kullanır.

Ay ve Güneş çok uzak bir mesafede olduklarından, bu böcekler onlardan gelecek ışığın günün ya da gecenin değişik zamanlarında aynı yerde gözlerine vurmasını beklerler; bu onların düz bir hat üzerinde nasıl uçacaklarını hesaplamalarına olanak tanır.

İnsanlar portatif seyyar güneş ve aylarıyla belirdiklerinde yakınlardan bir pervane geçiyorsa, ışık pervaneyi yanıltır. Pervane, kavisli bir güzergahta hareket etmesi gerektiğini zanneder, çünkü hareket etmeyen "güneş" ya da "ay"a karşı olan konumu beklenmedik bir biçimde değişmiştir.

Pervane daha sonra güzergahını, ışık kaynağını sabit bir noktada görecek şekilde ayarlar. Bu kadar yakın bir ışık kaynağı karşısında tek yol, onun etrafında daireler çizerek uçmaktır.

Pervaneler giysileri yemezler; giysileri yiyen onların tırtıllarıdır.

Kırkayağın kaç ayağı vardır?

Kırk değil. Yüz de değil.

Kırkayak kelimesi, Latince "yüz ayak" anlamına gelen *centipeda* kelimesinden gelmektedir. Kırkayaklar yüz yılı aşkın bir süredir kapsamlı bir biçimde incelenmelerine karşın tam olarak yüz ayağa sahip bir örneğine rastlanmamıştır.

Bazılarının daha fazla, bazılarının daha az ayağı vardır. Yüze en yakın ayak sayısına sahip olanı 1999'da keşfedilmiştir. Bu kırkayağın 96 ayağı vardı ve diğer kırkayaklardan, ayak çifti çift sayı olan tek tür olmasıyla ayrılıyordu: Yani 48 çift ayağı vardı.

Diğer bütün kırkayaklar tek sayılı ayak çiftlerine sahiptir; bunların ayak sayıları 15 çiftle 191 çift arasında değişir.

İki parmaklı tembel hayvanın kaç tane ayak parmağı vardır?

Altı.

Hem iki parmaklı hem de üç parmaklı tembel hayvanların her bir ayağında üçer parmak vardır. İki parmaklı tembel hayvanları üç parmaklı tembel hayvanlardan ayıran şey, iki parmaklı tembel hayvanların her bir elinde ikişer parmak olmasına karşılık, üç parmaklı tembel hayvanların her bir elinde üçer parmak olmasıdır.

Aralarındaki belirgin benzerliklere rağmen, iki parmaklı tembel hayvan ile üç parmaklı tembel hayvan aynı aileden değildir. İki parmaklı tembel hayvanlar biraz daha hızlıdır. Üç parmaklı tembel hayvanların boyunlarında dokuz kemik varken, iki parmaklı tembel hayvanların boyunlarında altı kemik vardır.

Üç parmaklı tembel hayvanlardan iyi birer evcil hayvan olur, ama iki parmaklı tembel hayvanlar vahşidir. Üç parmaklı tembel hayvanlar burun delikleriyle acı ve tiz sesler çıkarırlar. İki parmaklı tembel hayvanlar tedirgin olduklarında tıslarlar.

Tembel hayvanlar genel olarak dünyanın en yavaş memelileridir. Bu hayvanların azami hızı saate 1,6 km'nin çok az üzerindedir, ama çoğunlukla dakikada 2 metrenin altında bir hızla yavaş yavaş ve güçlükle hareket ederler.

Günde 14-19 saat uyurlar ve bütün yaşamlarını ağaçlarda başaşağı asılı vaziyette geçirirler. Hep başaşağı vaziyetteyken yemek yerler, uyurlar, çiftleşirler, doğururlar ve ölürler. Bazıları o kadar az hareket eder ki, iki su yosunu türü üzerlerinde kök salarak bunlara yeşil bir renk vermiştir; bu aynı zamanda faydalı bir kamuflaj işlevi de görür. Bazı güve ve kınkanatlı böcek türleri de tembel hayvanların kürkünde yuvalanır.

Tembel hayvanların metabolizmaları da yavaştır. Yediklerini öğütmeleri bir aydan fazla sürer; çişlerini ve kakalarını haftada bir yaparlar. Bunu yaşadıkları ağaçların diplerinde yaparlar; bu iğrenç yerler romantik açıdan "sevgililer arasındaki buluşma yeri" olarak bilinir.

Sürüngenler gibi, sıcaklıklarını istedikleri noktaya ayarlarlar; ısınmak için güneşe çıkarlar, serinlemek için gölgeye çekilirler.

Bu durum onların karmaşık ve uyuşuk sindirim hızlarını yavaşlatır. Yağmur mevsimi sırasında ıslanmamak için yaprakların altında kımıldamadan durduklarında, bazı tembel hayvanlar dolu bir mideyle açlıktan ölme becerisini gösterirler.

Büyük gözlü kör kurt örümceğinin kaç gözü vardır?

a. Hiç yoktur
b. Hiç yoktur, ama büyüktür
c. İşe yaramayan bir büyük gözü vardır
d. Göze benzeyen 144 tane yumrusu vardır

Hiç gözü yoktur.

Kör örümcek 1973'te keşfedildi ve bütün popülasyonu Hawaii'deki Kauai volkanik adasında bulunan üç tane zifiri karanlık mağarada yaşar.

Mağarada yaşayan diğer hayvanlar gibi, görmeye ihtiyaç duymadığı için bu haline evrilmiştir, ama büyük gözlü kurt örümceği ailesine mensup olduğundan kendisine büyük gözlü denir (yani, eğer bu hayvanın gözü olsaydı, büyük olurdu).

Tam olarak büyüdüklerinde, yaklaşık olarak madeni bir YTL'nin büyüklüğüne ulaşırlar. Oda arkadaşı ve başlıca besin kaynağı, Kauai mağara amfipodudur (kör, yarı saydam karidese benzeyen küçük bir kabuklu).

Kulağakaçan böceğinin kaç tane penisi vardır?

a. On dört
b. Hiç yoktur
c. İki (bir tanesi özel durumlar için)
d. Başkasının işine burnunuzu sokmayın

Doğru yanıt "c" şıkkıdır. Kulağakaçan böceğinin, birincisinin kırılması durumuna karşı (ki bu sık sık başına gelir) yedek bir penisi vardır.

İki penis de çok kırılgandır ve görece uzundur; uzunlukları bir cm'nin biraz üzerindedir ve bu penisler genellikle kulağakaçan böceğinin kendisinden daha uzundur. Bunu Tokyo Metropolitan Üniversitesi'nden iki kişi keşfetti: Bunlardan biri, cinsel ilişki sırasında erkek kulağakaçan böceğinin arkasından şaka amaçlı ittiğinde fark ettiler durumu. Kulağakaçan böceğinin penisi dişisinin içindeyken kırıldı, ama böcek mucizevi şekilde yedeğini ortaya çıkardı.

Kulağakaçan böceklerinin adları, insanların kulaklarından girdikleri ve beyinlerinde yuva yaptıkları yönündeki genel inanıştan gelmektedir. Bu böceğin İngilizcedeki karşılığı *earwig*, "kulak yaratığı" anlamına geliyor. Fransızcadaki karşılığı *perce-oreille* ("kulak delen") ve Almancadaki karşılığı *ohrwurm*'dur (kulak solucanı).

Kulağakaçan böcekleri insanların kulaklarına başka bir böcekten daha fazla girmez, ama eğer girerse, Yaşlı Pliny, böcek dışarı çıkana kadar bu kişinin kulağına tükürmeyi öneriyor. Kulağakaçan böcekleri kesinlikle beyinde yuva yapmaz.

Bu böceğin ismiyle ilgili diğer bir tahmin de, böceğin arkasındaki kıskaçların, vaktiyle kulak delmekte kullanılan alete benzemesidir.

Bu fikir Latinlere daha cazip gelmişe benziyor. İspanyolcada kulağakaçan böceği için iki karşılık var: *Contraplumas* (aynı zamanda "çakı" anlamına gelir) ve *tijereta* (aynı zamanda "makas darbesi" anlamına gelir). Kulağakaçan böceğinin İtalyancadaki karşılığı *forbicina*'dır ("küçük makas").

Kulağakaçan böceğinin dev bir türü (8,5 cm uzunluğunda), Napolyon Bonapart'ın sürgünde son yıllarını geçirdiği Atlantik'in güneyindeki St. Helen Adası'nda yaşıyordu. Hâlâ orada yaşıyor olabilir, ama en son 1967'de görüldü.

"Dermaptera'nın (kulağakaçanların ait oldukları takımın adı; 'deri kanatlı' anlamına gelir) Dodo'su*" lakaplı bu hayvanın bu adada hâlâ yaşıyor olabileceğine dair zayıf umut, çevrecilerin adaya yapılacak yeni bir havaalanını 2005'te engellemesine yetti.

Malaya kulağakaçanlarının iki türü, çıplak yarasaların cansız derileriyle ve vücutlarından sızan sıvıyla beslenir.

En büyük penise sahip hayvan hangisidir?

Kaya midyeleri. Bu son derece gösterişsiz hayvanlar, boyutlarına göre en uzun penise sahiptir. Bunların penisleri, vücutlarının yedi katı büyüklüğüne kadar ulaşabilir.

1220 kaya midyesi türünün çoğu hermafrodittir. Bir kaya midyesi "anne" olmaya karar verdiğinde yumurtasını kendi kabuğuna bırakır ve aynı zamanda bir miktar baştan çıkarıcı feromon salar. Yakındaki bir kaya midyesi "erkek" rolünü oynayarak karşılık verir ve devasa penisini uzatıp "dişi"nin

---

* Soyu 17. yüzyılda tükenmiş bir kuş türü (ç.n.).

boşluğuna spermlerini bırakarak yumurtaları döller.

Kaya midyeleri başlarının üstünde dururlar ve ayaklarıyla yemek yerler. Çok güçlü bir yapıştırıcı kullanarak, kendilerini başaşağı vaziyette bir kayaya ya da bir geminin gövdesine tuttururlar. Kaya midyesinin ilk başta üst kısmı olarak gördüğümüz yeri aslında alt kısmıdır; bu şekilde, uzun ve tüylü bacakları, yakınından geçen küçük bitki ve hayvanları yakalar.

Penisi büyük diğer türler dokuz kemerli armadillo (penisi, cüssesinin üçte ikisine kadar ulaşır) ve mavi balinadır; mavi balinanın penisi, balinanın kendi boyutuyla karşılaştırıldığında görece mütevazı kalsa da, 1,8 ila 3 metrelik uzunluğu ve yaklaşık 45 cm'lik çevre ölçüsüyle en büyük penis olma özelliğine sahiptir.

Bir mavi balinadan boşalan meninin yaklaşık 20 litre olduğu tahmin ediliyor; bu meninin üretildiği testislerin her biri de 70 kg civarındadır.

Balinaların penisleri kullanışlıdır. Herman Melville'in *Moby Dick*'inde (1851), balina penisinin dış derisinin, yere kadar uzanan su geçirmez bir önlüğe (ölü bir balinanın iç organlarını temizlerken ideal bir korunak) nasıl dönüştürülebildiği anlatılır.

Diğer çoğu memeli gibi balinaların da penis kemiği vardır: *Baculum* ya da *os penis*. Balinaların penis kemikleriyle beraber morsların ve kutup ayılarının penis kemikleri Eskimolar tarafından kızak ayağı ya da sopa olarak kullanılır.

Memelilerin penis kemikleri aynı zamanda kravat iğnesi, kahve karıştırıcısı ya da hediyelik eşya yapımında kullanılır. Bu kemikler şekil olarak son derece değişkendir –muhtemelen bütün kemikler arasında en değişken olanlarıdır– ve memeliler arasındaki ilişkileri ortaya çıkarmaya yararlar. İnsanlar ve örümcek maymunları bu kemiğe sahip olmayan tek primatlardır.

Eski Ahit'teki İbranicede penis kelimesinin bir karşılığı yoktur. Bundan yola çıkan iki uzman (Gilbert ve Zevit, 2001'de *American Journal of Medical Genetics*'te) Havva'nın Adem'in kaburga kemiğinden değil, penis kemiğinden yaratıldığını ileri sürdü (Yaratılış 2: 21-23). Bu durum, erkeklerle kadınların neden aynı sayıda kaburga kemiğine sahip olduğunu ve erkeklerin neden penis kemiğinin olmadığını açıklıyordu.

Kutsal Kitap'ta aynı zamanda, "Tanrı burayı etle doldurdu" ifadesi geçmektedir; burasının, penisin ve testis torbasının alt kısmından aşağıya doğru inen "yara izi" (*raphe*) olduğu ileri sürüldü.

Gergedanın boynuzu neyden oluşur?

Gergedanın boynuzu, bazılarının zannettiği gibi, saçtan oluşmaz.

Bu boynuz, sıkıca toplanmış keratin liflerinden oluşur.

Keratin, insan saçı ve tırnağının yanısıra, hayvanların pençe ve toynaklarında, kuşların tüylerinde, oklukirpilerin dikenlerinde ve armadillo ve kaplumbağaların kabuklarında bulunan proteindir.

Gergedan, bütünüyle keratinden yapılan bir boynuza sahip tek hayvandır; sığır, koyun, ceylan ve zürafanın boynuzlarından farklı olarak gergedan boynuzunda kemik özü bulunmaz. Ölü bir gergedanın kafatası, gergedanın boynuzu olduğuna dair hiçbir emare taşımaz; gergedan hayattayken bu boynuzlar derinin üstündeki pürüzlü bir yumruya bağlıdır.

Gergedanın boynuzu (kesildiği veya hasar gördüğü takdirde) bazen düşer; ama genç gergedanların boynuzları tamamen yeniden çıkabilir. Kimse bu boynuzların işlevinin ne olduğunu bilmez, bununla birlikte boynuzları olmayan dişi gergedanlar yavrularına düzgün bir şekilde bakamazlar.

Büyük ölçüde boynuzlarına olan talepten ötürü, gergedanların soyları tükenme tehlikesi altında. Afrika'daki gergedan boynuzlarına uzun bir süredir Ortadoğu'dan, özellikle de Yemen'den, hem ilaç hem de hançer kabzası yapımında kullanmak üzere talep var. Yemen 1970'ten bu yana 67.050 kg gergedan boynuzu ithal etti. Bir gergedan boynuzunun ortalama 3 kg olduğunu düşünürsek, bu rakam 22.350 gergedanın boynuzuna tekabül ediyor.

Sık görülen bir yanlış anlaşılma, gergedan boynuzunun afrodizyak olarak kullanıldığıdır. Çinli şifalı bitki uzmanları bunun doğru olmadığını söylüyor; bu boynuzların hararetlendirici değil serinletici/sakinleştirici etkisi vardır ve yüksek kan basıncıyla yüksek ateşi tedavi etmede kullanılır.

Gergedan, Yunanca *rhino* (burun) ve *keras* (boynuz) kelimelerinden meydana gelir. Yaşayan beş gergedan türü var: Siyah Afrika gergedanı, akgergedan, Hint gergedanı, Endonezya gergedanı ve Sumatra gergedanı. Sadece 60 tane Endonezya gergedanı hayattadır; bu da bu türü, Yangtze Nehri yunusu, Vancouver Adası dağ sıçanı ve Seyşel kıl kuyruklu yarasasından sonra en çok tehlike altındaki dördüncü tür yapıyor.

Akgergedanlar beyaz değildir. Bu yanılgı, Afrikancada "geniş" anlamına gelen *weit* (İngilizceye "white [beyaz]" olarak geçmiştir) kelimesinden kaynaklanıyor. Bu kelime hayvanın vücudundan ziyade ağzıyla ilgilidir. Akgergedanlar, siyah Afrika gergedanlarının ağaç dallarını yemekte kullandığı kıvrak dudaklardan yoksundur.

Gergedanların müthiş bir koku alma ve işitme duyuları vardır, ama görme yetileri berbattır. Genellikle yalnız yaşarlar ve sadece çiftleşmek için biraraya gelirler.

Gergedanlar beklenmedik bir durumla karşılaştıklarında işerler ve büyük miktarda dışkı çıkarırlar. Saldıracaklarında, Asya'daki gergedanlar ısırır, Afrika'dakiler karşı tarafa doğru büyük bir hızla hücum eder. Siyah Afrika gergedanı, kısa bacaklarına rağmen, saatte 55 km hıza ulaşabilir.

En çok insan öldüren Afrika memelisi hangisidir?

Hipopotam.

Hipopotamlar (suaygırları) maalesef çimlerle çevrili, yavaş akan tatlı su kaynaklarının yakınında yaşamayı severler; bu da insanların tercih ettiği yaşam alanlarının aynısıdır.

Kazaların çoğu, ya suyun altındaki bir hipopotamın kafasına yanlışlıkla şiddetli bir kürek darbesi gelmesi sonucu hipopotamın kayığı ters çevirmeye kalkmasından ya da insanların gece dışarıda yürümeye çıkmalarının hipopotamın otlanmak için sudan çıktığı zamana denk gelmesinden kaynaklanır. Ürkmüş bir hipopotamın ayakları altında ezilmek onurlu bir ölüm şekli olmasa gerek.

Hipopotamlar domuz ailesinin en büyük üyeleridir ve iki türe ayrılır: Bayağı hipopotam ve cüce hipopotam. Bayağı hipopotam, Afrika ve Asya fillerinden sonra karada yaşayan en büyük üçüncü memelidir.

Bir hipopotama saldıracak kadar aptal olan çok fazla hayvan yoktur. Hipopotamlar, özellikle yavruları varken, çabuk kızarlar. Aslanları suyun içine batırıp boğarak, timsahları ısırıp ikiye bölerek ve köpekbalıklarını suyun dışına sürükleyip ayaklarıyla ezerek öldürürler. Bununla birlikte bu hayvanlar sıkı birer vejetaryendir; yani bu saldırganlıkları büyük ölçüde kendilerini savunmak içindir. Hipopotamlar çoğunlukla ot yer.

Bir hipopotamın derisi bir ton gelir. Bu deri 4 cm kalınlığındadır –çoğu silah karşısında kurşun geçirmezdir– ve hipopotamın ağırlığının dörtte birine denktir. Hipopotamlar, kurumalarını engelleyen yağlı kırmızı bir sıvı salgılarlar; bu sıvı insanların, hipopotamların kan salgıladığını düşünmelerine neden olurdu. Onların cüsselerine aldanmayın. Tamamen büyümüş bir hipopotam bir insandan çok daha hızlı koşabilir.

Hipopotam, balina ve yunusların dışında suyun altında çiftleşip doğuran tek memelidir. Burun deliklerini kapatabilir, kulaklarını yassılaştırabilir ve suyun altında beş dakika boyunca kalabilirler.

Hipopotamların nefes alıp verişleri ürkütücüdür. Esniyor gibi göründüklerinde aslında, etrafındakilerin kendilerinden uzak durması için onlara kötü kokan nefeslerini salarlar. Bu iyi bir tavsiyedir: Hipopotamın dişleri keskindir ve bir ısırışta bir kol ya da bacağı ikiye bölebilir.

Hipopotamların yalnızca dört dişleri vardır; bu dişler fildişi yapısındadır. George Washington'un takma dişlerinin bir kısmı hipopotam dişinden yapılmıştı.

Oxford Yemek Rehberi'ne göre bir hipopotamın en güzel yeri, ot ve baharatla kızgın yağda kızartıldıktan sonra az suda pişirilen göğüsleridir. Bu olmazsa, aynı şekilde pişirilmiş arka adaleler de kabul edilebilir.

En çok kaplan nerede yaşar?

ABD'de.

Yüzyıl önce Hindistan'da yaklaşık 40.000 kaplan vardı. Bu sayı şu anda 3000 ila 4700 arasındadır. Bazı bilimciler, dünyada yalnızca 5100 ila 7500 vahşi kaplan kaldığını tahmin ediyor.

Diğer yandan, sadece Texas'ta esaret altında yaşayan 4000 kaplan olduğu sanılmaktadır. Amerikan Hayvanat Bahçesi ve Akvaryum Derneği, ABD'de 12.000 kadar kaplanın evlerde beslendiğini tahmin ediyor. Mike Tyson'ın evinde dört tane var.

ABD'deki yoğun kaplan popülasyonu kısmen buradaki yasalarla ilgilidir. Sadece 19 eyalette kaplanların özel mülkiyeti yasaktır, 15 eyalet sadece bir lisans istemektedir, 16 eyalette ise hiçbir düzenleme yoktur.

Kaplanlar pahalı da değildir. Bir kaplan yavrusu size sadece 1000 dolara patlar, 3500 dolarla bir çift Bengal kaplanı alabilirsiniz, şık bir mavi gözlü beyaz kaplan için ise 15.000 dolar yeterlidir.

Bu duruma yol açan şey, ironik bir biçimde, Amerikan hayvanat bahçeleri ve sirklerindeki çiftleştirme programlarının başarısıdır. 1980'lerde ve 90'larda yavru hayvanların aşırı bol olması fiyatları aşağı düşürdü. Hayvanlara Eziyet Edilmesini Önleme Derneği'nin tahminlerine göre Houston bölgesinde 500 aslan, kaplan ve diğer büyük kedigiller özel mülkiyet altında.

Vahşi kaplan popülasyonu 20. yüzyıl boyunca sert bir düşüş yaşadı. 1950'lerde Hazar Denizi civarındaki kaplanların soyu tükendi. 1937 ile 1972 arasında Bali ve Java adalarındaki kaplanlar yokoldu. Doğal ortamında yaşayan Güney Çin kaplanının soyu neredeyse tükendi: Bu kaplanlardan yalnızca otuz tane kaldı.

Hayvanları koruyanların tüm çabalarına karşın, bu yüzyılın sonuna kadar, doğal ortamlarındaki bütün kaplan türlerinin soylarının tükenmesi bekleniyor.

Evcil bir kedi, bir kaplanın yaklaşık yüzde biri büyüklüğündedir.

Kaplanlar alkol kokusuna tahammül edemez. İçki içen herkese saldırırlar.

Kaplanlar yaşlandıkça güçten düşerler ve bu onların suçu değildir.

Bir timsahı alt etmek için ne kullanırsınız?

a. Ataş
b. Krokodil pensi
c. Kesekağıdı
d. El çantası
e. Lastik bant

Boyu 2 metreye kadar olan timsahlar karşısında, sıradan bir lastik bantla paçayı kurtarabilirsiniz.

Bir timsahın ya da alligatörün çenelerini kapatan kaslar o kadar güçlüdür ki, bu kasların aşağıya doğru olan kuvveti uçurumdan düşen bir kamyonunkine denktir. Ama timsahın ya da alligatörün çenelerini açan kaslar o kadar zayıftır ki, tek elinizle bir timsahın ya da alligatörün ağzını kapalı tutabilirsiniz.

Alligatörler ile timsahlar arasındaki teknik fark, timsahların daha uzun ve daha dar bir burna sahip olmaları, gözlerinin daha önde olması ve dördüncü dişlerinin üst çeneye muntazam bir biçimde sığmak yerine alt çeneden dışarı taşmasıdır. Aynı zamanda, bazı timsahlar tuzlu suda yaşar; alligatörler ise genel olarak tatlı suda yaşar.

Yunanca *krokodeilos* kelimesinden gelen "timsah", kertenkele demektir. Bu adı ilk olarak, Nil'in çakılla kaplı kıyılarında dolaşan timsahları gözlemleyen Herodot kullanmıştır. "Alligatör", İspanyolcadaki *el lagarto das Indias* (Hint kertenkelesi) ifadesinin bozulmuş biçimidir.

Irmağı geçene kadar alligatöre koca ağızlı deme.
JAMAİKA ATASÖZÜ

Hiçbir hayvan birine öldürme amaçlı saldırdığında ağlamaz. Timsah gözyaşları, Ortaçağ gezginlerinin öykülerindeki bir mittir. Sir John Mandeville 1356'da şu gözlemde bulunuyordu: "Hindistan'ın birçok bölgesinde bir sürü timsah (bir tür uzun yılan) vardır. Bu yılanlar insanları öldürür ve onları gözyaşı dökerek yerler."

Timsahların gerçekten de gözyaşı kanalları vardır, ama bunlar doğrudan doğruya ağzın içine boşalır; yani dışarıdan hiç gözyaşı görünmez. Efsanenin kökeni, timsahın boğazının, gözü kayganlaştıran bezlere yakın bir yerlerde bulunmasına dayanıyor olabilir. Bu durum, büyük ya da timsaha direnen bir şeyi yutma çabası sırasında, timsahın gözlerinin biraz sulanmasına neden olabilir. Bu hayvanlar gülmezler de: Timsahların ve alligatörlerin dudakları yoktur.

Timsahların mide özsularında, demir ve çeliği eritmeye yetecek kadar hidroklorik asit vardır. Diğer yandan, şehir kanalizasyonlarında alligatör yaşadığından şüphelenmenize gerek yoktur. Alligatörler, güneşten gelen ve kalsiyumu işlemelerine olanak tanıyan morötesi radyasyon olmadan yaşayamazlar. Bu şehir efsanesinin kökeni, 1935'te *New York Times*'ta çıkan bir habere götürülebilir: Bu haberde, Harlem'de birkaç çocuğun bir kanalizasyon çukurundan bir alligatör çıkardıkları ve bu hayvanı küreklerle döverek öldürdükleri yazıyordu. Bu alligatör muhtemelen bir gemiden düştükten sonra yüzerek sel suyu kanalından kanalizasyona girmişti.

Savaştan üç kat daha tehlikeli olan şey nedir?

Çalışmak; içki, uyuşturucu ya da savaştan çok daha fazla insan öldürmektedir.

Her yıl yaklaşık iki milyon insan, işle ilgili kazalar ve hastalıklar yüzünden hayatını kaybediyor; buna karşılık savaşlarda her yıl 650.000 kişi ölüyor.

Tüm dünyada en tehlikeli işler tarım, madencilik ve inşaat sektörlerindedir. ABD Çalışma İstatistikleri Bürosu'na göre, 2000 yılında 5915 kişi çalışırken öldü (masalarında kalp krizi geçirenler dahil).

Ormanda ağaç kesenler, 100.000 çalışan başına 122 ölümle en tehlikeli işe sahipti. İkinci en tehlikeli iş balıkçılık; üçüncüsü ise pilotluktu (100.000 çalışan başına 101 ölüm). Duyunca içiniz rahatlayacak: Neredeyse bütün pilotlar yolcu uçaklarında değil, küçük uçak kazalarında öldüler.

Yapı işinde çalışan metal işçileri ve maden-sondaj işlerinde çalışanlar dördüncü ve beşinci sırada geliyordu; yine de bu iki sektördeki ölüm oranı ağaç kesenlerinkinin yarısından daha azdı.

Tüm meslekler arasında, iş sırasındaki en yaygın üçüncü ölüm sebebi cinayetti; işyeri cinayetleri 677 çalışanın hayatına maloldu. Bunlardan 50'si polis memuruyken, 205'i seyyar satıcıydı.

En yaygın ikinci ölüm sebebi yüksek bir yerden düşmeydi; bir yerden düşerek ölenler toplamın yüzde 12'sini oluşturuyordu. Bu ölüm türünün başlıca kurbanları çatı tamircileri ve yapı işinde çalışan metal işçileriydi.

İş sırasındaki en yaygın ölüm sebebi trafik kazasıydı; trafik kazalarında ölenler toplam ölümlerin yüzde 23'ünü oluşturuyordu. Polis memurları için bile, direksiyon başındaki ölüm oranı, cinayet sonucu gerçekleşen ölüm oranından birazcık daha fazlaydı.

Tek başına değerlendirildiğinde, en tehlikeli işin, Bering Denizi'nde çalışan Alaskalı yengeç avcılarına ait olduğu söylenir.

Ölüm riski, Duckworth ölçeği (*Royal Statistical Society* dergisi editörü Dr. Frank Duckworth tarafından tasarlandı) kullanılarak hesaplanabilir. Bu ölçek, herhangi bir eylem sonucundaki ölme ihtimalini ölçer. En güvenli eylem türü 0 skorunu verirken, sonucun 8 çıkması eylemin kesin ölümle sonuçlanacağı anlamına gelir.

Bir Rus Ruleti oyunu 7,2'lik bir risk taşır. 20 yıllık kaya tırmanışının riski 6,3'tür. Bir kişinin öldürülme riski 4,6'dır. Ayık ve orta yaşlı bir sürücünün direksiyonda olduğu ve 160 km hızla gerçekleşen bir araba yolculuğu 1,9'luk bir risk taşır: Yıkıcı bir asteroid çarpmasından (1,6) biraz daha riskli.

Duckworth ölçeğinde 5,5 bilhassa tehlikeli bir skordur. Bu rakam trafik kazası nedeniyle, bir erkeğin kazara düşmesi sonucu ya da her iki cinsiyetin de elektrik süpürgesi kullanırken, bulaşık yıkarken veya sokakta yürürken ölme riskini belirtir.

18. yüzyıldaki bir deniz savaşında en çok denizciyi ne öldürmüştür?

Adi bir kıymık.

Ateşlenen top gülleleri aslında patlamıyordu (Hollywood ne derse desin), bunlar geminin gövdesini parçalayarak kocaman tahta kıymıkların yüksek bir hızla güvertede uçuşmasına neden oluyordu; bu kıymıkların isabet ettiği denizciler de ağır yaralar alıyordu.

Bu dönemde Britanya'daki savaş gemileri çürüktü ve denize

açılmaya elverişsizdi. Görevlilerin çoğu mevkilerini satın alıyor ve gemi kullanmayı, savaşmayı ya da adamlarını kontrol etmeyi bilmiyordu. Denizcilerin metrelerce uzunluktaki ıslak yelken bezlerini hareket ettirmeleri sonucu o kadar sık fıtık vakası görüldü ki, donanma fıtık bağı dağıtmak durumunda kaldı. Dahası, bir yüzyıl boyunca herhangi bir ücret artışı olmadı.

14,5 kiloluk bir gülle yakın mesafeden, tahtanın 60 cm derinine kadar girebilir. Kıymıkları engellemenin en iyi yolu (metal bir gemi inşa etmenin dışında) ABD'nin güneydoğusunda bulunan ve kıymık oluşmasına karşı dayanıklı olan bir odun türünü kullanmaktı.

Virginia meşesi (*Quercus virginiana*) en sert odunlardan biri olmasının yanısıra, Georgia'nın eyalet ağacıdır ve güney eyaletlerinde gücün ve dayanıklılığın simgesidir. *Rüzgar Gibi Geçti* gibi filmlerde yosundan halkalarla süslenmiş ağaç budur.

Napolyon'un en aşağılayıcı yenilgisi neyle ilgilidir?

Tavşanlarla.

Waterloo hiç kuşkusuz Napolyon'un en ezici yenilgisi olmakla beraber, onun en utanç verici yenilgisi değildi.

1807'de, Fransa, Rusya ve Prusya arasında bir dönüm noktası niteliğindeki Tilsit Barışı'nı imzalayan Napolyon'un keyfi yerindeydi. Bunu kutlamak için İmparatorluk Sarayı'nın öğleden sonra bir tavşan avı düzenlemesini önerdi.

Bu av, Napolyon'un çok güvendiği kurmay başkanı Alexandre Berthier tarafından organize edildi. Napolyon'u etkilemeye can atan Berthier, İmparatorluk Sarayı'nın konukları meşgul edecek kadar av hayvanına sahip olduğunu göstermek için binlerce tavşan satın aldı.

Parti vakti geldi, av başladı ve av hayvanlarının bekçileri avları saldı. Ama av felaketle sonuçlandı. Berthier yabani değil, evcil tavşan almıştı; bu tavşanlar da öldürülmekten ziyade besleneceklerini düşündüler.

Tavşanlar canlarını kurtarmak üzere kaçmak yerine, büyük şapkalı ufak tefek bir adama yöneldiler ve onu kendilerine yemek veren bakıcılarıyla karıştırdılar. Aç tavşanlar saatte 56 km'lik azami hızlarıyla Napolyon'a hücum ettiler.

> ***Bir tavşanın saldırısına maruz kalan birini düşünemiyorum, en azından kasıtlı bir saldırıya uğradığını.***
> ***SIR WILLIAM CONNOR***

Av partisindekiler (artık tam bir kargaşaya dönmüştü) onları durdurmak için hiçbir şey yapamıyordu. Napolyon'un, açlıktan kırılan hayvanları çıplak elleriyle savuşturmaya çalışarak kaçmaktan başka bir seçeneği yoktu. Ama tavşanların şiddeti dinmedi ve İmparatoru at arabasına kadar püskürttüler; bu sırada Napolyon'un adamları tavşanları nafile kırbaçlıyordu.

Bu fiyaskonun günümüzdeki anlatımlarına göre, Fransa İmparatoru tamamen hırpalanmış bir vaziyette ve utanç içinde arabasına koşturdu.

Sfenks'in burnunu kim kırdı?

Yunancada "boğazlayan" anlamına gelen Sfenks, bir kadının başına, bir aslanın vücuduna ve bir kuşun kanatlarına sahip efsanevi bir hayvandır. Fark etmiş olabileceğiniz gibi, piramitlerin yanındaki 6500 yıllık dev Sfenks heykelinin burnu yoktur.

Yüzyıllar boyunca birçok ordu ve kişi (İngiliz, Alman ve

Arap) çeşitli nedenlerle Sfenks'in burnunu kasıtlı olarak kırmakla suçlandı; ama asıl suçlu olarak genellikle Napolyon gösterilmektedir.

Bu suçlamaların neredeyse hiçbiri doğru değil. Aslında bu heykele zarar verdiğini kesin olarak söyleyebileceğimiz tek kişi Müslüman din adamı Saim el-Dahr'dı; el-Dahr, kamu malına zarar vermekten 1378'de linç edildi.

Her iki dünya savaşındaki İngiliz ve Alman ordularının suçu yoktu: Sfenks'in burnunun olmadığını gösteren 1886 tarihli fotoğraflar var.

Napolyon'a gelince: İçinde burunsuz bir Sfenks'in yer aldığı, 1737'de (Napolyon'un doğumundan bile 32 yıl önce) sergilenmiş piyesler var. Bu heykeli 29 yaşındaki bir general olarak ilk defa gördüğünde, bu burun muhtemelen yüzyıllardır yerinde yoktu.

Napolyon'un Mısır'a gidiş sebebi, İngiltere'yle Hindistan arasındaki ulaşımı sekteye uğratmaktı. Napolyon burada iki savaş yaptı: Piramitler Savaşı (adında geçtiği gibi Piramitlerde meydana gelmedi) ve Nil Savaşı (bu savaş da Nil'de olmadı). Napolyon buraya 55.000 kişilik bir ordunun yanısıra, "alim" olarak adlandırılan 155 sivil uzman getirdi. Bu, ülkeye gerçekleştirilen ilk profesyonel arkeolojik seferdi.

Nelson donanmasını batırdıktan sonra Napolyon Fransa'ya dönünce, İmparator, ordusunu ve alimleri orada bıraktı ve onlar da işlerine devam etti. *Description de l'Egypte*'i [Mısır'ın Tasviri] ortaya çıkardılar; bu da Mısır'ın Avrupa'ya ulaşan doğru düzgün ilk resmiydi.

Tüm bunlara rağmen, Piramitler'deki Mısırlı rehberler bugün turistlere hâlâ Sfenks'in burnunun "Napolyon tarafından çalındığını" ve Paris'teki Louvre Müzesi'ne götürüldüğünü söylüyor.

Sfenks'in kayıp organına getirilebilecek en inandırıcı açıklama, 6000 yıllık rüzgar ve havanın hassas kireçtaşı üzerindeki etkisidir.

Roma yanarken Neron ne yapıyordu?

Kesinlikle keman çalmıyordu; keman 15. yüzyıla kadar icat edilmemişti.

Diğer suçlama, Roma MS 64'te yanarken Neron'un Troya'nın yanmasıyla ilgili bir şarkı söylediğiydi; bu da, bu şarkıyı söylemek için şehri bizzat Neron'un yaktığı anlamına geliyordu.

Gerçekteyse, yangın çıktığı sırada Neron yangının 56 km uzağında, deniz kenarındaki yazlık evindeydi. Neron haberi alınca hızla Roma'ya gitti ve yangın söndürme çabalarının sorumluluğunu üstlendi.

Roma'yı yakmak istediğiyle ilgili şüphe, şehri yeniden kurmak istediği yönündeki beyanından kaynaklanmış olabilir. Nihayetinde suçu Hıristiyanlara atmayı başardı.

Aslında Neron'un yaptığı şuydu: Neron kadın giysileri giyen, şarkı söyleyen, müzikle uğraşan ve sürekli alem yapan bir giysi sapığıydı; aynı zamanda annesini öldürttü. Müzik yeteneklerinden son derece gurur duyuyordu; ölürken şunları söyledi: "Dünya benim gibi bir sanatçı kaybediyor!"

Bazılarına göre genellikle *kitara*'ya (lirin bir türü) eşlik ediyordu, ama gayda da çalıyordu.

MS 100'de yazan Yunan yazar Dio Chrysostom şuna işaret ediyordu: "Onun yazdığını, heykel yonttuğunu, hem ağzıyla hem (koltuğunun altına bir tulum koyarak) koltukaltıyla *aulos* çaldığını söylüyorlar."

6. yüzyılın başında, Procopius adlı bir Yunan tarihçi, gay-

danın Roma piyade sınıfının tercih ettiği bir enstrüman olduğunu, buna karşılık borazanın süvariler tarafından kullanıldığını belirtiyordu.

Neron aynı zamanda dondurmayı icat etti: Neron'un hizmetkarlarının dağlardan getirdiği karın içine meyve suları katılırdı. İnsanları zehirletmek için kullandığı adamı Locusta ise, tarihin kayda geçmiş ilk seri katilidir.

Locusta "ıstakoz" ya da "çekirge" anlamına geliyor: Latincede iki kelime için de "locusta" kullanılıyor.

Hangi olasılık daha yüksektir: Yıldırım düşmesi sonucu ölmek mi, bir asteroidin çarpmasıyla ölmek mi?

Saçma görünebilir, ama asteroid çarpması sonucu ölme ihtimalimiz iki kat daha fazladır.

Büyük bir asteroidin (günümüzde Yer'e Yakın Cisimler –NEO– olarak biliniyor) Dünya'ya bir milyon yılda bir kere düştüğü tahmin ediliyor. İstatistiksel olarak bu süre çoktan aşılmış durumda.

Çapı 2 km'nin üzerinde olan bir cisim "tehlikeli" bir NEO'dur. Bunun Dünya'ya çarpmasının etkisi, bir milyon megaton TNT'ye denktir. Bu gerçekleşirse bir milyardan fazla kişi ölür; bu durumda herhangi bir yılda ölme olasılığınız altı milyonda birdir.

İngiltere'de herhangi bir yılda bir kişinin yıldırımdan ölme ihtimali on milyonda birdir; bu oran bir engerek yılanı tarafından ısırılarak ölme ihtimaliyle hemen hemen aynıdır.

Yıldırım, 30 milyon volt gücündeki elektriktir. 30.000°C'lik bir sıcaklığa ulaşır, ki bu Güneş'in yüzeyinden beş kat daha sıcak olduğu anlamına gelir. Yıldırım düştüğünde saatte 115 milyon km'nin üzerinde bir hızla gider.

Tek bir yıldırım çarpması 100.000 amperlik bir elektrik akımı taşır; bu miktar 200.000 nüfuslu bir şehri bir dakika boyunca aydınlatabilir. Dünya'ya her gün 17 milyondan fazla ya da saniyede 200'ün üzerinde yıldırım düşer.

Yıldırım çarpmalarının en sık görüldüğü yerler kıyı bölgeleridir; buralarda kilometrekare başına yılda yaklaşık iki kez yıldırım çarpması meydana gelir. Bunlar pek fazla hasara yol açmaz: Elektrik denizin yüzeyinde hızla dağılır ve balinaların şimşekli ve gökgürültülü azgın fırtınanın ortasında mutlu bir şekilde şarkı söyledikleri gözlenmiştir.

İstatistiğin laneti insanlığın üzerine çökmeden önce, keyif içinde, mutlu, masum bir hayat sürüyorduk ve oldukça iyi düşüncelerle doluyduk.

HILAIRE BELLOC

Diğer yandan insanlara, olasılık hesabındakinden on kat daha sık yıldırım çarpar.

Erkeklere, kadınlardan altı kat daha fazla yıldırım çarpar.

Her yıl üç ila altı Britanyalı ve yüz Amerikalı yıldırım çarpması sonucu ölür; birçoğunun ölüm sebebi vücutlarına yakın bir yerde seyyar paratonerler (golf sopaları, karbon kamışlı olta ve balenli sutyen) taşımalarıdır.

Açık havada şimşekli ve gökgürültülü bir fırtınaya yakalanırsanız en güvenli konum, ağaçlardan uzak durup, poponuz havada kalacak şekilde yere yatmaktır.

Roma imparatorları bir gladyatörün ölüm emrini nasıl verirlerdi?

Başparmaklarını yukarı kaldırarak.

Ne gladyatörün öldürülmesini isteyen Romalı seyirciler başparmaklarını aşağı indirirdi ne de bu ölüme izin veren Roma İmparatorları. Aslında Romalılar "başparmakları aşağıda duracak şekilde" bir işareti hiç kullanmadılar.

Bir gladyatörün öldürülmesi istendiğinde başparmak yukarı kaldırılırdı – tıpkı kınından çekilmiş kılıç gibi. Kaybeden bir gladyatörün canının bağışlanması için başparmak, sıkılmış yumruğun içine sokulurdu – kınına sokulmuş bir silah gibi. Bu durum Latincede *pollice compresso favor iudicabatur* (iyilik yapma kararını içerde tutulan başparmak verir) şeklinde ifade edilirdi.

Ridley Scott *Gladyatör*'ü yönetmeyi kabul etmeden önce Hollywood yöneticileri kendisine, 19. yüzyıl ressamı Jean-Léon Gérôme'un *Pollice Verso* adlı tablosunu gösterdiler. Tabloda, imparator ölüm cezasını vermek için başparmağını aşağıya doğru uzatırken Romalı bir gladyatör bekliyor. Scott resimden çok etkilendi ve derhal filmi yönetmesi gerektiğine kanaat getirdi.

Scott, esin kaynağının bütünüyle yanlış olduğundan bihaberdi. Son iki yüzyılın en büyük yanılgılarından birinin ("aşağıyı gösteren başparmakların" ölümü işaret ettiğinin) tek sorumlusu bu tabloydu.

Tarihçiler şu konuda fikir birliğine varmıştır: Gérôme büyük bir yanılgıyla, Latincedeki *pollice verso* ("çevrilmiş başparmak") ifadesinin "aşağıya çevrilmiş" anlamına geldiğine hükmetti; halbuki bu ifade "yukarı çevrilmiş" anlamına geliyordu.

Bu konuda daha fazla kanıt sunmak gerekirse, 1997'de Fransa'nın güneyinde bulunan MS 2. ya da 3. yüzyıldan kalma bir madalyon gösterilebilir. Bu madalyon, bir dövüşün sonundaki iki gladyatörle, sıktığı yumruğunun üzerine başparmağını bastıran bir hakemi gösteriyordu. Madalyonun üzerinde şunlar yazılıydı: "Ayakta kalanlar serbest bırakılmalıdır."

Başparmak işaretlerinin kullanılması günümüzde hâlâ, tehlikeli bir biçimde muğlak olabilir. Ortadoğu'da, Güney Amerika'da ve Rusya'da "başparmağın yukarı kaldırılması", batıdaki zafer işareti gibi, çok ağır bir hakaret olarak anlaşılır. Bu durum Irak'ta sorunlu bir hale büründü: Amerikan askerleri, Iraklıların kendilerini hoş mu karşıladığını, yoksa kendilerine ateş mi püskürdüklerini bilemediler.

Çıplak Maymun kitabının yazarı Desmond Morris, "başparmağın yukarı kaldırılması"nın Britanya'daki olumlu çağrışımlarını Ortaçağ'a dayandırıyor; bu işaret bir işte anlaşmaya varıldığında kullanılıyordu. Başparmağın yukarı kaldırılması, II. Dünya Savaşı'nda ABD Hava Kuvvetleri'ne mensup pilotların bu işareti kalkıştan önce havaalanındaki mürettebata sinyal vermek için kullanmasıyla yeni bir anlam kazandı.

Ridley Scott'a en sonunda bu yanılgıdan bahsedildi ama o, "seyircilerin kafasını karıştırmamak için", Maximus'un canını bağışlarken Commodus'un "başparmağını yukarı" kaldırttı.

Deccal'ın Sayısı kaçtır?

616.

Kıyamet Günü'nden önce dünyaya hükmetmeye gelecek korkunç Deccal'ın simgesi 2000 yıldan beri 666'dır. Birçok kişi için bu uğursuz bir sayıdır: Avrupa Parlamentosu bile 666 numaralı koltuğu boş bırakır.

Bu sayıdan, İncil'in en son ve en tuhaf kitabı Vahiy'de bahsediliyor: "Anlayabilen, Deccal'ın sayısını hesaplasın: Çünkü bu sayı bir insanı simgeler; ve onun sayısı altı yüz altmış altıdır."

Ama bu sayı yanlıştır. Vahiy Kitabı'nın bilinen ilk nüshasının 2005'te yapılan yeni bir çevirisi bu sayının 666 değil 616 olduğunu açıkça gösteriyor. 1700 yıllık papirüs, Mısır'ın Oxyrhynchus şehrinin çöplüğünde bulundu ve başında Profesör David Parker'ın yer aldığı Birmingham Üniversitesi'nden bir paleografik araştırma ekibi tarafından deşifre edildi.

Eğer yeni sayı doğruysa, bu durum, eski sayıdan kaçınmak için küçük bir servet harcamış olanların hiç hoşuna gitmeyecek. ABD'deki 666 Otoyolu'nun ("Deccal Otoyolu" diye biliniyor) adı 2003'te 491 Otoyolu olarak değiştirildi. Hele Moskova Ulaştırma Dairesi bundan hiç hoşlanmayacak. 1999'da 666 numaralı uğursuz Otobüs Yolu için belirledikleri yeni numara 616 idi.

Anlaşmazlık 2. yüzyıldan bu yana devam ediyor. Deccal'ın Sayısını 616 olarak belirten bir İncil versiyonu, Lyon başpiskoposu Aziz Iranaeus (y. 130-200) tarafından "hatalı ve düzmece" diye kınanmıştır. Karl Marx'ın arkadaşı Friedrich Engels *Vahiy Kitabı* adlı yazısında (1883) İncil'i inceledi. O da bu sayıyı 666 değil, 616 olarak hesapladı.

Vahiy, Yeni Ahit'in yazıya geçirilen ilk kitabıdır ve sayı bilmeceleriyle doludur. İbranice alfabenin 22 harfinin her biri bir sayıya tekabül eder, böylece her sayı aynı zamanda bir kelime olarak okunabilir.

Hem Parker hem de Engels, Vahiy Kitabı'nın politik ve Roma karşıtı bir risale olduğunu ve vermek istediği mesajı sayısal olarak şifrelediğini ileri sürer. Deccal'ın Sayısı (kaç olursa olsun), ilk Hıristiyanlara zulmeden Caligula ya da Neron'la ilgiliydi, hayali bir yaratıkla ilgili değil.

666 fobisi, *Hexakosioihexekontahexaphobia* olarak bilinir. 616 fobisi ise (bunu ilk defa burada okuyorsunuz) *Hexakosioidekahexaphobia*'dır.

Bir rulet çarkındaki sayıların toplamı 666'dır.

Bekaret kemeri ne işe yarar?

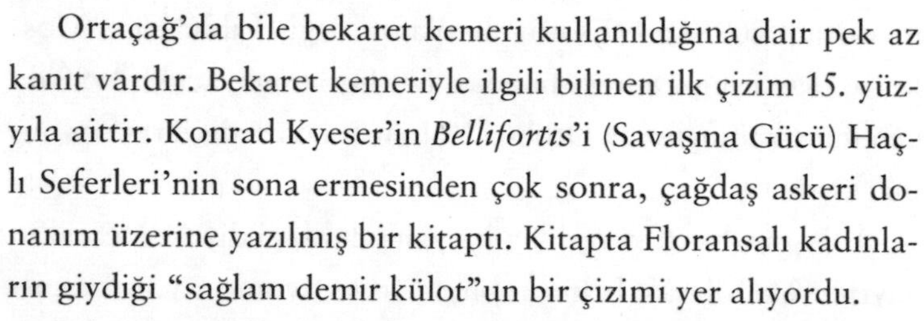

Haçlı Seferi'ne katılan bir askerin karısına bekaret kemeri bağlayıp anahtarını da boynuna asarak savaşa gittiği kanısı, okurları heyecanlandırmak için tasarlanmış bir 19. yüzyıl fantezisidir.

Ortaçağ'da bile bekaret kemeri kullanıldığına dair pek az kanıt vardır. Bekaret kemeriyle ilgili bilinen ilk çizim 15. yüzyıla aittir. Konrad Kyeser'in *Bellifortis*'i (Savaşma Gücü) Haçlı Seferleri'nin sona ermesinden çok sonra, çağdaş askeri donanım üzerine yazılmış bir kitaptı. Kitapta Floransalı kadınların giydiği "sağlam demir külot"un bir çizimi yer alıyordu.

Şekilde anahtar açıkça görülmektedir; bu da kemerin kontrolünün erkekte değil, (Floransalı züppelerin istenmeyen ilgisinden korunmak için) kadında olduğu anlamına gelmektedir.

Müzelerdeki koleksiyonlarda, "Ortaçağ'daki" bekaret kemerlerinin çoğunun gerçekliğinin şüpheli olduğu görüldü ve bunlar gösterimden kalktı. Muhtemelen bu bekaret kemerlerinin çoğu, tıpkı "Ortaçağ'daki" işkence aletleri gibi, 19. yüzyılda Almanya'da "uzman" koleksiyoncuların merakını gidermek için yapıldı.

Aynı zamanda 19. yüzyılda yeni bekaret kemerlerinin satışında bir artış görüldü; ama bunlar kadınlar için değildi.

Viktorya dönemi tıp kuramına göre mastürbasyon sağlığa zararlıydı. Ellerinin rahat durmayacağı düşünülen erkekler bu faydalı çelik külotları giymeye zorlanıyordu.

Ama satışlardaki asıl patlama, "sex shop"ların büyüyen bağlama fantezisi piyasasından yararlanmasıyla birlikte, son 50 yılda yaşandı. Günümüzde, Ortaçağ'dakinden çok daha fazla bekaret kemeri var. Paradoksal biçimde, seksi önlemek için değil, uyarmak için varlar.

Tutankamon'un laneti neydi?

Öyle bir şey yoktu. Bunu gazeteler uydurmuştur.

1922'de Howard Carter tarafından keşfedildiğinde, Tutankamon'un mezarına giren herkesin korkuya kapılmasına neden olan "firavunun laneti" hikayesi, *Daily Express*'in Kahire muhabirinin işiydi (bu hikaye daha sonra *Daily Mail* ve *New York Times* tarafından tekrarlanmıştır).

Bu haberde, üzerinde şu yazıların olduğu bir kitabeden bahsediliyordu: "Bu kutsal mezara her kim giriyorsa, çok geçmeden ölümün kolları onu ziyaret edecektir."

Böyle bir kitabe yoktur. Buna en yakın denklikte yazı, tanrı Anubis'e adanmış bir mabedin üzerinde bulunuyordu ve şunu diyordu: "Gizli odanın kumun içinde boğulmasını engelleyen benim. Ben ölülerin korunması için varım."

Carter'ın keşif gezisinden önce Sir Arthur Conan Doyle –perilere inanmakla meşhurdu– basının kafasına "korkunç bir lanetin" tohumlarını çoktan ekmişti.

Carter'ın sponsoru Lord Caernavon, mezarın açılmasından birkaç hafta sonra mikrobik bir sivrisinek ısırığından ölünce, Marie Corelli (çok satan sansasyonel kitapların yazarı ve zamanının Dan Brown'u) mührü açtığı takdirde neler olacağı konusunda onu uyardığını iddia etti.

Aslında ikisi de, yüz yıldan daha az bir ömre sahip olan ve Jane Loudon Webb adlı genç bir İngiliz romancı tarafından ortaya atılmış bir batıl inancı yineliyordu. Webb'in son derece popüler romanı *Mumya* (1828), kendisini kutsal görmeyenlerden intikam almak için canlanan bir mumyanın bulunduğu lanetli bir mezar fikrini tek başına ortaya attı.

Bu tema bundan sonraki hikayelerin her türlüsüne girdi –*Küçük Kadın*'ın yazarı Louisa May Alcott bile bir "mumya" hikayesi yazdı– ama onun asıl kırılma noktası "Tutankamon çılgınlığı"nın ortaya çıkışıyla birlikte oldu.

Eski bir Mısır mezarında hiçbir lanet bulunamamıştır. 2002'de *British Medical Journal*'da yayınlanan bir araştırmaya göre, Tutankamon'un "laneti" sonucu öldüğü öne sürülen 26 kişiden sadece altısı mezarın açılışının ilk 10 yılında öldü; hiç şüphesiz bir numaralı hedef olan Howard Carter 17 yıl daha yaşadı.

Ama hikaye burada bitmiyordu. 1970 gibi oldukça geç bir tarihte, mezardan çıkarılan elişleri sergisi batıyı dolaştığı sırada, San Francisco'da sergiyi koruyan bir polis memuru "mumyanın lanetinden" dolayı hafif bir felç geçirdiğinden yakınıyordu.

2005'te Tutankamon'un mumyasının bilgisayarlı tomografiden geçirilmesiyle, 19 yaşındaki firavunun 1,70 m boyunda ve sıska olduğu ve üst çene dişlerinin alt çene dişlerinden önde yer aldığı ortaya çıktı. Tutankamon kardeşi tarafından öldürülmedi, dizinin iltihap kapması sonucu öldü.

Feministler sutyenleriyle ne yaptı?

Hiçbir şey yapmadılar.

Tarihteki en etkili feminist protesto, Atlantic City'deki (New Jersey) 1968 "Miss America" güzellik yarışmasında gerçekleştirildi.

Küçük bir protestocu grup yarışmanın yapıldığı yerin etrafını, "Kendimizi İnsan Olarak Değerlendirelim" ve "O güzel değil, sadece etinden kazanç elde etmeye bakıyor" gibi kışkırtıcı sloganlarla çevirdiler.

Üzerinde "Miss America" yazılı bir taç giydirdikleri canlı bir koyun hazırladılar ve daha sonra yüksek topuklu ayakkabılarını, sutyenlerini, bigudilerini ve cımbızlarını "Özgürlük Çöp Kutusu"na attılar.

Yapmadıkları şey, sutyenlerini yakmaktı. Yakmak istediler ama polis, ahşap platform üzerinde bunu yapmanın tehlikeli olacağı konusunda uyardı.

Sutyen yakma uydurmacası, *New York Post*'tan Lindsay Van Gelder adlı genç bir gazetecinin haberiyle başladı.

Van Gelder 1992'de *Ms.* dergisine şunları söyledi: "Ben aslında protestocuların bir özgürlük çöp kutusu içinde sutyenleri, korseleri ve diğer eşyaları yakmayı planladıklarını kastettim. ... Manşeti atan arkadaş bir adım daha ileri gidip onları 'sutyen yakanlar' olarak adlandırdı."

Manşet yeterliydi. Bütün Amerika'daki gazeteciler hikayeyi okumakla vakit kaybetmeyip bu manşeti benimsediler. Van Gelder bir medya cinneti yaratmıştı.

Washington Post gibi titiz yayınlar bile bu furyaya kapıldı.

Bu yayınlar Ulusal Kadın Kurtuluşu Grubu üyelerini, "kısa bir süre önce Atlantic City'deki Miss America güzellik yarışmasında yapılan bir eylem sırasında iç çamaşırlarını yakan" kadınlar olarak gösterdi.

Bu olay şu anda, çağdaş mitlerin nasıl ortaya çıktığı konusunda ders kitaplarında bir örnek olarak kullanılıyor.

Evren ne renktir?

a. Gümüşi parçalarla siyah
b. Siyah parçalarla gümüşi
c. Soluk yeşil
d. Bej

Resmi olarak bejdir.

2002'de, Johns Hopkins Üniversitesi'nden Amerikalı bilimciler, Avustralya Kırmızıya Kayan Galaksileri İnceleme Kurumu'nun topladığı 200.000 galaksi ışığını inceledikten sonra evrenin soluk yeşil renkte olduğu sonucuna vardılar. Evren göründüğü gibi, gümüşi parçalarla siyah değildi. Dulux renk kataloğunu standart olarak alırsak, bu renk, Meksika yeşili, yeşim yeşili ve Shangri-La ipek yeşili arasında bir yerde yer alıyordu.

Bununla birlikte, Amerikan Astronomi Derneği'ne yapılan açıklamadan birkaç hafta sonra, hesaplamalarında bir hata yaptıklarını ve evrenin aslında daha çok köstebek derisi renginin kasvetli bir tonu olduğunu itiraf etmek durumunda kaldılar.

17. yüzyıldan bu yana, en büyük ve en meraklı zihinlerin bazıları geceleyin gökyüzünün neden siyah olduğu üzerine kafa yordu. Eğer evren sonsuzsa ve eşit biçimde dağılmış sonsuz sayıda yıldız içeriyorsa, baktığımız her yerde bir yıldız bulunmalı ve gökyüzü geceleyin gündüz gibi aydınlık olmalıydı.

Bu durum, bu sorunu 1826'da tanımlayan Alman gökbilimci Heinrich Olbers'e (bunu yapan ilk kişi değildi) atfen, Olbers Paradoksu olarak bilinir.

Şu ana kadar hiçkimse bu soruna gerçekten doyurucu bir cevap sunamadı. Belki yıldızların sayısı sonsuz değildir, belki en uzaktaki yıldızların ışığı bize henüz ulaşmadı. Olbers'in çözümü şuydu: Geçmişteki bir zamanda bütün yıldızlar ışık saçmıyordu ve bir şey onların ışık saçmaya başlamalarını sağlamıştı.

En uzaktaki yıldızların ışığının hâlâ yolda olduğunu ilk söyleyen kişi, kehanet gibi şiirsel düzyazısı *Eureka* (1848) ile Edgar Allan Poe'ydu.

2003'te Hubble Uzay Teleskopu'nun Ultra Derin Alan Kamerası, geceleyin gökyüzünün en boş görünen kısmına doğrultuldu ve film bir milyon saniye (yaklaşık 11 gün) boyunca ışıklandı.

Ortaya çıkan fotoğraf, her birinde evrenin belirsiz uçlarına uzanan yüz milyonlarca yıldızın bulunduğunu ve bugüne dek bilinmeyen on binlerce galaksiyi gösteriyordu.

Mars ne renktir?

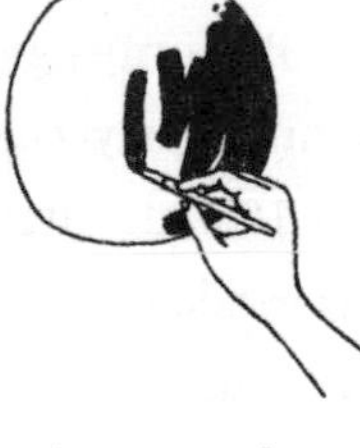

Sarımsı kahverengi.

Ya da kahverengi. Ya da turuncu. Ya da soluk pembe lekelerle haki.

Mars gezegeninin en bilindik özelliklerinden biri, geceleyin gökyüzündeki kırmızı görünüşüdür. Fakat bu kızıllık, gezegenin atmosferindeki tozdan kaynaklanmaktadır. Mars'ın yüzeyi için farklı bir durum sözkonusudur.

Mars'tan çekilen ilk fotoğraflar, Neil Armstrong'un aya

ayak bastığı meşhur günden yedi yıl sonra Viking I tarafından gönderildi. Bu fotoğraflar, tam da beklediğimiz gibi, koyu renkli kayalarla bezeli ıssız bir kırmızı toprak gösteriyordu. Bu durum komplo teorisyenlerini şüpheye düşürdü: Bu teorisyenler, fotoğraflar daha tanıdık görünsün diye NASA'nın fotoğraflar üzerinde kasıtlı olarak oynadığını iddia ettiler.

1976'da Mars'a ulaşan iki Viking gezgin robotun üzerindeki fotoğraf makineleri renkli fotoğraf çekmiyordu. Dijital görüntüler gri tonlamayla (siyah-beyaz için kullanılan teknik terim) alınıyor ve daha sonra üç renk filtresinden geçiriliyordu. "Doğru" renkte bir görüntüyü vermek üzere bu filtreleri ayarlamak son derece güçtür ve bir sanat olduğu kadar bir bilimdir de.

2004'te *New York Times*, Mars'tan gelen ilk renkli fotoğrafların "pembesinin biraz fazla" olduğunu, ama daha sonraki ayarlamaların Mars'ın yüzeyini sarımsı kahverengi gösterdiğini belirtti.

NASA'nın gezgin robotu Spirit 2004'ten beri Mars'ta faaliyet gösteriyor. En son yayınlanan fotoğraflar, gri-mavi kayalarla ve somon renginde kum lekeleriyle yeşil-kahverengi, çamur renginde bir manzara gösteriyordu.

Biri oraya gidene kadar muhtemelen Mars'ın "gerçek" rengini bilemeyeceğiz.

1887'de, İtalyan gökbilimci Giovanni Schiaparelli, Mars üzerinde uzun düz çizgiler gördüğünü söyledi ve bunlara *canali* (kanal, oluk) adını verdi. Ama bu kelime İngilizceye, olması gerektiği gibi "channel" (doğal su yolu anlamına gelen kanal, oluk) olarak değil, "canal" (insan eliyle açılmış su kanalı) olarak çevrildi; bu da Mars'ta kayıp bir uygarlık olduğu söylentilerini başlattı.

Suyun Mars'ta buhar halinde ve kutuplardaki buz örtüsünde buz olarak varolduğu düşünülür; ama daha güçlü teleskoplar geliştirildiğinden bu yana, Schiaparelli'nin kanallarının varlığına dair hiçbir kanıt bulunamadı.

Mars'ın Arapçası Kahire'dir (al-Qāhirah).

Su ne renktir?

Alışıldık cevap suyun rengi olmadığıdır; su "şeffaf" ya da "saydam"dır ve denizin mavi görünmesinin tek sebebi gökyüzünün denizin üzerine yansımasıdır.

Yanlış. Su aslında mavidir. Son derece soluk bir tonudur, ama mavidir. Bunu doğada, kardaki derin bir deliğe ya da donmuş bir şelalenin kalın buzlarının içine baktığınızda görebilirsiniz. Çok büyük ve çok derin beyaz bir havuzu suyla doldurup içine baktığınızda, su mavi görünecektir.

Bu soluk mavi ton, suyun *içine* değil ama suya baktığımızda, bazen neden şaşırtıcı bir biçimde mavi renk aldığını açıklamaz. Gökyüzünden yansıyan renk kesinlikle önemli bir rol oynar. Bulutlu bir günde deniz tam olarak mavi görünmez.

Ama gördüğümüz ışığın tamamı suyun yüzeyinden yansımaz; bu ışığın bir kısmı yüzeyin altından gelir. Su ne kadar bulanıksa, o kadar çok renk yansıtır.

Denizler ve göller gibi büyük su kütleleri genellikle son derece yoğun bir biçimde mikroskobik bitki ve su yosunu içerir. Irmaklar ve göletler son derece yoğun bir biçimde toprak ve diğer katı asıltıları içerir.

Bütün bu parçacıklar, suyun yüzeyine geri dönen ışığı yansıtıp dağıtarak gördüğümüz renklerde büyük sapmalara neden olurlar. Parlak mavi bir gökyüzünün altında bazen göz kamaştırıcı yeşil bir Akdeniz görmemizin sebebi budur.

Eski Yunan'da gökyüzü ne renkti?

Bronz. Eski Yunancada "mavi"yi karşılayan bir kelime yoktu. En yakın kelimeler (*glaukos* ve *kyanos*), rengi tasvir etmekten ziyade, ışığın ve karanlığın göreli yoğunluğunu ifade etmek için kullanılırdı.

Eski Yunan şairi Homeros, *İlyada* ve *Odysseia*'nın tamamında sadece dört asıl renkten bahsetmiştir: Bunlar kabaca siyah, beyaz, yeşilimtırak sarı (bal, özsu ve kan için kullanılır) ve morumsu kırmızıdır.

Homeros gökyüzüne "bronz" dediğinde, gökyüzünün "bronz renginde" olduğundan ziyade, onun tıpkı bir kalkanın parıltısı gibi, göz kamaştırıcı şekilde parlak olduğundan bahseder. Benzer bir yaklaşımla, şarap, deniz ve koyunun aynı renkte olduklarını düşünür.

Aristoteles yedi renk tonu saptadı; ona göre bunların hepsi siyah ve beyazdan türemişti, ama bunlar aslında rengin değil, parlaklığın dereceleriydi.

Yaklaşık 2500 yıl önceki eski bir Yunanla, NASA'nın 2006'daki gezgin robotlarının rengi aynı şekilde ele almaları ilginçtir.

Darwin'in izinden giden kuramcılar, ilk Yunanların retinalarının renkleri algılama yetisi geliştirmediğini ileri sürdüler. Ama günümüzde, onların nesneleri renge göre değil, niteliğe göre sınıflandırdıkları düşünülmektedir; böylece "sarı"yı ya da "açık yeşil"i belirtecek bir kelime gerçekten akışkan, taze ve canlı anlamına geliyor ve kanı, insan özsuyunu tasvir etmek için uygun düşüyordu.

Bu durum, düşündüğünüz kadar nadir değildir. Papua Yeni Gine'de, dünyanın başka herhangi bir yerinde olduğundan daha fazla dil vardır, ama bu dillerin birçoğunda, açık ile koyu rengi ayırt etmeyi bir kenara bırakın, renk için herhangi bir kelime bile yoktur.

Klasik Galcede "kahverengi", "gri", "mavi" ya da "yeşil" anlamına gelen bir kelime yoktur. Renk tayfı tamamen farklı bir şekilde bölümlenmiştir. Bir kelime (*glas*) yeşilin bir kısmını karşılarken, diğer bir kelime yeşilin kalan kısmını, mavinin tamamını ve grinin bir kısmını karşılar; üçüncü bir kelime, grinin kalanıyla kahverenginin çoğuna ya da bir kısmına karşılık gelir.

Modern Galcede *glas* kelimesi mavi anlamına gelir. Öte yandan Rusçada "mavi" için tek bir kelime yoktur: *Goluboi* ve *sinii* şeklindeki iki kelime genellikle "açık mavi" ve "koyu mavi" olarak çevrilir, ama Ruslara göre bunlar aynı rengin değişik tonları olmaktan ziyade farklı renklerdir.

Bütün diller kendi renk terimlerini aynı şekilde geliştirir. Siyah ve beyazdan sonra adı geçen üçüncü renk daima kırmızıdır. Dördüncü ve beşinci renkler yeşil ve sarı (ikisinden biri önce yer alabilir), altıncı renk mavi ve yedinci renk kahverengidir. Galcede kahverengi anlamına gelen bir kelime hâlâ yoktur.

Dünya'nın ne kadarı sudur?

Dünya yüzeyinin yüzde 70'i suyla kaplı olabilir ama su, gezegenin kütlesinin 5000'de birinden daha azına tekabül eder.

Dünya oldukça büyüktür; 6 milyon, milyar, milyar kg gelir. Bunun yarısı alt mantoda (yerkabuğunun altındaki 660. km'de başlayan yarı erimiş devasa katman) bulunur. Görünüşe göre sulu olan yerkabuğunda bile, kara kütlesi okyanuslarınkinden 40 kat daha fazladır.

2002'de *Science* dergisinde yayınlanan bir Japon deneyine göre, alt mantoda çözünmüş su, Dünya'nın yüzeyinde dolanan sudan beş kat daha fazla olabilir.

> ***Bu gezegen açıkça Okyanus olmasına karşın, ona Yerküre adını vermek ne kadar da isabetsiz bir hareket.***
>
> *ARTHUR C. CLARKE*

Araştırmacılar cm'ye 200.000 kg'lık basınç ve 1600°C'lik sıcaklık altında, alt mantoda bulunanlara benzeyen dört mineral bileşik oluşturdular. Daha sonra buna su ekleyip bu suyun ne kadarının emildiğini ölçtüler.

Eğer Japonlar haklıysa Dünya'daki su oranı gözden geçirilerek daha yüksek belirtilmelidir: Yüzde 0,1.

Su, küvet deliğinden hangi yönde boşalır?

a. Saat yönünde
b. Saat yönünün tersine
c. Hiçbir yere sapmadan dümdüz
d. Duruma göre değişir

Duruma göre değişir. Banyodaki suyu sarmal biçimde sürükleyen şeyin –Dünya'nın dönmesi sonucu oluşan– Coriolis kuvveti olduğu şeklindeki yaygın kanı doğru değildir.

Coriolis kuvveti, kasırga ve okyanus akıntıları gibi büyük çaplı ve uzun süreli hava olaylarını etkilemesine rağmen, evlerdeki su tesisatına etkide bulunmak için fazlasıyla zayıf kalır. Suyun boşalma yönünü küvetin şekli, küvetin hangi yönden doldurulduğu ve küveti yıkarken ya da tıkaç çekildiğinde oluşan girdaplar belirler.

Küçük bir su giderine ve suyu sarsmadan çekilebilen bir tıkaca sahip tam simetrik bir tencere suyla doldurulup, sudaki hareketin tamamen durulması için bir hafta civarı bekletilirse, ilkesel olarak küçük bir Coriolis etkisi fark etmek mümkün olabilir; bu Coriolis etkisi kuzey yarımkürede saat yönünün tersine doğruyken, güney yarımkürede saat yönündedir.

Bu yanlış kanıya, Michael Palin'in *Pole-to-Pole* [Kutuptan Kutba] adlı belgesel dizisinde yer bulmasından ötürü bir nebze inanılmıştır. Bu dizide Kenya'nın Nanyuki şehrindeki bir şovmen bu etkinin varlığını Ekvator'un her iki tarafında kanıtladığını iddia ediyordu; ama bu etkinin varolduğunu varsaysak bile belgeseldeki kanıtlama girişimi, dolaşımın yönünü yanlış yönde gösteriyordu.

Develer hörgüçlerinde ne depolar?

Yağ.

Develer hörgüçlerinde su değil, yağ depolar; bu yağ da enerji stoku olarak kullanılır. Suyun depolandığı yer vücutlarıdır, özellikle de kan dolaşım sistemleri; bu da onları su kaybından etkin bir biçimde korur.

Develer vücut ağırlıklarının yüzde 40'ını kaybedene kadar su kaybından zarar görmezler ve su içmeden yedi gün boyunca yaşayabilirler. İçtiklerinde de tam içerler: Bir kere de 225 litreye kadar.

Develerle ilgili oldukça ilginç birkaç olay şöyle sıralanabilir (bunların hörgüçleriyle hiçbir ilgisi yoktur):

Filler güçlü hafızalarıyla ün kazanmadan önce, eski Yunanlar kolay kolay unutmayan hayvanın develer olduğunu düşünürlerdi.

Acem av köpekleri –Salukiler– develerin üzerinde avlanırlardı. Salukiler develerin üzerine çıkıp geyikleri gözlerlerdi ve bir geyik gördüklerinde bulundukları yerden fırlayarak peşine düşerlerdi. Bir Saluki, 6 metre kadar sıçrayabilir.

1977'de David Taylor *Zoo Vet* [Hayvanat Bahçesi Veterineri] adlı kitabında "develerin insanlara kızdıklarında –tencere aniden buharını boşaltana kadar– bir düdüklü tencere gibi olabildiklerini ve develerin çılgına dönebildiklerini" gözlemledi. Deve bakıcısı deveyi sakinleştirmek için ceketini ona verir. "Deve, elbisenin canına okur; üzerinde tepinir, onu ısırır, parçalara ayırır. Deve kızgınlığının geçtiğini hissettiğinde, bakıcıyla deve tekrar uyum içinde yaşayabilirler."

Birleşik Arap Emirlikleri'nde yapılan deve yarışlarında geleneksel olarak kullanılan çocuk jokeylerin yerine robot jokeyler kullanılmaya başlandı. Uzaktan yönetilen robot jokeyler, BAE Deve Yarışı Birliği'nin Mart 2004'te on altı yaşın altındaki jokeyleri yasaklaması üzerine geliştirildi.

Bu yasalar genel olarak umursanmıyor ve yoğun bir çocuk köle ticareti yaşanıyor: Daha dört yaşındaki çocuklar Pakistan'da kaçırılıyor ve Arap deve kamplarına götürülüyor. Jokey olabilmenin tek koşulu çok ağır olmamak ve korku salarak çığlık atmak (bunu yapmak develeri cesaretlendiriyor).

Matta, Markos ve Luka İncillerinin, "Zengin birinin cennete gitmesi, bir devenin iğne deliğinden geçmesinden daha zordur" şeklindeki meşhur sözleri muhtemelen yanlış bir çeviridir; "kalın halat" anlamına gelen Aramca *gamta* kelimesi, "deve" anlamına gelen *gamla* kelimesiyle karıştırılmıştır.

Bu daha çok şey ifade eder ve zenginler için teselli edici bir ifadedir.

Develer nereden gelir?

Kuzey Amerika'dan.

Afrika ve Arap çöllerinin simgeleri Amerika kökenlidir.

Atlar ve köpekler gibi, develer de 20 milyon yıl önce Amerika'nın otlaklarında evrilmiştir. Bu hayvanlar o zamanlar, bildiğimiz ve sevdiğimiz haliyle hörgüçlü yük hayvanları olmaktan ziyade, daha çok zürafaya ya da ceylana benziyordu. Bering kara köprüsünden Asya'ya 4 milyon yıl önce geçmişlerdir.

Son buzul çağında Kuzey Amerika'da soyları tükenmiştir ve atlardan ve köpeklerden farklı olarak geri dönmemişlerdir.

Kuzey Amerika'daki deve türünün neden yok olduğu belirsizdir. Görünürdeki suçlu, iklim değişikliğidir. Daha spesifik olarak bakacak olursak, bu yokoluş, çimlerde bulunan silis miktarındaki bir değişimden kaynaklanmış olabilir. Kuzey Amerika'daki iklim soğuyup kuraklaştıkça, çimlerdeki silis seviyesi üç katına çıktı. Bu son derece sert yeni çimler, en uzun dişli otlayıcıların dişlerini bile mahvetti; atlar ve develer çiğneyemedikleri için yavaş yavaş açlıktan öldüler.

Diğer bir ihtimal de şu: Asya'ya kaçış yolları, Bering kara köprüsünün 10.000 yıl önce yok olmasıyla ortadan kalkan bu zayıflamış türler, insan avcılar tarafından tamamen "yok edildi."

Amerika adını nereden almıştır?

İtalyan tüccar ve haritacı Amerigo Vespucci'den değil, Galli ve zengin bir Bristol tüccarı Richard Ameryk'ten almıştır.

Ameryk, John Cabot'un (1497 ve 1498'de gerçekleştirdiği yolculuklar daha sonra Britanya'nın Kanada üzerindeki hak iddialarına temel oluşturan İtalyan denizci Giovanni Caboto'nun İngilizcesi) ikinci transatlantik yolculuğundaki baş sermayedardı. Cabot 1484'te Cenova'dan Londra'ya gitti ve Kral VII. Henry'den batıdaki bilinmeyen toprakları araştırma izni aldı.

Cabot, küçük gemisi *Matthew*'le Mayıs 1497'de Labrador'a ulaştı ve Amerika toprağına ayak basan ilk Avrupalı oldu: Vespucci'den iki yıl erken davranmıştı.

Cabot, Nova Scotia'dan Newfoundland'a kadar Kuzey Amerika kıyı şeridinin haritasını çıkardı. Richard Ameryk yolculuğun baş sponsoru olarak keşiflere kendi adının verilmesini bekleyecekti. O yıl Bristol yıllığında şöyle bir not vardır: "... Vaftizci Yahya Günü'nde [24 Haziran] Amerika toprağı, *Mathew* adlı bir Bristol gemisiyle Bristollü tüccarlar tarafından bulundu." Bu not neler olup bittiğini gayet iyi açıklıyor.

Bu yıllığın orijinal el yazması mevcut olmamasına rağmen, günümüze ulaşan diğer belgelerde bu metne bir dizi referans vardır. Bu, yeni kıtadan bahsedilirken "Amerika" tabirinin ilk kullanılışıdır.

Bu adı kullanan ve günümüze ulaşan en eski harita, Martin Waldseemüller'in 1507 tarihli büyük dünya haritasıdır; ama bu harita sadece Güney Amerika'yı gösteriyordu. Waldseemüller notlarında Amerika isminin, Amerigo Vespucci'nin adının Latince versiyonundan türetildiğini varsaydı, çünkü Vespucci 1500-1502 arasında Güney Amerika kıyısını keşfedip buranın haritasını çıkarmıştı.

Bu durum, onun emin olmadığını ve diğer haritalarda (muhtemelen Cabot'nunkinde) görmüş olduğu bir ismin kökenini açıklamaya çalıştığını akla getiriyor. "Amerika" adının bilindiği ve kullanıldığı tek yer Bristol'dü – Fransa'da yaşayan Waldseemüller'nin gitmesi muhtemel olan bir yer değildi. Waldseemüller anlamlı bir biçimde, 1513 tarihli dünya haritasında "Amerika"yı "Terra Incognita [Bilinmeyen Topraklar]" olarak değiştirdi.

Vespucci Kuzey Amerika'ya hiç varamadı. Yapılan ilk haritalar ve ticaret İngilizler tarafından gerçekleştirildi. Yaptığı keşif sırasında "Amerika" adını da kullanmadı.

Bunun için geçerli bir neden daha var. Yeni ülkelere ya da kıtalara hiçbir zaman bir kişinin adı verilmemiştir; buralara daima bu kişinin soyadı verilmiştir (Tazmanya, Van Diemen Toprakları ya da Cook Adaları'nda olduğu gibi).

Eğer İtalyan kaşif buraya bilinçli olarak kendi adını vermiş olsaydı, Amerika'nın adı "Vespucci Toprağı" (ya da Vespuccia) olacaktı.

ABD'de kaç eyalet vardır?

Teknik olarak sadece 46 eyalet vardır.

Virginia, Kentucky, Pennsylvania ve Massachusetts resmi olarak birer Commonwealth'tir*.

Bu durum onlara özel anayasal güçler tanımaz. Bu eyaletler bu sıfatı Bağımsızlık Savaşı'ndan sonra kendilerini tanımlamak için seçtiler. Bu, onların Kralın ihtiyaçlarına cevap veren "Kraliyet sömürgeleri" olmaktan çıkıp, "halkın ortak rızasıyla" yönetilen eyaletler haline geldiğini açıklığa kavuşturdu.

---

* Buradaki Commonwealth, "İngiliz Uluslar Topluluğu" anlamındaki Commonwealth değil, ABD'deki bu dört bölgenin "eyalet" kelimesi yerine, "ortak rızayla oluşturulmuş siyasi topluluk" anlamında kullandıkları terimdir (ç.n.).

Virginia (adını "Bakire [Virgin]" Kraliçe I. Elizabeth'ten aldı) kuruluştaki 13 eyaletten (dolayısıyla Amerikan bayrağındaki 13 çizgiden) biriydi ve 1776'da kendisini Commonwealth olarak ilan eden ilk eyaletti.

Pennsylvania ve Massachusetts de kısa bir süre sonra kendilerini Commonwealth ilan etti. İlk başlarda Virginia'nın bir idari bölgesi olan Kentucky ise 1792'de bir Commonwealth oldu.

Yabancı topraklarda da iki Amerikan Commonwealth'i vardır. Karayiplerdeki Porto Riko adası Temmuz 1952'de anayasasını yaparak kendisini ABD'nin bir Commonwealth'i olarak ilan etti. Büyük Okyanus'taki Kuzey Mariana Adaları da 1975'te aynı şeyi yaptı. Bunların ikisi de ABD eyaleti değil.

İlk Amerikan Başkanı kimdir?

Peyton Randolph.

Demokrasi, iki kurtla bir kuzunun öğle yemeğinde ne yeneceğini oylamasıdır. Özgürlük ise tam teçhizatlı bir kuzunun oylamaya karşı çıkmasıdır.
BENJAMIN FRANKLIN

Randolph, George Washington'dan önceki on dört Kıtasal Kongre (ya da "Kongre'de Biraraya Gelmiş Birleşik Devletler") Başkanının ilkiydi.

Kıtasal Kongre, şikayetlerini İngiliz tahtına iletmek için 13 koloni tarafından oluşturulmuş müzakere organıydı. Kıtasal Kongre, Randolph başkanlığındaki ikinci toplantısında Britanya'nın kolonilere savaş ilan ettiğine hükmetti ve karşılık olarak Kıta Ordusu'nu kurdu; George Washington'u da başkomutan yaptı.

Randolph'un halefi John Hancock, Büyük Britanya'dan bağımsız olmayı öngören bildiri sırasında başkanlık yaptı; Kongre bu bildiride 13 koloniyi yönetme hakkının kendisinde olduğunu ileri sürüyordu.

George Washington 30 Nisan 1789'da bağımsız Amerika Birleşik Devletleri'nin başkanı olarak yemin edip göreve başlayana kadar, Peyton Randolph'un yerine 13 başkan daha geldi.

George Washington'un takma dişleri neyden yapılmıştı?

Büyük ölçüde hipopotamdan.

Washington dişlerinden muzdaripti. John Adams'a göre, Washington, dişleriyle Brezilya kestanesi kırdığı için dişlerini kaybetmişti; bununla birlikte, günümüzdeki tarihçiler bunun nedeninin muhtemelen, çiçek ve sıtma gibi hastalıkları tedavi etmek için kendisine verilen cıva oksit olduğunu ileri sürüyor.

Washington ilk dişini 22 yaşındayken kaybetti ve başkan olduğu zaman yalnızca bir dişi kalmıştı. Washington'un bir sürü takma dişi oldu; bunların dört tanesini John Greenwood adlı bir dişçi yaptı.

Yaygın kanının aksine bu takma dişlerden hiçbiri tahtadan yapılmadı. Washington başkan olduğu zaman yapılan takma diş, hipopotam ve fil dişinden oyularak altın yaylarla tutturuldu. Hipopotam dişi, takma damak kısmında kullanıldı ve buraya gerçek insan dişi ile az miktarda at ve eşek dişi eklendi.

Diş sorunları Washington'a sürekli rahatsızlık veriyordu, bu yüzden afyon tentürü kullanıyordu ve çektiği acı, Washington'un başkanlık ofisindeyken çizilmiş portrelerinin çoğuna yansımıştı – şu anda halen kullanımda olan bir dolarlık banknotun üzerindeki resim de buna dahildir.

Ağzı hipopotam dişiyle dolu bir adamın aksi bakışlarının, Başkan'la arası iyi olmayan portreci Gilbert Stuart tarafından kasıtlı olarak abartıldığı sanılıyor.

Modern sentetik maddelerin icadına kadar, kaliteli takma dişler başka bir insanın dişlerinden yapılıyordu ama bunları edinmek zordu. Ayrıca bu dişler, çürükse ya da önceki sahibinde frengi varsa dökülebiliyordu.

Doğru dürüst takma dişlerin en iyi kaynağı ölmüş (ama ölmeden önce sağlığı yerinde olan) genç insanlardı ve bunları bulmanın en iyi yolu savaş alanıydı.

Bu savaş alanlarından biri Waterloo'ydu; bu savaşta 50.000 kişi öldü ve ölenlerin dişleri takma diş piyasasında satılmak üzere topluca yağmalandı. Bu olaydan sonra takma dişler yıllarca (başka bir yerden geldikleri zaman bile) "Waterloo dişleri" diye bilindi.

Takma dişlerin yapımında gerçek insan dişleri, Amerikan İç Savaşı'nın bereketli bir kaynak sunduğu 1860'lara kadar kullanıldı.

Yapay takma diş 19. yüzyılın sonunda ortaya çıktı. Denenen ilk maddelerden biri selüloitti, ama bunda belirgin bir başarı elde edilemedi.

Selüloitten yapılan takma dişlerin tadı pinpon topununkine benziyordu ve sıcak çay içtiğinizde eriyordu (bkz. s. 134).

Buffalo Bill bufalolara ne yapıyordu?

Hiçbir şey. Kuzey Amerika'da bufalo yoktur. Ama o bir sürü *bizon* öldürmüştür –18 aydan daha kısa bir sürede 4280 tane.

"Bufalo" kelimesi genellikle, yanlış bir biçimde bizon yerine kullanılır. Amerika bizonunun (*Bison bison*) gerçek bufalonun hiçbir türüyle (su bufalosu *Bubalus* ve Afrika bufalosu *Synceros*) ilgisi yoktur. Bunların en yakın dönemli ortak atalarının nesli altı milyon yıl önce tükendi.

Bizon popülasyonu 17. yüzyılda 60 milyonken, 19. yüzyılın sonunda sadece birkaç yüze düştü. Günümüzde otlaklarda dolaşan 50.000 bizon var. Bizon/sığır kırmaları etleri için yetiştiriliyor. Bunların babaları sığır, anneleri bizondur. Erkek bir bizonla dişi bir sığırın yavrusu, dişi sığırın güvenli bir biçimde doğuramayacağı kadar fazla geniş omuzludur.

Avcı, yerlilere karşı savaşan biri ve şovmen olan William Frederick "Buffalo Bill" Cody, şu ilana karşılık olarak 14 yaşında Pony Express'e (Batının efsanevi atlı posta hizmeti) katıldı: "18 yaşını geçmemiş genç, zayıf, dayanıklı erkekler ARANIYOR. Her gün ölüm riskini göze almaya istekli ve usta bir binici olması şarttır. Öksüz veya yetim olması tercih sebebidir. Ücret haftalık 25 dolardır."

Pony Express'in ömrü yalnızca 19 ay sürdü ve bunun yerini demiryolu aldı. Cody 1867'de, Kansas Pasifik Demiryolu inşaatında çalışan işçilere yiyecek sağlamak için bizon avlamak üzere işe alındı; öldürdüğü şaşırtıcı bizon sayısına da burada ulaştı.

1883 ile 1916 arasında ise Vahşi Batı Şovu'nu sergiledi. Şov son derece popülerdi; bu şovun Avrupa turunu Kraliçe Victoria da izledi. 1917'deki ölümü üzerine (süregelen bir savaş da olmasına rağmen) İngiltere Kralı, Alman Kaizer'i ve ABD Başkanı Woodrow Wilson minnettarlıklarını bildiren hediyeler gönderdiler.

Wyoming eyaletindeki Cody kasabasına (burayı Cody kurmuştu) gömülmesi gerektiğini kendi iradesiyle açıkça belirtmiş olmasına rağmen; karısı, Cody'nin ölüm döşeğinde Katolikliğe döndüğünü ve Denver yakınlarındaki Lookout Dağı'na gömülmek istediğini söyledi.

Eski Amerikan Askerleri Derneği'nin Cody şubesi naaşın "geri getirilmesi" karşılığında 10.000 dolarlık bir ödül vadetti. Bunun üzerine Denver şubesi, kayaların içinde daha derin bir çukur açılana kadar, mezara bir muhafız dikti.

Gerginlik 1968'e kadar yatışmadı; bu tarihte Lookout Dağı (Denver) ile Cedar Dağı (Cody) arasında dumanla haberleşilirken, Buffalo Bill'in ruhu bir dağdan diğerine, üzerinde binici olmayan beyaz bir atla sembolik olarak taşındı.

Beyzbol nerede icat edildi?

İngiltere'de.

Beyzbol (köken olarak köşe noktası topu, kale topu) İngiltere'de icat edildi ve ilk olarak 1744'te *Küçük Hünerli Cep Kitabı*'nda adlandırılıp tanımlandı. Kitap İngiltere'de çok rağbet gördü ve 1762'de ABD'de basıldı.

Beyzbol, rounders'ı (beyzbola benzeyen bir İngiliz oyunu) temel almaz; rounders'ın tanımı, 1828'de *Erkeklerin Kendi Kitabı*'nın ikinci basımı yayınlanana kadar yazılı olarak yapılmamıştır. ABD'de rounders'ın bahsedildiği ilk yer, Robin Carver'ın 1834'te yazdığı *Spor Kitabı*'dır. Carver kaynak olarak *Erkeklerin Kendi Kitabı*'nı gösterdi, ama oyuna "kale topu (base ball)" ya da "hedef topu" dedi.

1796'da yazılmış *Northanger Manastırı*'nın ilk bölümünde genç kahraman Catherine Morland'ın "kriketi, beyzbolu, ata binmeyi ve kırlarda dolaşmayı kitaplara" tercih ettiğinden bahsediliyor.

Beyzbol otoriteleri oyunun kökeninin Amerikan olmaması

konusunda o kadar paranoyaktı ki, 1907'de arsız bir sahtekarlığı hayata geçirdiler. Birinci Lig yürütme kurulunun özel olarak ısmarladığı oyunun kökeni hakkında hazırladıkları bir raporda, oyunun İç Savaş generali ve kahramanı Abner Doubleday tarafından 1839'da Cooperstown'da (New York) icat edildiği şeklindeki hikayeyi ortaya attılar.

Bir efsane doğmuştu. Püritenlerin Amerika'ya yerleştiği ilk dönemlerde her yerde oyun sopası ve topla oynanan bir sürü oyun bulunmasına ve Doubleday'in Cooperstown'a hiç gitmemesine ya da günlüklerinde beyzboldan hiç bahsetmemesine rağmen, bu hikaye Amerikalıların zihinlerine iyice saplandı. Bir anekdotta belirtildiği gibi: "Abner Doubleday beyzbolu icat etmedi, beyzbol Abner Doubleday'i icat etti."

Eğer ABD'de modern beyzbolu icat eden biri gösterilecekse, bu kişi Manhattanlı kitapçı Alexander Cartwright'dır. Gönüllü bir itfaiyeci olan Cartwright, 1842'de (Knickerbocker İtfaiye Arabası Şirketi'nden sonra) Knickerbocker Beyzbol Kulübü'nü kurdu.

O ve diğer itfaiyeciler 47. ve 27. sokaklardaki bir oyun sahasında beyzbol oynadılar. Modern beyzbolun kuralları onların belirledikleri kurallara dayanır ve Cartwright, baklava dilimi şeklindeki oyun sahasının şemasını çizen ilk kişidir.

Cartwright nihayet 1938'de Beyzbol Onur Listesi'ne alındı.

Billy the Kid'in gerçek adı neydi?

a. William H. Bonney
b. Kid Antrim
c. Henry McCarty
d. Brushy Bill Roberts

Tatlı dil ve bir silahla, yalnızca tatlı dille başardığınızdan daha çok şey başarırsınız.
AL CAPONE

Billy the Kid, New York City'de Henry McCarty olarak doğdu. William H. Bonney onun takma adlarından yalnızca biriydi; bu adı idam cezasına çarptırıldığı zaman kullandı.

New York City'de doğan annesi Catherine, 1870'te iki oğlu, Henry ve Joe ile Kansas, Wichita'ya yerleşen dul bir kadındı. Sığır ticaretinin merkezi olan Wichita çok vahşi bir yerdi. Dönemin bir gazetesine göre, "Wichita'da tabanca, böğürtlen kadar sık bulunuyordu."

Kasım 1870'te kasabada 175 bina vardı ve nüfusu yaklaşık 800'dü. Bayan McCarty, North Main Sokağı'nda işlettiği çamaşırhaneyle kasabada çok iyi tanınıyordu. McCarty ailesi daha sonra New Mexico eyaletindeki Santa Fe şehrine taşındı; Billy'nin annesi burada, işlemek koşuluyla devletten çiftlik arazisi almış olan William Antrim'le evlendi.

Billy'nin sığır çalmaya ve silahlı soyguncu olarak nam salmaya başlaması New Mexico'nun çöllerinde olmuştur. 1879'a kadar 17 kişiyi öldürdüğü sanılan Billy the Kid'e, New Mexico Valisi Lew Wallace (bugün daha çok, 19. yüzyılın çok satan Amerikan romanı *Ben Hur*'un yazarı olarak bilinir) af teklif etti.

Billy teslim oldu, ama daha sonra fikrini değiştirip hapisten kaçtı. Pat Garrett tarafından takip edildi ve 1881'de öldürüldü; öldürülmeden önce Wallace'a, verdiği af sözünü yerine getirmesini rica eden birkaç mektup yazmıştı. Bu mektuplar yerine ulaşmadı.

Resmi ölüm ilamına rağmen, Kid'in hayatta olduğu yöndeki hikayeler durmak bilmedi. Wallace'ın yerine gelen

New Mexico valisi 1903'te, Kid'in gerçekten ölüp ölmediğini ve affedilmeyi hak edip etmediğini açıklığa kavuşturmak için davayı yeniden açtı. Soruşturma hiçbir zaman sonuca ulaşmadı.

Bizon öldüren Buffalo Bill'in Vahşi Batı Şovu'nun "Brushy Bill Roberts" olarak bilinen bir mensubu 1950'de, kendisinin aslında Billy the Kid olduğunu iddia ederek öldü.

Billy the Kid'in, gerçek hayatta yaşayıp filmlerde en çok canlandırılmış kişi olduğu söylenir; Billy the Kid rolü en az 46 filmde oynandı.

Carty/Antrim/Bonney, öldüğü yıla kadar Billy the Kid olarak bilinmiyordu. O zamana kadar ona sadece sadece "the Kid" deniyordu.

Mozart'ın göbek adı neydi?

Wolfgang.

Mozart'ın tam adı Johann Chrysostomus Wolfgangus Theophilus Mozart idi. O genellikle Wolfgang Amadé (Amadeus değil) ya da Wolfgang Gottlieb'i kullanırdı. "Amadeus", Gottlieb'in Latincesidir ve "Tanrının çok sevdiği" anlamına gelir.

Dikkate değer diğer göbek adları Richard Tiffany Gere, Rupert Chawney Brooke, William Cuthbert Faulkner ve Harry S. Truman'a (burada S harfi noktayla kısaltılmış olmasına rağmen, bir açılımı yoktur) aittir.

Muhtemelen Truman'ın anne ve babası, göbek adını, dedeleri Anderson *Shipp* Truman'dan mı, yoksa *Solomon* Young'dan mı alacağına karar verememişlerdi.

Noktalama konusunda hassas olanların dikkatini *The Chi-*

cago Manual of Style'a çekmek isteriz: "Kolaylık ve tutarlılık açısından, isimlerde yer alan baş harfler bir ismin kısaltması olmasalar bile, bu baş harflerden sonra nokta gelir."

Alaska'daki Nome, adını nereden almıştır?

a. Bu adı yanlışlıkla almıştır.
b. Şans getirmesi için bu ad verilmiştir: "Nomes" bir tür Alaska perisidir.
c. İskoç kaşif Sir *Horace Nome*'den (1814-1872) almıştır.
d. Bir Eskimo selamlamasından almıştır: Nome nome ("Buraya aitsiniz").

Bu adın verilişi bir imla hatasının sonucuydu.

1850'lerde bir İngiliz gemisi, Alaska'da adı olmayan ama belirgin bir çıkıntı fark etti. Gemideki bir görevli, elyazması bir haritanın üzerindeki noktanın yanına "Buranın adı ne olsun?" anlamında "Name?" yazdı. Harita İngiliz Amirallik Dairesi'nde çoğaltılırken bir haritacı bu yazıyı yanlış okudu ve bu yeni yerin adını "Nome Burnu" olarak yazdı.

Nome sakinleri 1899'da şehrin adını Anvil City olarak değiştirmek istedi, ama ABD Posta Dairesi, bu adın yakınlarda bulunan Anvik'le karışma riskini öne sürerek bu isteği reddetti; böylece Nome adı kalmış oldu.

Şehrin internet sitesi www.nomealaska.org'un belirttiği gibi: "Nome diye bir yer yoktur."

Tayland'ın başkenti neresidir?

Grung Tape.

Şehrin günlük hayattaki adı "Melekler Şehri" anlamına gelir (tıpkı Los Angeles gibi) ve şehrin resmi isminin kısaltmasıdır; bu resmi isim dünyadaki en uzun yer adıdır.

Sadece cahil yabancılar buraya Bangkok der; bu isim 200 yılı aşkın bir süredir kullanılmamaktadır. Avrupalıların (ve onların bütün ansiklopedilerinin) Tayland'ın başkentine Bangkok deyip durmaları, Taylandlıların Britanya'nın başkentinin Billingsgate ya da Winchester olduğunu iddia etmelerine benzer.

Grung Tape (kabaca telaffuz edilişidir) genellikle Krung Thep olarak okunur.

Bangkok, Kral I. Rama 1782'de başkenti buraya taşımadan önce varolan küçük balıkçı limanının adıydı; Kral bu bölgede bir şehir kurdu ve yeni bir isim verdi.

Krung Thep'in resmi tam adı Krungthep Mahanakhon Amorn Rattanakosin Mahintara Yudthaya Mahadilok Pohp Noparat Rajathanee Bureerom Udomrajniwes Mahasatarn Amorn Pimarn Avaltarnsatit Sakatattiya Visanukram Prasit'tir.

Taycada bu şehrin adı 152 harf ya da 64 hecelik tek bir kelime halinde yazılır.

Bu isim kabaca şöyle çevrilebilir: "Büyük Melekler Şehri, göz kamaştırıcı mücevherlerin büyük hazinesi, fethedilemez büyük toprak, görkemli ve seçkin topraklar, kimyasal değişim göstermeyen dokuz değerli taşın da bulunduğu şirin kraliyet başkenti, en yüksek kraliyet meskeni ve heybetli saray, reenkarnasyon geçirmiş ruhların kutsal barınağı ve yaşadığı yer."

Bangkok isminin ilk kısmı Taycada yaygın olarak kullanılan *bang* kelimesidir ve "köy" anlamına gelir. İkinci kısmının ise eski bir Tayca kelime olan *makok*'tan (bir tür meyve –zeytin ya da erik, ya da bu ikisinin bir karışımı) geldiği sanılmaktadır. Yani Bangkok'un anlamı "Zeytin Köyü" ya da "Erik Köyü"dür. Hiçkimse bu ikisinden hangisi olduğu konusunda emin değil; ya da kimse bunu umursamıyor.

Krung Thep (ya da çok istiyorsanız Bangkok) Tayland'daki tek şehirdir ve kendisinden sonra gelen en büyük kasabadan yaklaşık 40 kat daha büyüktür.

Dünyanın en büyük şehri hangisidir?

a. Mexico City
b. Sao Paolo
c. Mumbai
d. Honolulu
e. Tokyo

Bu tuzak bir soru olsa da, yanıt Honolulu'dur.

Hawaii eyaletinde 1907'de çıkarılmış bir yasaya göre Honolulu Şehri ve Honolulu İdari Bölgesi (County) aynı yeri ifade eder. Bu idari bölge, Honolulu şehrinin bulunduğu Oahu adasının geri kalanının yanısıra, Büyük Okyanus'ta 2400 km boyunca uzanan Kuzeybatı Hawaii adalarının kalanını da kapsar.

Bu da Honolulu'nun 5509 km^2'yle en büyük yüzölçümüne sahip şehir olduğu anlamına gelir; ama bu şehrin nüfusu yalnızca 876.156'dır. Şehrin yüzde 72'si deniz suyuyla kaplıdır.

Dünyanın en kalabalık şehri, 12,8 milyonluk nüfusu ve 440 km^2'lik yüzölçümüyle Mumbai'dir: Km^2 başına 29.042 kişi!

Eğer bütün anakent alanı dahil edilirse en kalabalık şehir, 13.500 km^2 üzerinde yaşayan 35,2 milyon kişiyle Tokyo olur.

Honolulu, Hawaii eyaletinin başkentidir, ama Hawaii adasında değildir. Çok daha küçük, ama nüfus yoğunluğu çok daha fazla olan Oahu adasında yer alır. Hawaii büyük nüfus merkezlerinin en ıssızıdır.

Hawaii Takımadası'ndaki adalar dünyanın en büyük dağ silsilesinin çıkıntı yapan tepeleridir. Hawaii kahve yetişen tek ABD eyaletidir. Dünyada yetişen ananasların üçte birinden fazlası Hawaii'den gelir ve kişi başına en çok konserve eti Hawaii'liler tüketir: Yılda yedi milyon teneke.

Konserve etin bu kadar yaygın olmasının sebebi bilinmiyor, ama muhtemelen İkinci Dünya Savaşı sırasında adada çok sayıda Amerikan askeri bulunmasından ve bir hortum sırasında konserve etin çok kullanışlı olmasından kaynaklanmaktadır. Kızarmış konserve etli pilav bir Hawaii klasiğidir.

Kaptan Cook, Hawaii adalarını 1778'de keşfetti ve sponsoru Kont Sandwich anısına buranın adını Sandwich adaları olarak değiştirdi. Cook 1779'da Hawaii'de öldürüldü.

19. yüzyılın başına gelindiğinde bu adalar Hawaii Krallığı diye biliniyordu. Hawaii 1900'de ABD topraklarına dahil edilmesine ve 1959'da ABD'nin 50. eyaleti olmasına rağmen, bayrağında Birleşik Krallık'ın bayrağını taşıyan tek ABD eyaletidir.

Yeryüzünde insan eliyle yapılmış en büyük yapı nedir?

Yanlış cevaplar arasında Büyük Piramit, Çin Seddi ve (kendisini akıllı zannedenler için) Kuveyt'teki Mübarek el-Kebir Kulesi sayılabilir.

Jimmy Carr'ın Hollanda cevabı* eğlendirici olsa da, doğru yanıt New York'un Staten Island ilçesinde bulunan Fresh Kills adlı bir çöplüktür.

> ***Her zaman daha küçük ve daha büyük bir şey vardır.***
> ***ANAKSAGORAS***

1948'de açılan Fresh Kills çöp depolama alanı (adını Hollandacada "küçük ırmak" anlamına gelen *kil* kelimesinden almıştır) çok geçmeden insanlık tarihindeki en büyük projelerden biri haline geldi ve sonunda (hacim olarak) Çin Seddi'ni geride bırakarak dünyada insan eliyle yapılmış en büyük yapı oldu.

Bu alanın yüzölçümü 12 km^2'dir. Kullanımdayken buraya her gün, her biri 650 ton çöp taşıyan 20 mavna geliyordu. Eğer Fresh Kills planlandığı gibi açık kalmaya devam etseydi ABD'nin doğu kıyısındaki en büyük çıkıntı olacaktı. Çöplüğün en yüksek noktası Özgürlük Heykeli'nden 25 metre daha yüksekti.

Yöre halkının baskısı sonucunda çöplük Mart 2001'de kapatıldı ve sadece, Dünya Ticaret Merkezi'nin yıkılması sonucu oluşan devasa enkazı kaldırmak için açıldı.

Burası şu anda tamamen kapalıdır ve yeni kısıtlamalara göre bir daha da açılamayacaktır (New York City sınırları dahilinde çöp depolama alanı açılması yasaklandı). Bu alan şu sıralar düzleştirilip park ve yaban hayatı sahası olarak düzenleniyor. Ne güzel!

Aslında daha fazla mekana yayılmış yapılar vardır (belki ABD karayolu ağı? İnternet? GPS uydu ağı?) ama Fresh Kills çöp depolama alanı tek, bütün halinde en büyük yapıdır.

---

* Topraklarının önemli bölümü deniz seviyesinin altında olan Hollanda'da su baskınlarından korunmak için yapılan devasa bentlere göndermede bulunuyor (ç.n.).

Evrendeki en soğuk yer nerededir?

Finlandiya'da.

Helsinki Teknoloji Üniversitesi'nden bir ekip 2000 yılında bir rodyum parçasını, mutlak sıfırdan (-273°C) derecenin on milyarda biri kadar daha yüksek bir sıcaklığa kadar soğuttu.

Rodyum nadir bir metaldir ve asıl kullanım alanı arabalardaki katalitik konvertörlerdir.

İkinci en soğuk nokta MIT'de (Massachusetts Institute of Technology) bulunmaktadır. Wolfgang Ketterle'nin başında bulunduğu bir ekip 2003'te çok soğuk sodyum gazı meydana getirdi.

Ketterle, Bose-Einstein yoğunlaştırması (maddenin sadece mutlak sıfıra yakın derecelerde var olan yeni bir hali) üzerine yaptığı çalışmayla 2001'de Nobel Fizik Ödülü'nü kazandı. Bilime olan ilgisi çocukluğunda Lego oynarken gelişti.

Laboratuvarlarda oluşturulan bu son derece düşük sıcaklıklar dikkate değerdir. Derin uzayda bile sıcaklık -245°C'nin altına nadiren düşer.

Bunun bilinen tek istisnası, Avustralyalı gökbilimciler tarafından 1979'da saptanan Bumerang Nebulası'dır. Bu nebula bir bumeranga (ya da bir papyona) benzer. Merkezinde, Güneş'ten üç kat daha ağır, ölmekte olan bir yıldız vardır.

Bumerang Nebulası son 1500 yıldır saatte 500.000 km hızla gaz püskürtmektedir. Nefesimizi ağzımızdaki dar boşluktan püskürttüğümüzde bu nefesin soğuması gibi, nebuladan sıkışarak çıkan gaz da yayıldığı uzaydan iki derece daha soğuk olur. Bu gaz, şu ana kadar kaydedilmiş en düşük doğal sıcaklık olan -271°C'ye ulaşır.

Bu gazla karşılaştırıldığında, Güneş Sistemi'ndeki en düşük sıcaklık (Voyager II'nin 1989'da Neptün uydularından Triton'un yüzeyinde ölçtüğü -235°C) pek de soğuk değildir; Dünya'da kaydedilmiş en düşük derece ise (1983'te Antarktika'da kaydedilmiş -89,2°C) gerçekten çok sıcak kalır.

Düşük sıcaklık konusundaki araştırmalar, süperiletkenler üzerine yapılan incelemelerde çok önemlidir. Süperiletkenler, elektrik akımına karşı sıfır direnç gösteren ama şimdiye kadar sadece çok düşük sıcaklıklarda işleyen maddelerdir.

Eğer süperiletkenler kullanıma sokulabilirse dünyayı tamamen değiştirebilirler.

Bilgisayarların hızını çok büyük miktarda arttırırken, elektrik tüketimini ve sera gazı salımını muazzam derecede kısabilirler. Süperiletkenler yakıtsız ulaşımı, tehlikeli X ışınlarını kullanmadan insan vücudunun içini görmenin alternatif bir yolunu ve E-bombayı (hiçkimseyi öldürmeye gerek duymadan düşmanın elektronik aksamını yok eden bir silah) mümkün kılacak.

En son Buzul Çağı ne zaman sona erdi?

Hâlâ son Buzul Çağı'nın içindeyiz.

Coğrafyacılar bir buzul çağını, Dünya'nın tarihinde kutuplarda buz takkeleri bulunan bir dönem olarak tanımlıyor. Mevcut iklimimiz bir "buzularası" döneme tekabül eder. Bu, "buzul çağları arasında" olduğumuz anlamına gelmez. Bu ifade, bir buzul çağı içinde, daha yüksek sıcaklıklar yüzünden buzların çekildiği dönemi tanımlamak için kullanılır.

"Bizim" buzularası dönemimiz, içinde bulunduğumuzu düşündüğümüz Dördüncü Buzul Çağı'nda 10.000 yıl önce başladı.

Ne zaman biteceği konusunda değişik tahminler var; buzularası dönemin ne kadar sürdüğü ile ilgili görüşler 12.000 ila

50.000 yıl arasında değişir (insan kaynaklı etkileri hesaba katmazsak).

Tahminlerdeki bu oynamanın sebepleri çok net değildir. Olası etmenler arasında kara kütlelerinin içinde bulunduğu konum, atmosferin bileşimi, Dünya'nın Güneş etrafındaki yörüngesinde ve hatta Güneş'in galaksinin etrafındaki yörüngesinde meydana gelen değişiklikler yer alır.

1500'de başlayan ve 300 yıl süren "Küçük Buzul Çağı" sırasında kuzey Avrupa'da ortalama sıcaklık 1°C düştü. Bu çağ aynı zamanda güneş lekesi faaliyetlerinin son derece düşük olduğu bir dönemle çakışır. Ama bu ikisinin birbirleriyle bağlantılı olup olmadığı hâlâ tartışma konusudur.

Bu dönemde Kuzey Kutup Bölgesi'ndeki buz örtüsü o kadar güneye yayıldı ki, Eskimolar kayıklarla altı kere İskoçya'ya kadar ulaştı ve Orkney Adaları sakinleri yolunu şaşırmış bir kutup ayısıyla baş etmek zorunda kaldı.

Utrecht Üniversitesi'nde son zamanlarda yapılan bir araştırma, Küçük Buzul Çağı'nı Kara Veba'ya bağladı.

Bu araştırmaya göre, tüm Avrupa nüfusundaki müthiş azalma, terk edilmiş tarım arazilerinin yavaş yavaş milyonlarca ağaçla kaplanmasına yol açtı. Bu da atmosferden önemli miktarda karbondioksit soğurulmasına sebep olarak, bir "anti-sera etkisi"yle ortalama sıcaklığı düşürdü.

İglolarda kim yaşar?

Muhtemelen artık kimse yaşamaz.

"İglo" (ya da *iglu*) kelimesi İnuitçede (Eskimo dili) "ev" anlamına gelir. İgloların çoğu taştan ya da hayvan derisinden yapılır.

Kardan yapılan iglolar, Thule halkının (İnuitlerin öncülleri) hayat tarzının bir parçasıydı ve orta ve doğu Kanada'da çok yakın bir tarihe kadar kullanılıyordu.

Ama yalnızca Kanada Eskimoları igloları kardan yapıyordu. Bunları Alaska'da hiçkimse bilmiyordu. 1920'lerde yapılan nüfus sayımı sonucunda Grönland'da yaşayan 14.000 Eskimodan ise yalnızca 300'ü kardan yapılmış bir iglo görmüştü. Günümüzde bunlardan çok az kalmıştır.

Avrupalıların gördüğü ilk iglolar, Martin Frobisher'in 1576'da Kuzey-Batı Geçidi'ni aradığı sırada Baffin Adası'nda karşılaştıklarıdır. Frobisher bir Eskimo tarafından kalçasından vurulunca, adamları birkaç İnuit öldürüp, birini esir aldı ve Londra'ya götürdü. Bu İnuit burada bir hayvan gibi sergilendi.

ABD'de Colorado eyaletinin Denver şehrindeki bir gazete 1920'lerde belediye binalarının önüne kardan yapılmış bir iglo dikti. Yanına birkaç Ren geyiği konulan bu iglonun önünde durup ziyaretçilere Alaska'da kendisinin ve diğer Ren geyiği çobanlarının bu tip evlerde yaşadığını anlatması için de Alaskalı bir Eskimo tuttu. Aslında bu Eskimo kardan yapılmış igloları bir tek filmlerde görmüştü.

Kuzeydoğu Grönland'daki Thule'de ise tam tersine, yerliler iglo inşa etmekte o kadar uzmandılar ki, uzun karanlık kış mevsimleri boyunca düzenlenen dans, şarkı ve güreş yarışmaları için buzdan geniş koridorlar yaptılar.

Bu topluluk o kadar soyutlanmıştı ki, 19. yüzyılın başına kadar, dünyada yaşayan tek halkın kendileri olduğunu düşünüyorlardı.

"Eskimo" kelimesini kullanmak uygun mudur?

"Eskimo" ifadesi farklı grupları kapsar ve (iddia edildiği gibi) ille de hakaret içermez.

Eskimo; Kanada, Alaska ve Grönland'ın yüksek enlemlerindeki Kutup bölgelerinde yaşayanları ifade eder. Cree ve Algonkin Kızılderililerinin verdiği bu ismin birçok olası anlamı vardır; "başka bir dil konuşan kişi", "başka ülkeden olan kişi" ya da "çiğ et yiyen kişi" gibi.

Kanada'da birisine "Eskimo" demek kabalık olarak algılanır (uygun tabir "İnuit"tir), ama Alaska'daki Eskimolar bundan memnuniyet duyar. Aslında birçok kişinin "Eskimo"yu tercih etmesinin sebebi, bu kişilerin kesinlikle İnuit olma*ma*larıdır; İnuitler asıl olarak Kanada'nın kuzeyinde ve Grönland'ın bazı bölgelerinde yaşayan bir halktır.

Grönland'daki Kalaallitlere, Kanada'daki İnuvialuitlere ve Alaska'daki İnupiatlara, Yupigetlere, Yuplitlere ve Alutiitlere "İnuit" demek, bütün siyahlara "Nijeryalı" ya da bütün beyazlara "Alman" demekten farksızdır. Alaska'nın güneybatısında ve Sibirya'da yaşayan Yupikler, İnuit kelimesinin ne anlama geldiğini bile bilmez. İlginç bir şekilde, *İnuit* kelimesi "halk" anlamına gelir; *Yupik* daha da ilginçtir: "Gerçek kişi" anlamına gelir.

Eskimo-Aleut ailesindeki diller, dünyadaki diğer dillerin hiçbiriyle akraba olmayıp sadece birbirleriyle akrabadır.

Gelişmekte olan İnuitçe Alaska'nın kuzeyinde, Kanada'da ve Grönland'da konuşulur; bu dil buralarda resmi dildir ve okullarda okutulur. Inupiaq ya da Inuktitut olarak da bilinen bu dilde sadece üç sesli harf vardır ve hiç sıfat yoktur. İnuitçe Amerika Birleşik Devletleri'nde yetmiş yıl boyunca yasaklanmıştır.

Eskimolar buzdolabını yiyecekler çok soğumasın diye kullanır ve eğer 12'den fazla saymaları gerekirse bunu Danca yapmak zorundadırlar.

Birbirlerini kutlamak için "burunlarını birbirlerine sürtmezler". Bu fikir çoğunu kızdırır. *Kunik* bir tür şefkatli koklaşmadır (cinsel değildir). Daha çok anneler ile çocukları arasında yapılan *kunik*, eşler arasında da görülür.

Bazı Eskimo dillerinde "öpmek" ve "koklamak" aynı kelimeyle ifade edilir.

1999'da Kanada topraklarının (dünyada en büyük yüzölçümüne sahip ikinci ülke) beşte biri Kanada Eskimolarına verilmiştir ve burası Eskimoların kendi toprakları olmuştur. Nunavut dünyanın en yeni ulus devletlerinden biridir ve İnuitçede "bizim yurdumuz" anlamına gelir.

Nunavut'un başkenti Iqualuit'te Kanada'nın herhangi başka bir şehrine nazaran çok daha fazla insan bilgisayar kullanır. Ayrıca, Kuzey Amerika'da intihar oranı en yüksek olan şehirdir.

Ortalama Eskimo boyu 1,62 cm'dir, ortalama yaşam süreleri ise 39'dur.

Eskimolar kar için kaç farklı kelime kullanır?

Dörtten fazla değil.

Genelde Eskimoların kar için diğer dillerdeki tek bir kelimeye karşılık 50, 100 hatta 400 farklı kelime kullandığı söylenir, fakat öyle değildir. Öncelikle, diğer dillerde de karın çeşidine göre birçok kelime vardır (buz, lapa, sulu kar, dolu, tipi vb.).

İkincisi, çoğu Eskimo kabilesi "kar" kelimesini karşılayan sadece iki kelime söyleyecektir. Görünüşe göre Eskimo kabilelerinin kullandığı tüm dillerde, kar için toplamda dörtten fazla kelime kökü yoktur.

Eskimo-Aleut dilleri bitişken dillerdir. Yani "kelime"nin kendisi gerçekte anlamsızdır. Ana köke sırayla sıfat ve fiil eklerin gelmesiyle oluşan "kelime-kümeleri"nin bizim bir cümlemize eşdeğer bir anlam taşıması çok muhtemeldir. Inupiaq dilinde *tikit-qaag-mina-it-ni-ga-a* "o (A), onun (B) ilk gelen olamayacağını söyledi" anlamına gelir (tam karşılığı "gelmek ilk yapabilmek olamamak dedi o").

Temel kelime köklerinin sayısı görece azdır, fakat aslında onları niteleme yollarının sayısı sınırsızdır. Inuit dilinde 400'den fazla ek vardır (kökün ortasına ya da sonuna gelen ekler) fakat sadece bir önek vardır. Bu nedenle, çok fazla türemiş kelime vardır; "Çekoslovakyalılaştıramadıklarımızdan mısınız" gibi.

Bu bazen diğer dillerdeki basit bir kavramın gereksiz karmaşık bir çeviri haline gelmesine sebep olabilir. *Nalunaar-asuar-ta-at* ("alışkanlık olarak acele iletişim kuran kişi") 1880'lerde Grönlandlıların "telgraf" için ürettikleri kelimeydi.

Eskimo-Aleut dillerini diğerlerinden gerçekten ayıran bir şey arıyorsanız bu, "kar kelimesi"nden ziyade zamirlerdir.

Türkçede altı ve İngilizcede sadece dört zamir varken Eskimo-Aleut dillerinde (özellikle Inupaq, Yupik ve Aleut) otuzdan fazla zamir vardır. "Şu" ve "bu" kelimelerinin her biri sekiz farklı şekilde ifade edilebilir ve bunun gibi tek bir işaret zamiriyle mesafe, yön, yükseklik, görüş mesafesi ve bağlam belirtme yolları büyük bir zenginlik gösterir.

Mesela, Aleut dilinde *hakan* "şu yukarıdaki şey" (örn. havadaki kuş) anlamına gelir, *qakun* "oradaki kişi" (örn. diğer odadaki), *uman* "görünemeyen şey" (örn. koklanan, duyulan, hissedilen) anlamına gelir.

İnsanlar hangi canlıdan evrimleşmiştir?

İnsansı maymundan (ape) evrimleşmedikleri kesindir. Maymundan da evrimleşmemişlerdir.

Homo sapiens sapiens ve insansı maymunlar ortak bir atadan evrimleşmişlerdir, fakat bu kaçak arkadaş bir türlü bulunamamaktadır. Bu canlı, beş-sekiz milyon yıl önce pliyosen dönemde yaşamıştır.

Bu yaratık sincaba benzeyen ağaç sıçanlarından gelmektedir. Onlar da kirpilerden ve daha da öncesinde deniz yıldızından evrimleşmiştir.

İnsan ile onun en yakın akrabası şempanzenin DNA'larında yapılan son karşılaştırmalara göre, aramızdaki ayrışma zannedilenden çok sonraları gerçekleşmiştir. Bu da, 5.4 milyon yıl önceki son ayrışmadan evvel, şempanzelerle çiftleşerek, kayıtlarda bulunmayan ve nesli tükenmiş bir melez türü oluşturmuş olmamızın gayet mümkün olduğu anlamına geliyor.

Stephen Jay Gould *Homo sapiens sapiens*'in, çok dallı insan evrimi soyağacının yakın zamana ait Afrikalı ince bir kolu olduğunu çok önceleri fark etmiştir. Bulguların hiçbiri insanoğlunun farklı yerlerde de evrimleşmiş olabileceğini bertaraf etmese de, Afrika'dan yayılmış oldukları teorisi hâlâ en kabul gören teoridir.

Genetik bulgular, Afrika dışındaki en eski popülasyonlardan birinin Hindistan sahillerine yakın olan Andaman adasında yaşayanlar olduğunu ortaya koymaktadır. Bu topluluk 60.000 yıl boyunca (Avustralya Aborijinlerinden bile daha uzun süre) dış dünyayla bağlantısız yaşamıştır.

400'den az Andamanlı kalmıştır. Bunların yarısı, dış dünyayla neredeyse hiç bağlantısı olmayan Jarawa ve Sentinelese adında iki kabileye mensuptur. 100 civarındaki Sentinelese o kadar yalıtılmış bir vaziyettedir ki, şu ana kadar hiçkimse bunların dillerini incelememiştir. Diğer Andaman dillerinin bilinen akrabası yoktur. Beş tane rakamları vardır: "Bir", "iki", "bir tane daha", "biraz daha" ve "hepsi". Diğer yandan, bir meyvenin olgunluk evrelerini tanımlamak için yirmi farklı kelime kullanırlar, bu kelimelerden ikisinin başka dile tercümesi imkansızdır.

> ***Hayvanlarla gerçek insan arasındaki kayıp halka çok büyük ihtimalle biziz.***
> *KONRAD LORENZ*

Andamanlılar dünyada ateş yakamayan iki kabileden biridir (diğeri çok kısa boylu, orta Afrika pigme kabilesi Akelerdir). Bunun yerine, için için yanmakta olan kütükleri ve közleri kilden kaplar içinde tutmak ve taşımak konusunda çok özenli yöntemler geliştirmişlerdir. Muhtemelen yıldırımların tutuşturduğu bu közler bin yıl kadar yanık tutulabilmiştir.

Bize garip gelse de, çok benzer bir tanrı fikirleri vardır. Onların yüce tanrısı Puluga görünmezdir, sonsuzdur, ölümsüzdür, her şeyi bilir, şeytan dışındaki her şeyin yaratıcısıdır; günahlara kızar ve kederli kullarını rahatlatır. Günahkar kullarını cezalandırmak için büyük bir tufan göndermiştir.

2004'teki tsunami Andamanlıları tüm gücüyle vurdu, fakat bildiğimiz kadarıyla eski kabilelere hiçbir şey olmadı.

"En güçlünün hayatta kalması" tabirini ilk kim kullanmıştır?

Herbert Spencer.

Spencer bir mühendis, filozof ve psikiyatrdı ve yaşadığı devirde Darwin kadar ünlüydü.

"En güçlünün hayatta kalması" tabirini, Darwin'in "doğal seçilim" teorisinden etkilenerek ilk kez *Principles of Biology* [Biyolojinin Prensipleri] (1864) kitabında kullanmıştır.

Darwin, *The Origin of Species* [Türlerin Kökeni] kitabının beşinci baskısında (1869) kendisi de bu deyimi kullanarak Spencer'a olan saygısını göstermiş ve şu yorumu yapmıştır: "Ben, faydalı olan her küçük farkın korunduğu ilkesine, insanın seçme gücüyle ilişkisini de vurgulamak için, doğal seçilim adını verdim. Fakat, daha çok Sayın Herbert Spencer tarafından kullanılan 'En Güçlünün Hayatta Kalması' deyimi daha kesin ve aynı oranda kullanışlı bir ifadedir."

Herbert Spencer (1820-1903) her biri çocukken ölen dokuz kardeşin en büyüğüydü. İnşaat mühendisliği eğitimi gördü; filozof, psikiyatr, sosyolog, iktisatçı ve mucit oldu. Yaşamı boyunca bir milyondan fazla kitabı satıldı ve evrimci teoriyi psikoloji, felsefe ve toplum çalışmalarına uygulayan ilk kişi oldu.

Ataşı icat eden de odur. Bu gerece "Spencer'ın Tutturma İğnesi" deniyordu ve bürosu Londra, Strand'de olan Ackermann adında bir imalatçı tarafından, modifiye edilmiş bir kopça makinesinde üretiliyordu.

Bu icat ilk yılında çok iyi iş yaparak Spencer'a 70 pound kazandırdı. Fakat bir yılın sonunda talep tükendi. Ackerman kendini vurdu ve bu icat 1899'a kadar tamamen yokoldu. O yıl Norveçli mühendis Johann Vaaler Almanya'da modern ataş için patent başvurusu yaptı.

Ataşlar İkinci Dünya Savaşı sırasında Norveçlilerin Alman işgaline karşı direnişinin duygusal bir sembolüydü. Sürgüne gönderilmiş olan Kral VII. Haakon'un yasaklanan rozeti yerine yakalarına ataş takıyorlardı. Daha sonraları Oslo'da Johann Vaaler'in anısına dev bir ataş dikildi.

Günümüzde yılda 11 milyardan fazla ataş satılmaktadır.

Fakat yapılan bir araştırmaya göre her 100.000 ataştan sadece beş tanesi gerçekten kağıtları birarada tutmak için kullanılıyor. Çoğu, poker pulu, pipo temizleyicisi, çengelli iğne ya da kürdan niyetine kullanılırken, geri kalanlar düşer, kaybolur ya da uzun ve sıkıntılı telefon konuşmalarında bükülür.

Tükenmez kalemi kim icat etti?

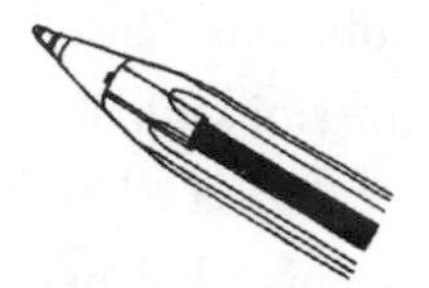

a. Bay Biro
b. Bay Bich
c. Bay Quiet
d. Bay Loud

Tükenmez kalem çıkmadan önce yazı yazmak çok meşakkatli bir işti. Dolmakalemler düzenli olarak mürekkep kabına batırılırdı ve sızıntı yapmaya meyilliydiler. Ayrıca Hint mürekkebi (Çin'de icat edilmiştir) sayfada yavaş kururdu.

Bu sorunlar ilk kez 30 Ekim 1888'de tabakhaneci John J. Loud'un yaptığı patent başvurusuyla onaylandı. Loud, ucunda döner küçük bir top olan ve haznesinden bu uca sürekli mürekkep gelen bir tükenmez kalem yaratmıştı. Bu tükenmez kalem sızıntı yapsa bile, derinin üstüne yazmakta dolmakalemden çok daha etkiliydi. Loud, patentini alamadı. Eğer almış olsaydı İngilizler tükenmez kaleme "biros" yerine "louds" diyor olacaklardı.

Macar Lászlò Biró (1899-1985) asıl olarak doktorluk eğitimi aldı, fakat hiçbir zaman mezun olamadı. Gazetecilikle iştigal etmeden önce hipnotize etme ve otomobil yarışı gibi kısa süreli uğraşları oldu.

Gazete mürekkebiyle dolmakalem mürekkebinin kuruma sürelerindeki farklılığın yarattığı şaşkınlıkla Biró ve kimyager kardeşi György, tükenmez kaleme, döndükçe mürekkebi aşağıya akıtan küçük bir bilyeyi başarıyla yerleştirdiler. İşte İngilizlerin "biro" dediği tükenmez kalem böyle doğdu.

İki kardeş 1938'de Macaristan'da tükenmez kalemin patentini aldıktan sonra, Nazilerden kaçmak için Arjantin'e göç edip 1943'te orada yeniden patent aldılar. Bunu yapmaları, İngilizcede "biro" isminin tükenmez kalemle aynı anlama gelmesini sağladı.

Satışa çıkarılan ilk birolar 1945'te üretildi. Biró aynı yıl tükenmez kalem lisansını bir Fransız olan Marcel Bich'e verdi.

Bich kendi firmasına BiC adını verip Biró'nun tasarımını çok az değiştirerek bir seri üretim sistemi kurdu, bu da tükenmez kalemleri inanılmaz ucuza mal etmesini sağladı.

BiC hâlâ tükenmez kalem konusunda yıllık 1.38 milyar euroyla dünya lideridir. 2005'te 100 milyarıncı tükenmez kalemini satmıştır. En çok satan BiC Cristal modeli günde 14 milyon adet satılmaktadır.

Biró'ya saygı göstergesi olarak (tükenmez kaleme *birome* adını veren) Arjantinliler, Biró'nun doğum günü olan 29 Eylül'ü Mucitler Günü olarak kutlar.

Tahtaya neyle yazı yazarız?

Alçıtaşı.

Okullardaki "tebeşirler" aslında tebeşir değildir. Tebeşir, kalsiyum karbonattan oluşur; aynen mercan, kireçtaşı, mermer, insan iskeleti, balık kılçığı, göz merceği, çaydanlıklardaki kireç tabakası ve hazımsızlık ilaçları (Rennies, Setlers, Tums) gibi.

Alçıtaşı ise kalsiyum sülfattan oluşur. Bunu zorlama bir ayrım olarak düşünebilirsiniz fakat bu iki madde çok benzer gibi *görünse* de aslında oldukça farklıdır, hatta aynı kimyasal elementlerden bile oluşmazlar.

Birbirinden çok farklı *görünen* çoğu madde aslında *aynı* kimyasal elementten oluşur. Karbon, hidrojen ve oksijeni ele alalım. Farklı oranlarda karıştırılınca alabildiğine farklı şeyler oluşturabiliyorlar: Mesela testosteron, vanilya, aspirin, kolesterol, glikoz, sirke ve alkol.

Teknik olarak kalsiyum sülfat dihidrat adı verilen alçıtaşı dünyada en çok bulunan minerallerden biridir. En az 4000 yıldır çıkarılmaktadır (Piramit'lerin içindeki sıvalar alçıtaşıyla yapılmıştır) ve günümüzde çok geniş bir endüstriyel kullanıma sahiptir, bunlardan en yaygını sıradan bina sıvalardır.

Çıkarılan tüm alçıtaşının yüzde 75'i alçı ve ondan yapılan kartonpiyer, fayans, vücuda yapılan alçı gibi malzemelerde kullanılmaktadır. Alçıtaşı çimentonun çok önemli bir bileşenidir ve gübre, kağıt, kumaş üretiminde de kullanılmaktadır. Tipik yeni bir Amerikan evi için yedi tondan fazla alçıtaşı kullanılır.

Vücutta kullanılan alçıya İngilizcede Paris Alçısı denir. Bunun nedeni Paris ve civarında bulunan (özellikle de Montmartre) killi toprağın alçıtaşı açısından çok zengin olmasıdır.

Alçıtaşı doğada ayrıca albatr halinde de bulunabilmektedir. Albatr, kar beyazı ve yarı şeffaftır, heykel, büst ve vazo yapımında kullanılır.

Albatr yapay olarak boyanabilir ve eğer pişirilirse mermere benzetilebilir. Toz haline getirilmiş albatrdan yapılan merhemin rahatsız bacakları iyileştirdiğine inanılır. İnsanların kiliselerdeki heykellerden parçalar alıp merhem yapması çok yaygındı.

İronik bir biçimde, İngilizcede alçıtaşı anlamına gelen

gypsum kelimesi Yunancada tebeşir anlamına gelen *gypsos* kelimesinden türemiştir.

Neler selüloitten yapılır?

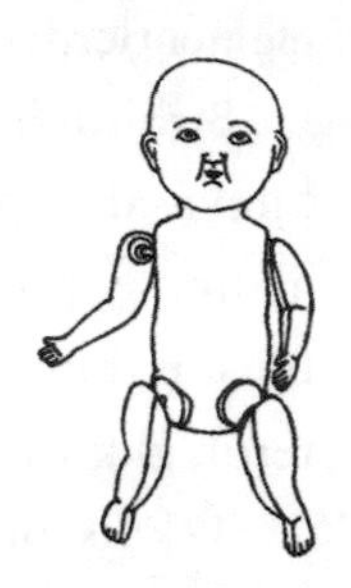

Pinpon topları ve yaka kolaları.

Filmler artık selüloitten yapılmaz. Selüloidin en temel bileşeni selüloz nitrattır, günümüzde filmler selüloz asetattan yapılır.

Selüloit genelde ilk plastik olarak görülür. Teknik olarak ifade edecek olursak termoplastiktir, bu da her ısıtıldığında yeniden şekil verilebildiği anlamına gelir.

Selüloit, selüloz nitrat ve kafurdan yapılır. Selüloz doğal olarak bitkilerin hücre duvarında oluşur. Kafur ise kafur ağacından elde edilir ve belirgin bir biçimde, hammaddesi olduğu naftalin gibi kokar.

Selüloit, ilk kez İngiltere Birmingham'da, sugeçirmez giysilerde kullanmak üzere 1856'da patentini almış olan Alexander Parkes tarafından üretildi. Selüloitten ilk yararlanılan alanlardan diğeri, bilardo topu ve takma diş yapımında ucuz fildişi muadili olarak kullanımıdır.

Selüloidin esnekliği film endüstrisini mümkün kıldı. Sert cam plakalar projektörden akamaz. Diğer yandan selüloit hem çok yanıcıdır hem de çabuk parçalanır, bu yüzden saklaması zordur. Artık çok az kullanılmaktadır.

Artık selüloidin yerini, (kağıt hamurundan yapılan) selüloz asetat ve (bir petrol ürünü olan) polietilen gibi daha dayanıklı plastikler almıştır.

Selüloz nitrat (ya da nitroselüloz), 1846'da, altı yıl önce ozonu keşfetmiş olan Christian Schönbein tarafından tesadüfen keşfedildi.

Schönbein, mutfağında nitrik ve sülfürik asitle deney yaparken bir şişe kırdı ve dökülenleri karısının pamuklu önlüğüyle sildi. Daha sonra bu önlüğü kuruması için kuzinenin üstüne koyunca önlük birden alev aldı. Böylece Schönbein, eski Çinlilerin icat ettiği baruttan sonra ilk yeni patlayıcıyı keşfetti.

Bu yeni patlayıcıya "pamuk barutu" adı verildi. Dumansızdı ve barutun dört katı kadar daha güçlüydü. Schönbein hemen patentini alıp tüm üretim haklarını John Hall ve Oğulları'na sattı. Ertesi yıl Kent, Faversham'daki fabrikaları havaya uçtu ve 21 kişinin ölümüne neden oldu.

Ölümcül patlamalar Fransa, Rusya ve Almanya'da da devam etti. James Dewar ve Frederick Abel'in 1889'da korditi yaratıp selüloz nitratın stabil bir kullanımını bulması 40 yıl aldı.

Dewar bundan yedi yıl önce termos matarayı icat etmişti.

Lastik botları kim icat etti?

a. Amazon Kızılderilileri
b. Wellington Dükü
c. Charles Goodyear
d. Charles Macintosh

Amazon Kızılderilileri fi tarihinden beri pratik lastik botlar yaparlardı. Bunu kauçuk sıvısı içine diz hizasına kadar girip kurumasını bekleyerek yapıyorlardı.

1817'de Wellington Dükü için tasarlanıp onun adı verilen botlar deriden yapılmıştı. İlk lastik botlar ise Dük'ün ölümünden bir yıl önce, 1851'de yapıldı.

Lastiği giyimde ilk kullanma denemeleri tam bir fiyaskoyla

sonuçlandı. Çünkü ya sıcak havalarda üstünüzde eriyor ya da soğukta taş kesiliyordu. Asıl gelişme 1839'da Charles Goodyear'ın lastiği eritip sülfürle karıştırarak birazını yanlışlıkla sobaya damlatmasıyla oldu.

En büyük mucit tesadüftür.
MARK TWAIN

Goodyear'ın hikayesi bir yandan ilham verici, bir yandan üzücüdür. Hayatı boyunca korkunç bir sefalet çekti (12 çocuğunun altısı zafiyetten öldü) fakat lastik onun saplantısıydı ve "bitkisel deri" dediği şeyin kalitesini geliştirme çabasından hiç vazgeçmedi.

Onun dikkatsizliği sonucu keşfettiği süreç, lastiğe sabit bir sertlik kazandırarak lastik sorununu çözdü. Bunun coşkusuyla numuneleri, sonradan çok başarılı İngiliz lastik tüccarları haline gelecek olan Thomas Hancock ve Charles Macintosh'la paylaştı.

Bu numuneleri analiz ettikten sonra aynısını onlar da yapabildiler ve 1843'te Roma ateş tanrısının adından dolayı "volkanizasyon" adını vererek lastiğin patentini aldılar. Goodyear başarısızlıkla sonuçlanan davalar açtı ve daha önce de başına geldiği gibi, borçlarını ödeyemeyenlerin konulduğu bir hapishanede (buraya "otel" diyordu) kalmak zorunda bırakıldı.

İleri görüşlülüğü ve azmi herkesin övgüsünü toplasa da öldüğünde büyük bir borç batağındaydı. Bir keresinde şöyle yazmıştı: "Hayata dolar ve sentlerin miktarıyla değer biçilemez. Ben ektim meyvelerini başkaları topladı diye şikayet etmek niyetinde değilim. İnsan ancak ektiği bir şeyin kimseye faydasının dokunmamasından şikayet edebilir."

Ölümünden kırk yıl sonra adı, kurucuları tarafından Goodyear Lastik Şirketi'ne verilerek ölümsüzleşti. Bu şirket şu anda dünya lideridir ve 2005'teki cirosu 19.7 milyar dolardır.

Edison'un hangi icadını her gün kullanırız?

Alo* kelimesini.

Alo kelimesinin ilk yazılı kullanımı, Edison'un "3 ila 6 metre uzaktan duyulabileceği için" telefon görüşmesine "alo"yla başlamak gerektiği önerisini belirttiği 1887 tarihli bir mektubunda geçer.

Edison bunu Alexander Graham Bell'in ilk telefonunu test ederken keşfetmiştir. Bell ise denizcilerin kullandığı "ahoy, hoy [hey, ho]" ünlemlerini tercih ediyordu.

Edison, Bell'in tasarımını geliştirmeye çalışırken Menlo Park Laboratuvarlarındaki alıcılara "alo!" diye bağırırdı. Onun bu alışkanlığı önce çalışma arkadaşlarına, ardından telefon santrallerine yayılmış ve nihayet herkesin kullandığı bir kelime haline gelmiştir. "Alo" kullanılmadan önce telefon operatörleri "Orada mısınız?", "Kimsiniz?" ya da "Konuşmaya hazır mısınız?" derlerdi.

"Alo" yaygınlaşınca telefon operatörleri "Alo kızlar" olarak adlandırıldı.

Av köpeklerine ve gemi kaptanlarına seslenmek için kullanılan "Hullo" [Türkçe okunuşu *hallo*], Edison'un da favori kelimelerindendi. İlk kez ses kaydetmeyi keşfettiğinde (18 Temmuz 1877) makineye (basit fonograf) doğru haykırdığı kelime "Hullo" idi: "Bu deneyi önce bir telgraf şeridinde denedim ve noktanın bir alfabe yaptığını gördüm. Ahizeye doğru "Hullo! Hullo!" diye bağırdım, kağıdı çelik nokta üzerinde geriye doğru sarınca zayıf bir "Hullo! Hullo!" sesi duydum! Kusursuz çalışan bir makine yapmaya karar verdim ve asistanla-

---

* Orijinali (yani İngilizcesi) "hello" olan kelime, Fransızcaya "allo" olarak girmiş, Türkçeye de Fransızcadan "alo" olarak geçmiştir; Alexander Graham Bell'in sevgilisi Allessandra Lolita Oswaldo'nun baş harfleriyle bir ilgisi yoktur (ç.n.).

rıma dersler vererek onlara keşfettiğim şeyi anlattım."

Yaka kartlarında "Merhaba, benim adım..." ifadesinin ilk kullanılışı, 1880'de Niagara Şelaleleri'nde yapılan Birinci Telefon Operatörleri Kongresi'nde olmuştur.

İlk bilgisayar virüsü gerçek bir böcek miydi?

Hem evet, hem hayır.

Önce "evet." 1947'de Harvard Üniversitesi'nde röle anahtarına sıkışan bir güve, geniş, havalandırmasız bir odaya konmuş olan Amerikan Donanması'nın Mark II bilgisayarının kilitlenmesine sebep oldu. Teknisyenler tahrip olmuş böcek ölüsünü çıkardılar ve makineyi yeniden başlatmadan önce kayıt defterindeki yazının yanına yapıştırdılar.

Bu bilgisayar sahip olduğu mekanik doğası nedeniyle böcek müdahalelerine karşı hassastı. Pennsylvania Üniversitesi'nde bulunan ENIAC (Elektronik Sayısal Bütünleştirici ve Bilgisayar) gibi ilk bilgisayarların çoğu elektronikti ve güve savar vakum tüpleri vardı.

Ama şu "virüs" kelimesi buradan mı geliyor? Hayır. Bir makinede oluşan hata ya da yanlış anlamında kullanılan "virüs" kelimesi 19. yüzyıla dayanır. 1889'da yayımlanmış bir gazete haberine göre Thomas Edison "iki gecedir fonografındaki virüsü aradığı için uyumamıştır." Webster sözlüğü 1934 baskısında "virüsün" modern anlamına yer vermiştir.

Çoğu kitap ve internet sitesinin söylediğinin aksine "virüs tarama", Harvard'taki güvenin sebep olduğu kilitlenme olaylarından önce de kullanılıyordu.

Bu, hayatın dili taklit etmesine oldukça tatmin edici bir örnektir: Bir metafor tam manasıyla gerçeğe dönüşmüştür.

Nükleer savaştan sağ çıkması en muhtemel şey nedir?

Karafatma yanlış cevap.

Tabii bu kadar çok insanın neden karafatmaların yok edilemez olduğuna dair sarsılmaz bir inancı olduğu da başlı başına ilginç bir meseledir.

Onlar bizden çok daha uzun zamandır (280 milyon yıl civarı) varlar ve kontrol edilmesi zor hastalık taşıyıcıları olduklarından, neredeyse tüm evren onlardan nefret eder. Ayrıca, kafaları olmadan bir hafta kadar yaşayabilirler. Fakat yenilmez değillerdir. Dr. Wharton'ların 1959'daki çığır açan araştırmasından beri karafatmaların bir nükleer savaşta *ilk* ölecek böceklerden olduğunu biliyoruz.

İki araştırmacı farklı böcekleri değişik miktarlarda radyasyona ("rad"la ölçülür) maruz bıraktı. İnsanlar 1000 rad'a maruz kaldıklarında ölürken Wharton'lar karafatmaların 20.000 rad'a maruz kalınca öldüğü sonucuna vardılar, meyve sineği 64.000 rad'a, parazitler ise 180.000 rad'a maruz kaldıklarında ölür.

Radyasyona dayanıklılık kralı *Deinococcus radiodurans* bakterisidir. Bu bakteriler 1,5 milyon rad'a kadar dayanabilir, dondurulurlarsa bu limit iki katına çıkar.

Bu bakteri (öğrenciler "Bakteri Conan" adını vermiştir) pembedir ve çürük lahana gibi kokar. Bir kutu ışınlanmış* etin içinde mutlu mutlu büyürken keşfedilmiştir.

---

* Yiyeceklerin röntgen ışınlarıyla bakterilerden arındırılıp uzun süre dayanmalarını sağlayan işlem (ç.n.).

O zamandan sonra fil ve lama dışkısında doğal olarak bulunduğu, ayrıca ışınlanmış balık ve ördek etinde, hatta Antarktika granitinde bile bulunduğu fark edilmiştir.

Bakteri Conan'ın soğuğa ve radyasyona dayanıklılığı ve bu ekstrem durumlarda DNA'sının bozulmadan kalabilmesi, NASA bilimcilerinin bu bakterinin Mars'taki hayatın varlığına dair bir ipucu olabileceğine inanmalarına sebep olmuştur.

Acı biberin en acı kısmı neresidir?

Bir dönemin televizyon aşçıları hepimizi acı biberin en acı kısmının çekirdekleri olduğuna inandırdı. Ama öyle değil.

Asıl acı olan kısım, o çekirdeklerin tutunduğu merkezdeki zardır. Bu zar, en fazla kapsaisin içeren kısımdır. Kapsaisin bibere ayırt edici acılığını veren renksiz, kokusuz bileşiktir.

Biberin acılığı, Amerikalı eczacı Wilbur L. Scoville tarafından 1912'de oluşturulan Scoville Ölçeği'yle ölçülür. Scoville ilk yaptığı testlerde alkolde eritilmiş çeşitli acı biber özlerini karıştırıp bu karışımı şekerli suyla seyreltti. Bir grup kişiden çeşitli yoğunluklardaki farklı biberleri artık acı tadını almayıncaya kadar denemelerini istedi.

Mesela, tek bir jalapeno biberinde 4500 Scoville Acı Birimi (SAB) olduğu söylenir, çünkü acılığını kaybetmesi için 4500 kat seyreltilmesi gerekmektedir.

Dünyadaki en acı biber İngiltere'nin güneybatısındaki Dorset'te yetişir. Michael ve Joy Michaud'un Dorset Naga'sı –*naga* Sanskritçe'de "iblis"demektir– Bangladeş'ten gelen bir bitki üzerinde yetiştirilir.

2005'te iki Amerikalı laboratuvar tarafından test edilen bu biberin damak yakan 923.000 SAB acılıkta olduğu belirlendi.

Küçük bir Naga biberinin yarısı bile bir tabak Hint yemeğini yenilemez hale getirebilir. Bu tabağı bitirenin sonu hastanenin yolunu tutmak olacaktır. Buna rağmen 2006'da 250.000 Naga biberi satılmıştır.

Daha genel bir ifadeyle, saf kapsaisin tozunda 15-16 milyon SAB vardır. O kadar acıdır ki, deney yapan eczacılar yalıtılmış "zehir odası"nda, vücudu tamamen koruyan bir tulum ve odadaki havayı solumalarını engelleyen kapalı bir başlıkla deney yapmak zorundadırlar.

Tahmini olarak 3510 çeşit acı biber vardır.

Laleler nereden gelir?

Amsterdam'dan olsun ya da olmasın laleler, Hollanda'nın yel değirmenleri ve sabolar kadar ünlü bir sembolüdür. Ama aslında lalelerin kökeni Hollanda değildir.

Lalelerin doğal habitatları dağlık arazilerdir.

Hollanda'ya İstanbul'dan ilk lale, topu topu 1554'te getirilmiştir. Yabani laleler güney Avrupa'da, Kuzey Afrika'da ve Çin'in kuzeydoğusuna kadar olan Asya'nın bazı kısımlarında bulunabilir. Lale hem Türkiye'nin hem de İran'ın milli çiçeğidir.

Çiçeğin ismi Farsça'da türban anlamındaki *dulband* kelimesinin Türkçe söylenişi olan *tülbent* kelimesinden gelir. Bu nedenle etimologlar henüz tam açmamış lale şeklinin türbana benzeyişini "hayali benzerlik" olarak adlandırırlar (ya da belki de Türklerin geleneksel olarak başlıklarına bu çiçeği takmalarından dolayı olabilir).

Laleler Nederland'da [Alçak Ülke] (böyle dememiz gerekiyor: "Hollanda" 12 bölgeden sadece iki tanesini tanımlıyor) son derece popüler oldu, ama 17. yüzyılın büyük "lale çılgınlığı (tulipomania*)" hikayeleri şimdilerde kabak tadı verdi.

Deutsche Bank'ta Küresel Strateji Başkanı olan Profesör Peter Garber'a göre, lale fiyatlarının ani düşüşü sonucu iflas etmiş insanlarla ilgili en çarpıcı hikayeler, temel olarak tek bir kitaptan kaynaklanmaktaydı: Charles Mackay'in 1952'de basılan *Extraordinary Popular Delusions & the Madness of Crowds* (*Olağanüstü Kitlesel Yanılgılar ve Kalabalıkların Çılgınlığı*, çev. Ali Perşembe ve Levent Cinemre, İstanbul: Scala Yayıncılık, 2000) kitabı. Bu durum Hollanda hükümetinin lale spekülasyonuna engel olmak için korku hikayeleri yayarak uyguladığı katı ahlakçı kampanyanın da bir sonucuydu.

Lale fiyatlarının şişirilmiş olduğu (ve en değerlisinden bir bitki soğanının bir ev fiyatında olabileceği) doğru, fakat başka ülkelerde başka bitkilerin daha bile yüksek değerlere ulaştığı birçok örnek vardır: Örneğin 19. yüzyıl İngiltere'sinde orkideler.

Garber, Hollanda'daki bu spekülasyonun en çılgın zamanının "1637'nin kasvetli Hollanda kışında bir ay süren bir hadise olduğunu ... ve gerçek bir ekonomik sonucunun olmadığını" söylüyor.

Bugün, Hollanda yılda üç milyar lale soğanı üretip bunun iki milyarını ihraç etmektedir.

---

* Tulipomania tabiri, Hollanda'da özellikle 1636-1637'de lale soğanına artan ilginin lale fiyatlarında inanılmaz artışlara neden olmasına karşılık olarak kullanılmaktadır. Bu terim sonradan ekonomik patlamalar için bir metafor olarak da kullanılmıştır (ç.n.).

1 kilo safran elde etmek için kaç tane safran bitkisi gerekir?

85.000 ila 140.000 arası. Bu nedenle bugün bile birinci kalite İspanyol "*mancha*" safranının kilosu 8260 pounddan satılıyor. Girit'te Minos Medeniyeti'ne ait MÖ 1600'lerden kalma fresklerde safran toplandığı görülmektedir. Büyük İskender o hoş, parlak turuncu rengini koruması için saçlarını safranla yıkardı. Safran ciddi olarak üst sınıf şampuanıydı: O zamanlar safran, elmas kadar az bulunan bir şeydi ve altından daha pahalıydı.

15. yüzyıl Nürnberg'inde ve İngiltere'de VIII. Henry hükümranlığı sırasında safranı herhangi bir şeyle karıştırarak seyreltmenin cezası ölümdü. Hükümlüler kazıklarda yakılır ya da yasadışı mallarıyla birlikte canlı canlı gömülürdü.

Essex'teki Saffron Walden şehri adını bu baharattan alır. Bu şehir İngiliz safran ticaretinin merkeziydi. Efsaneye göre 14. yüzyılda Ortadoğu'dan bir hacı, bastonuna saklanmış bir safran çiçeği soğanıyla gelmiş. O zamana kadar şehrin adı sadece Walden'dı.

Ne var ki, çayın, kahvenin, vanilyanın ve çikolatanın gelişi safranın yetiştirilmesindeki düşüşü beraberinde getirdi, buna rağmen safran İtalya, İspanya ve Fransa'da önemli bir mahsul olmaya devam etti.

Safran kelimesi Arapçada "sarı" anlamına gelen *asfar* kelimesinden gelir.

Ses duvarını aşan ilk icat nedir?

Kırbaç.

Kırbaç 7000 yıl önce Çin'de icat edildi, fakat kırbaç "şaklaması"nın, kırbacın sapına çarpan derinin sesi olmayıp, mini bir ses duvarı patlaması olduğunun anlaşılması ancak 1927'de yüksek-hızda fotoğrafçılığın icadıyla mümkün oldu.

> ***Işık, sesten daha hızlıdır. Bazı insanları, seslerini duyana kadar ışıl ışıl görmememizin sebebi de bu değil midir?***
> *STEVEN WRIGHT*

Kırbaç şaklaması, kırbacın vurulması anında kendi etrafında katlanmasıyla oluşan halkadan kaynaklanır. Bu halka kırbaç boyunca ilerler ve kırbaç uca doğru iyice inceldiğinden halka gittikçe hızlanarak başlangıçtakinin 10 katı hıza ulaşır. "Şaklama" halkanın saate 1194 km hıza ulaşarak ses duvarını aştığı anda gerçekleşir.

Pilotluğunu Chuck Yeager'ın yaptığı Bell XI, 1947'de ses duvarını aşan ilk uçaktı. Bu uçak, 1948'de 21.900 metre yükseklikte saatte 1540 km hıza ulaştı ve bu hâlâ tüm zamanların en hızlı dokuzuncu insanlı uçuşudur.

En hızlı insanlı uçuş rekoru hâlâ, 1967'de 31.200 metre yükseklikte saatte 6389 km hıza ulaşan X-15A'nındır.

Dünya üzerinde bir insanın en hızlı yolculuğu ise Apollo 10'un 1969'da atmosfere yeniden girişi sırasında gerçekleşti. Bu aracın hızı kayıtlara saatte 39.897 km olarak geçti.

Yılanları en çok hangi müzik cezbeder?

Onlar için fark etmez, hepsi aynıdır.

Yılan oynatma numaralarında kobralar flütün *görüntüsüne* tepki verir, sesine değil.

Yılanlar kesinlikle sağır olmamalarına rağmen müziği tam olarak "duymazlar." Yılanların dışarıda bir kulak ya da kulak zarları yoktur, fakat çeneleri ve karın kasları sayesinde yerden aldıkları titreşimleri hissedebilirler. Ayrıca görünüşe göre, havadan gelen sesleri bir iç kulak aracılığıyla algılayabilirler.

Eskiden yüksek seslere tepki vermedikleri için yılanların hiç duyamadıkları düşünülürdü. Fakat Princeton'da yapılan bir araştırma çok keskin bir duyma yetileri olduğunu gösterdi.

Kilit buluş, yılanların iç kulağının nasıl çalıştığıydı. Yılanlar voltmetrelere bağlanıp havadan ulaşan seslerin beyinlerinde nasıl bir etki yarattığı ölçüldü. Görünüşe göre, yılanların duyma yetileri daha büyük hayvanların hareketlerinin yarattığı seslere ve titreşimlere "ayarlıydı." Bu yüzden müzik onlar için anlamsız olmalıdır.

"Cezbedilmiş" kobralar korkutulduklarında yukarı kalkar ve enstrümanın hareketine göre sallanırlar. Flüte hızla vuracak olurlarsa canları acır, bu yüzden de bir daha yapmazlar.

Çoğu kobranın zehirli dişi sökülmüştür, fakat öyle bile olsa belli bir mesafeden sadece kendi uzunlukları dahilinde şiddetli bir vuruş yapabilirler; sanki dirseğinizi masaya koyup elinizle aşağıya doğru hızla vurur gibi.

Kobranın doğal tavrı saldırgan değil savunmacıdır.

Keman yayları neyden yapılır?

Keman yayları kedi bağırsağından yapıl*maz*, hiçbir zaman da yapılmamıştır.

Bu efsane Ortaçağ İtalyan keman ustalarının, enstrümanları için iyi tellerin koyun bağırsağından elde edildiğini keşfetmeleriyle başladı. Kedi öldürmek çok korkunç bir uğursuzluk getirdiğinden, icatlarını korumak için herkese telleri kedi bağırsağından yaptıklarını söylediler.

Efsaneye göre, Abruzzi dağının Pescara yakınındaki köyü Salle'de, Erasmo adında bir eyerci bir gün kuruyan koyun bağırsağının arasından esen rüzgarın sesini duymuş ve bunun Rönesans kemanı olarak bilinen eski bir keman türü için iyi bir tel olabileceğini düşünmüş.

Salle 600 yıl boyunca keman yayı üretiminin merkezi haline geldi ve Erasmo yay yapanların koruyucu azizi olarak kutsandı.

1905 ve 1933'teki kötü depremler Salle içindeki endüstriyi sona erdirdiyse de dünyadaki lider yay üretici firmalarından ikisi –D'Addario ve Mari– hâlâ Salle'li ailelerce işletiliyor.

1750'ye kadar tüm kemanlarda koyun bağırsağından yapılmış yaylar kullanıldı. Bağırsağın hayvandan henüz ılıkken çıkarılması ve yağ ve pislikten arındırılıp soğuk suya batırılması gerekir. En iyi kısımları şeritler halinde kesilir ve istenen kalınlıkta bir yay elde edilene kadar kıvırıp çekiştirilir.

Her ne kadar keman meraklılarının çoğu bağırsaktan yapılan telin en yumuşak sesi verdiğini düşünüyorsa da, günümüzde yay yapımında bağırsak, naylon ve çelik karışımı kullanılmaktadır.

Richard Wagner nefret ettiği Brahms'ın itibarını sarsmak için berbat bir dedikodu yaydı. Brahms'ın Çek besteci Antonin Dvorak'tan "Bohemlere özgü serçe katleden bir yayı" hediye olarak kabul ettiğini iddia etti. Sözde, Brahms bu yayla Viyana tarzı evinin penceresinden gelip geçen kedilere rastgele atışlar yapıyormuş.

Wagner şöyle devam etti: "Zavallı hayvanları vurduktan sonra aynı alabalık avlayan bir balıkçı edasıyla ipini sararak odasına çekiyormuş. Sonra da kurbanlarının son nefeslerini verirken inlemelerini şevkle dinleyerek *ante mortem* (ölüm öncesi) gözlemlerini defterine not ediyormuş."

Wagner Brahms'ı hiç ziyaret etmedi ya da evini hiç görmedi; böylesi bir "serçe yayı"nın bırakın Dvorak tarafından hediye edilmesini, varolduğuna dair herhangi bir kayıt bile yok gibi görünüyor.

Kediler diğer tüm türler gibi sessizlik içinde ölmeye eğilimlidir.

Buna rağmen, bu kedi öldürme söylentileri Brahms'ın üzerine yapışmış ve bu iddia gerçekmiş gibi birçok biyografide tekrar edilmiştir.

Bir kediyi aşağı atmak için en uygun kat binanın kaçıncı katıdır?

Yedinci kattan yüksek herhangi bir kat.

Yedinci kattan yüksek olduktan sonra ne kadar yüksekten düştüğü, oksijeni yettiği sürece, kedi için fark etmez.

Birçok küçük hayvan gibi kedilerin de ölüme yol açmayan, ulaşılabilecek son hızları vardır; bu, kedilerde saatte 100 km civarıdır. Gevşediklerinde, yönlerini bulup yayılır ve paraşütle süzülen bir sincap gibi toprağa inerler.

Ulaşılabilen son hız, bir vücudun ağırlığının havanın direncine eşitlenip hızlanmayı kestiği noktadır – bu hız insanda, 550 metreden serbest düşüşle ulaşılan saatte 195 km civarıdır.

30. kattan ya da daha yüksekten düşüp zarar görmemiş olan kedilerle ilgili kayıtlar var. Bir kedinin 46. kattan düşüp hayatta kaldığı biliniyor, hatta 244 metre yükseklikteki bir Cessna uçağından bilerek atılan bir kedinin hayatta kaldığına dair kanıtlar var.

> ***Kediler bize doğadaki her şeyin bir işlevi olmadığını öğretmek için vardır.***
> *GARRISON KEILLOR*

Journal of the American Veterinary Medical Association'da 1987'de yayınlanmış bir makalede, New York'ta yüksek katlardaki pencerelerden düşmüş 132 tane kedi vakası incelendi. Kediler ortalama olarak 5,5 kat aşağı düşmüş, çoğu ciddi yaralar almış olsa da yüzde doksanı hayatta kalmıştı. İstatistikler yedinci kata kadar, düşülen katla doğru orantılı olarak yaraların da artmış olduğunu gösteriyor. Yedinci katın üzerinde ise kedi başına yaralanmalar keskin bir düşüş göstermiş. Diğer bir ifadeyle, ne kadar yüksekten düşerse şansı o kadar fazladır.

İnsanlarda en meşhur serbest düşüşler, Vesna Vulovic'in 1972'de bombalı bir terörist saldırıda içinde bulunduğu Yugoslav havayollarına ait DC-10 uçağının parçalanması sırasında 10.600 metreden atlayışı ve İngiliz Kraliyet Hava Birliği'nde kuyruk bombardıman operatörü Pilot Çavuş Nicholas Alkemade'in 1944'te yanan bir Lancaster'dan 5800 metreden atlayışıdır.

Vulovic her iki bacağını kırdı ve biraz da omurgasını incitti, fakat onu asıl kurtaran, çarpmanın etkisini azaltan koltuk ve koltuğun bağlı olduğu tuvalet kabiniydi.

Alkemade'in düşüşünü bir çam ağacı ve bir kar birikintisi

yumuşattı. Hiç yara almadan kurtuldu ve karda oturarak sessiz sedasız bir de sigara tüttürdü.

Dodonun nesli neden tükendi?

a. Yemek için avlayanlar yüzünden
b. Spor amaçlı avlayanlar yüzünden
c. Doğal ortamının yokolmasından
d. Diğer türlerle girdiği rekabet nedeniyle

Dodonun (*Rabhus cucullatus*) iki tane sevilmeyen ayırt edici özelliği vardır: Hem ölü hem de salak olmasıyla meşhurdur.

Uçamayan bir Mauritius yerlisidir, kara yırtıcılarının olmadığı bir çevrede gelişmiş ve doğal ortamı olan ormanların yok edilmesi ve adaya domuz, fare ve köpeklerin getirilmesi nedeniyle yüz yıldan kısa bir süre içinde nesli tükenmiştir.

İşin tuhafı dodo güvercingillerdendir, ama nesli tükenmiş bir başka bilindik kuş olan göçebe güvercinin aksine dodo eti için avlanmazdı, eti hemen hemen hiç yenmezdi, Hollandalılar ona *walgvogel*, yani farklı kuş derlerdi.

Portekizcede de *dodo* ismi kabadır, "budala" anlamına gelir, ona bu ad insanlardan korkmayıp kaçmadığı için verilmiştir, bu yüzden spor amaçlı avlananlar arasında pek kıymetli değildir. 1700'de soyu tamamen tükenmiştir.

1755'te Oxford'taki Ashmolean Müzesi müdürü, sergilenen numunede saklanmaya değmeyecek kadar güve yeniği olduğunu düşünüp, bunu açık havada çöplerin yakıldığı ateşe attı. Bu, o güne kadar muhafaza edilmiş tek dodoydu. Oradan geçen bir görevli onu kurtarmaya çalıştı, ama yalnızca kafasını ve vücudunun çok küçük bir kısmını kurtarabildi.

Uzunca bir zaman, dodo hakkında bilinen her şey, bu kalıntılardan, bir avuç tasvirden, üç ya da dört yağlı boya tablodan ve birkaç tane kemikten yola çıkılarak türetilmişti. Hatta bazı dinozorlar hakkında daha çok şey biliyorduk. Aralık 2005'te, Mauritius'ta bol miktarda saklı kemik bulundu ve bu çok daha kesin bir yeniden değerlendirme imkanı tanıdı.

Neslinin tükenişinden, 1865'te *Alice Harikalar Diyarında* kitabının basılmasına kadar dodo neredeyse tamamen unutulmuştu. Oxford'ta matematik öğretmeni olan Charles Dodgson* (daha çok Lewis Carroll olarak bilinir) onu Ashmolean'da görmüş olmalı.

Dodo, *Alice Harikalar Diyarında*'da Kafkas Yarışı bölümünde ortaya çıkar. Bu yarışın belli bir başlangıç ya da bitiş noktası yoktur ve sonunda herkes bir ödül kazanır. Kuşların her biri, Dodgson hikayeyi ilk anlattığında mevcut olan sandal partisindeki üyelere denk düşer ve dodonun bizzat Dodgson'a dayandığı söylenir.

Sir John Tenniel'in kitaptaki çizimiyse bu kuşu hemen ünlü yaptı. "Dodo kadar ölü" sözü de bu dönemden kalmadır.

Kafasını kuma gömen şey nedir?

Yanlış.

Asla bir devekuşunun kafasını kuma gömdüğü görülmemiştir. Bunu yapsaydı boğulurdu. Bir tehlikeyle karşılaştığında her aklı başında hayvan gibi devekuşu da var gücüyle kaçar.

Devekuşlarıyla ilgili bu efsane, bazen yuvalarında (genelde yere kazılmış sığ bir delik şeklindedir) boyunlarını dümdüz ye-

---

* Alice Harikalar Diyarında'nın yazarı (ç.n.).

re uzatıp görüş alanında bir tehlike olup olmadığını yokladıkları için ortaya çıkmış olabilir. Eğer yırtıcı bir hayvan çok yaklaşacak olursa kalkıp tabanları yağlarlar. Saatte 65 km'ye kadar bir hızla otuz dakika boyunca koşabilirler.

Devekuşu dünyadaki en büyük kuştur: Erkeğinin boyu 2,7 metreye kadar ulaşabilir, fakat ceviz büyüklüğünde olan beyinleri göz yuvarlarından bile küçüktür.

Carl Linnaeus devekuşunu, muhtemelen çöllerde yaşadığı ve deve benzeri uzun boynu olduğu için *Struthio camelus* yani "serçe deve" olarak sınıflandırmıştır. Devekuşu kelimesinin Yunanca karşılığı *ho megas strouthos*'tur, yani "büyük serçe."

Kafa gömme efsanesi ilk kez Romalı tarihçi Yaşlı Plinius tarafından aktarılmıştır. Yaşlı Plinius ayrıca devekuşlarının, yumurtalarına sert bir şekilde bakarak bu yumurtayı çatlatabildiklerini de düşünüyordu.

Ama Plinius, devekuşlarının olmadık şeyler yutabildiğinden hiç bahsetmemiştir.

Sindirime yardımcı olması için yuttukları taşın yanında demir, bakır, tuğla ve cam da yiyebilirler. Londra Hayvanat Bahçesi'nde bir devekuşunun bir metrelik ip, bir bobin film, bir çalar saat, bir bisiklet valfı, bir kalem, bir tarak, üç eldiven, bir mendil, biraz altın kolye parçası, bir kol saati ve birkaç tane bozuk para yediği fark edildi.

Namibya'daki devekuşları elmas yemeleriyle meşhurdur.

Goriller nerede uyur?

Yuvalarda.

Bu büyük, kaslı primatlar her akşam (hatta bazen ağır bir öğlen yemeğinden sonra) ya yere ya da ağaçların alçak dallarının içine yeni yuvalar yaparlar.

Çok genç olanlarının dışında kesin kural her yuvaya tek gorilin yatmasıdır.

Bu yuvalar şaheser değildir (biraraya getirilivermiş eğri dallar ve minder niyetine daha yumuşak yeşillikler) ve yapılması on dakika kadar alır. Dişiler ve genç hayvanlar ağaçlarda, erkekler ve "silverback (gümüşsırt)" denen gorilse yerde uyumayı tercih eder.

Bazı kayıtlara göre ova gorilleri temizdir ve yaşadıkları yere özen gösterirler, dağ gorilleriyse yuvalarını sürekli pisletir ve çoğunlukla kendi dışkı birikintilerinin üzerinde uyurlar.

Goriller yüzemez. İnsanlardan iki fazla, yani kırk sekiz kromozomları vardır.

Dünyadaki hayvanat bahçelerinde bulunan toplam goril sayısından daha fazla goril her yıl insanlar tarafından "vahşi hayvan eti" olarak yenmektedir.

Dünyada en fazla bulunan kuş hangisidir?

Piliç, hem de açık ara.

Dünyada yaklaşık 52 milyar piliç vardır: Yani insan başına dokuz tane. Bunların yüzde 75'i yemek içindir, ama neredeyse 3000 yıldır piliçler asıl olarak yumurtaları için besleniyorlardı. İngiltere'ye Romalılar gelene kadar kimsenin pilicin etini yediği görülmemiştir.

Dünyadaki tüm piliçlerin kökeni Kırmızı Orman Tavuğu (*Gallus gallus gallus*) denen Tayland'a has bir tür sülüne dayanmaktadır. Ona en yakın modern akrabası dövüş horozlarıdır.

Piliçlerin ve yumurtaların seri üretimi 1800'lerde başladı. Yemeklik piliç eti, yumurta üretiminin bir yan ürünü olarak ortaya çıktı. Önceleri sadece yaşlanıp yeterince yumurtlayamayan piliçler kesilip et olarak satılırdı. 1960'larda piliç eti hâlâ bir lükstü. 1970'lere kadar piliç çoğu ailenin et seçimi olmamıştır.

Tavuk sadece, bir yumurtanın diğer bir yumurta üretmesinin yoludur.

SAMUEL BUTLER

Artık seçme damızlıklar ve hormon uygulaması sonucunda bir pilicin olgunluğa ulaşması kırk günden az sürmektedir; bu, doğal yollardan büyümenin yarısı kadar bir süredir.

Dünyada beslenen tüm piliçlerin (buna organik olanlar da dahil) yüzde 98'i, üç Amerikan şirketi tarafından geliştirilmiş damızlıklardan üretilmektedir. Dünyadaki "broyler"lerin (yemeklik piliç) yarısından fazlası 1970'lerde Cobb Damızlık Co. tarafından üretilmiş olan Cobb 500 cinsinden üretilmiştir.

Amerika kıtasında 1500'lerden önce hiç piliç yoktu. Kıtaya pilici ilk getiren İspanyollar oldu.

Britanya'daki tüm piliçlerin üçte birinden fazlası tek bir İskoç şirketi tarafından üretilmektedir: Grampian Country Food Group. Bu şirket tüm süpermarket zincirlerinin pilicini tedarik etmektedir ve Muhafazakar Parti'nin büyük bağışçılarından biridir. Biri Tayland'da olmak üzere sahip oldukları sekiz devasa entegre piliç ünitesi sayesinde haftada 3,8 milyon piliç üretmektedirler. Sloganlarıysa şudur: "Geleneksel Lezzet."

Yemeklik olarak satılan piliçlerin çoğu dişidir. Yemeklik olan erkekler hadım edilir ve "iğdiş horoz" olarak adlandırılır. Günümüzde hadım etme işlemi, testisleri çürüten hormonlarla kimyasal yollardan yapılmaktadır.

Endüstride pilicin ayağı için kullanılan terim "piliç pençesi"dir. Amerika'daki çoğu "piliç pençesi" Çin'e ihraç edilmektedir, hem de üç milyar piliç zaten orada yaşamasına rağmen.

Danimarka piliçleri *gok-gok* diye, Alman piliçleri *gak gak* diye, Tayland piliçleri *guk guk* diye, Hollanda piliçleri *tok tok* diye, Finlandiya ve Macar piliçleri *kot kot* diye, Türk piliçler *gıt gıt gıdak* diye öter. Daha üstün olan Fransız tavuklarıysa *kotkotkodat* diye öter.

Kanarya Adaları'nın ismi hangi hayvandan gelir?

Köpeklerden. Aslında kuşlar adaya değil, ada kanarya kuşlarına (bu kuşlar adanın yerlileriydi) ismini vermiştir.

Bu takımada adını, en büyük adasında bulunan hem vahşi hem de evcil çok miktardaki köpekten dolayı, Romalılar tarafından verilen "Köpek Adası" isminden (*Insula Canaria*) almıştır.

Kanarya Adaları'ndan Las Palmas Adası üzerindeki volkanın, adanın batı yarısında feci bir çöküşe sebep olabilecek ve Atlantik'i aşarak sekiz saat sonra ABD'nin doğu kıyısına otuz metrelik dalgalar halinde çarpan bir tsunamiye yol açabilecek potansiyele sahip olduğu söyleniyor.

"Kanarya Güreşi"nde rakipler *terrero* denen kumdan bir daire içinde karşı karşıya gelir. Amaç, rakibin ayakları dışında vücudunun herhangi bir yerini kuma değdirmektir. Vurmaya izin yoktur. Bu sporun ortaya çıkışı adaların İspanyollardan önceki yerli halkı Guanches'lere dayanmaktadır.

Silbo Gomero (Gomera Islığı) Kanarya Adaları'ndan Gomera'da derin vadiler arasında iletişim sağlamak için kullanılan ıslıklı bir dildir. Bu dili konuşanlar "silbador" olarak adlandırılır. Köken olarak Guanche dilinden gelmiş olsa da, o kadar iyi adapte olmuştur ki, modern silbadorlar fiilen İspanyolca ıslık çalabilmektedir. Bu, Gomeralı okul çocukları için öğrenilmesi mecburi bir konudur.

Kanaryalar bir tür ispinozdur. Yüzyıllarca, İngiliz madencilik düzenlemeleri gaz kaçağı tespiti için madenlerde küçük bir kuş bulundurmayı zorunlu kılmıştır. Kuşların bu şekilde kullanımı 1986'ya kadar sürmüş, bu ifade ise 1995'e kadar yasalardan kaldırılmamıştır. Bu uygulamanın altında, karbonmonoksit ve metan gibi zehirli gazların madencilerden önce kuşları öldüreceği mantığı yatmaktadır. Kanaryalar, çok öttükleri ve bu nedenle de sesleri kesilip yere yığıldıklarında daha kolay fark edilebilecekleri için daha çok tercih ediliyorlardı.

Sadece erkek kanaryalar öter; ayrıca telefonları ve diğer ev aygıtlarını taklit edebilirler. Çizgi film kahramanı Tweety bir kanaryadır.

Kanaryalar aslen benekli yeşilimsi-kahverengidir, fakat insanların 400 yıl boyunca melez ırk yetiştirmeleri sonucu kanaryaların bilindik sarı renkleri oluşmuştur. Kimse kırmızı bir kanarya yetiştirmemiştir, fakat kırmızı biberle beslemek kanaryanın rengini turuncuya çevirir.

Londra'nın Köpekler Adası (Isle of Dogs) sözde ilk defa 1588'de haritada yer almıştır: Belki de kraliyet köpeklerinin barındığı yer olduğu içindir, belki de sadece kötüleme ifadesidir. Kanarya Rıhtımı'nın orada bulunması tuhaf bir rastlantıdır.

Dünyadaki en küçük köpek hangisidir?

Kayda geçmiş en küçük köpek Blackburn'den Arthur Marples'a ait Yorkshire teriyeridir. Bu köpek omuzdan 6,5 cm boyunda, burun ucundan kuyruk ucuna kadarsa 9,5 cm uzunluğunda, 113 gr ağırlığındaydı. 1945'te ölmüştür.

Genelde dünyadaki en küçük köpek cinsinin chihuahua olduğu söylenir. Bununla birlikte, *Guinness Rekorlar Kitabı*'na göre yaşayan en küçük köpek rekoru tek bir cinsin elinde değildir.

Bu, "en küçük"ten ne kastettiğinize bağlıdır. Mevcut rekor, chihuahua (uzunlukça en kısa) ile Yorkshire teriyeri (boyca en kısa) arasında paylaşılmış durumdadır.

Bu Yorkshire teriyeri, Whitney, Shoeburyness, Essex'te yaşamaktadır ve boyu omuza kadar 7,3 cm'dir. Danka Kordak Slovakia isimli chihuahua ise 18,8 cm uzunluğundadır ve Slovakya'da yaşamaktadır.

400'den fazla köpek türü vardır ve hepsi aynı cinse dahildir. Herhangi bir tür köpek herhangi bir türle çiftleştirilebilir. Dünyadaki başka hiçbir yaratık şekil ve boyut olarak bu kadar geniş bir çeşitlilik göstermez. Kimse bunun nedenini bilmiyor.

Köpeklerdeki bu benzersiz çeşitlilikte insan müdahalesinin payı büyüktür, fakat asıl muamma, tüm köpek türlerinin köken olarak gri kurtlardan gelmesidir.

Doberman pinscherları; Alman pinscherı, Rottweiler, Manchester teriyeri ve muhtemelen av köpeği (pointer) kırması olarak sadece 35 yılda oluşturulmuştur; bu da evrim sürecinin binlerce hatta bazen milyonlarca yıl süreceğini söyleyen Darwin'in evrim teorisine tezat oluşturur.

Bilinmeyen bir nedenle, köpekler melez bir tür meydana getirmek için çiftleştirildiklerinde, çiftleşen iki tür arasında ortalama bir sonuç almak yerine çoğu zaman hiç beklenmedik bir sonuçla karşılaşılır. Bu yeni "tür" yine başka türlerle çiftleşerek üreme yetisini sürdürür.

Chihuahua köpeğinin adı Meksika'daki bir eyaletten gelir,

çünkü bu köpeğin oranın yerlisi olduğuna inanılıyordu (Toltek ve Aztek sanatına dayanarak). Fakat, bu inanışı destekleyen hiçbir arkeolojik kanıt yoktur ve artık resimlerde tasvir edilenin büyük bir olasılıkla bir tür kemirgen olduğu düşünülmektedir.

Büyük olasılıkla bu cinsin ataları İspanyol tüccarlar tarafından, hayvan ve bitkilerin büyümelerini engelleme uygulamalarının uzun bir geçmişe dayandığı Çin'den getirilmişti.

Meksika'da chihuahua peyniri çok yaygındır, ama peynirin adı köpekten değil şehirden gelmektedir.

Köpekler nasıl çiftleşir?

Köpekler arka arkaya çiftleşir, *doggy style* (köpek stili) ile değil.

Bir köpeğin üzerinde gidip gelen bir köpek gördüğünüzde bu aslında bir üstünlük hareketidir. Boşalma pek nadir gerçekleşir.

Bu yüzden komşunuzun köpeği, cinsel ilişkiye girmek için çocukların bacaklarını tercih ediyor gibi görünür. Aslında bu cinsel bir davranış değildir; amaç bir topluluk içinde kendine yer edinmektir ve öncelikle topluluğun en küçüğünü seçer.

Acaba diğer köpekler, kanişlerin tuhaf bir dini inanca mensup olduklarını düşünüyorlar mıdır?
RITA RUDNER

Köpekler aslında arkadan birleşerek çiftleşirler, fakat daha sonra bacaklarından birini partnerlerinin üstünden geçirirler; böylece arka arkaya gelmiş olurlar. Bu olunca erkek köpeğin penis ucu (*bulbus glandis*) kan pompalanarak şişer ve bu da geri çekilmeyi imkansızlaştırır.

Buna "düğümlenme" denir. Bu durum sperm sızmasını engellemeye yarar: "Sperm rekabeti"ne klasik bir örnek ya da diğer köpeklerin genetik materyallerini dışlama. Boşalma olana kadar bir iteleme süreci yaşanır ve sonucunda penis küçülür, böylece köpekler birbirinden ayrılabilir.

İlk kez cinsel ilişkiye giren köpekler, birbirlerine kenetlendiklerini fark edince bazen ters tepki verebilirler. Böyle durumlarda itişmeler ve çıkan kesik havlamalar romantik bir andan ziyade kavga gibi görünür.

II. Katerina nasıl öldü?

Bütün Rusya'nın İmparatoriçesi II. Katerina felç gelmesi nedeniyle 1796'da 67 yaşında yatağında öldü.

Felç geldiğinde *tuvalet*inde olduğu doğrudur, fakat ondan sonra yatağında bakım gördü ve burada öldü.

Cinsel ilişkiye girdiği büyük penisli bir atın altında ezilmemiştir ya da o kocaman poposunun parçaladığı lazımlığının neden olduğu yaralanmalardan dolayı ölmemiştir. Genç bir kadın olarak, binek hayvanı şeklinde kullanmak dışında atlara özel bir ilgisinin olduğuna dair herhangi bir kanıt da bulunmamaktadır.

Bu hikayelerin nereden geldiği meçhul. Bu, ona kin güden ve sarayda adı dedikoducuya çıkmış bir çevresi olan oğlu I. Pavel tarafından uydurulmuş başarılı bir karalama propagandası olabilir. Ya da bunlar Devrim sonrası yıllarda Rusya'nın da içinde bulunduğu bir koalisyonla savaşta bulunan korkak Fransızların uydurmaları olabilir (Marie Antoinette'le ilgili hikayeler daha da kötüydü).

Nereden başlamış olursa olsun Katerina'nın davranışlarının erotik bir heyecan yarattığı şüphesiz. Birçok âşığı oldu ve görünen o ki bazı âşıklar nedimeleri üzerinde deneme sürüşüne tabi tutuluyordu. Bu sınavı geçerlerse onursal bir pozisyon verilip saray erkanına dahil ediliyorlardı.

Ona erkek temin eden adamların biri eski bir âşığıydı –*Zırhlı'nın* Potemkin'i olarak bilinir ve "yüksek ateşliyken bir kazı bütün halinde yediği için" 52 yaşında ölmüştür.

Katerina'nın evlilik dışı ilişkileri ister sadece (kendi mektuplarınca da teyit edilen) 11 kişiden ibaret olsun, ister dedikoducuların belirttiği gibi 289 kişi olsun, Katerina'nın asıl mirası politik ve kültürel başarılarıdır.

Katerina St. Petersburg'da Büyük Petro'nun yaptığından daha fazla şey inşa ettirmiştir; Rus hukukundaki karmaşıklığı düzenlemiştir; muhteşem bahçeler yaptırmıştır, Rus müzelerini Avrupa'nın büyük sanat eserleriyle doldurmuştur; çiçek aşısı uygulamasını başlatmıştır; ona "Kuzey Yıldızı" diyen Diderot ve Voltaire de dahil tüm Avrupa'da yazarları ve filozofları desteklemiştir.

Genetik mirasçısıysa daha az etkili biriydi. Oğlu Çar I. Pavel (1796-1801) bir keresinde, oyuncak askerlerini ezdiği için bir fareyi askeri mahkemede yargılatıp hain ilan etmişti. Daha sonra atını da askeri mahkemede yargılattı ve elli kamçı cezasına çarptırdı. Zamanı gelince de kendi asilzadeleri tarafından (yargısız olarak) infaz edildi ve yerine oğlu geçti.

John Ruskin düğün gecesinde neye şaşırmıştır?

John Ruskin'in gerdek gecesinde karısı Effie'nin kasık kıllarını görünce cinsel isteğini kaybedecek kadar şok olduğuna inanılır.

Söylentiye göre, zamanının en sözü geçen sanat eleştirmeni olarak, çıplak bir kadının nasıl olduğuna dair tüm bilgisi "kılsız" klasik mermer heykel ve resim eserlerine dayanıyordu.

İlk defa 1965'te Mary Lutyen'in Ruskin biyografisinde ortaya atılan bu iddianın doğruluğuna dair hiçbir kanıt yoktur ve annesiyle olan yakın ilişkisinden dolayı bu konuda cahil olmadığı anlaşılabilir. Victoria döneminde yaşayan insanların aşırı derecede utangaç oldukları da büyük ölçüde 20. yüzyılın ortalarında uydurulmuş bir inanıştır.

Doğru olan şu ki, Ruskin hiç gerdeğe girmedi. Bu durum altı yıl bu şekilde devam ettikten sonra Ruskin bir resim sergisinde, Effie ile ressam arkadaşı John Everett Millais'i (1829-96) ahşap bir kabinde yalnız bıraktı. Millais ne yapması gerektiğini anladı ve Effie o kadar zevk aldı ki boşanmak için başvuruda bulundu. Evlilik Ruskin'in "tedavi edilemez iktidarsızlığı" nedeniyle sona erdi.

Daha sonra Effie, Millais'le evlendi ve büyük bir aile oldular. Tüm bu olaylar bir skandala neden oldu ve bu da, bundan sonra Effie'nin kraliçenin bulunduğu hiçbir partiye davet edilmemesi anlamına geliyordu.

Basit olmak karmaşık olmaktan çok daha zordur.
JOHN RUSKIN

Ruskin'in asıl sorunu genç kızlara olan eğilimiydi. Buna rağmen (ve belki de bu yüzden) Ruskin'in Victoria dönemi sanat ve mimarisi üzerinde büyük bir etkisi olmuştur, Turner'ın ve Pre-Raphaelcilerin ilk destekçilerindendir, sendikaların kurucu babalarındandır, Ulusal Kalıtlar Kurumu'nun ve El Sanatları (Arts and Crafts) akımının arkasındaki adamdır.

Ruskin 250 kitap yazdı ve Oscar Wilde'a sanat dersleri verdi. St. George Derneği Dostlarına İngiltere Müzesi'nin merdivenlerinin temizlenmesi için para verdi. Tıp okulunda canlı hayvanlar üzerinde bilimsel amaçlarla ameliyat yapılmasına izin verilmesinden sonra Slade* Sanat Profesörlüğünden istifa etti ve ileriki yaşamında gerçekten Kraliçe Victoria'nın aşçısı olduğuna inanarak delirdi. Gandi ondan, hayatında önemli etkide bulunan tek kişi olarak bahsetmiştir.

Cinsel iktidarsızlığa neden olmakla suçlanan diğer bir kasık kılı örneğinin, 1926'da D. H. Lawrence ile ressam Dorothy Brett arasındaki ilişkide yaşandığı iddia edilir. Güya Lawrence Brett'ı yatakta çırılçıplak bırakıp şu bahaneyi sunmuş: "Kılların çok fena."

Lawrence'ın biyografi yazarlarının çoğu bunun Brett'in bir uydurması olduğuna inanır, çünkü Brett bu hikayeyi ilk kez 1976'daki ölümünden birkaç ay önce anlatmıştır.

Tırnak ve saçlar ölümden sonra ne kadar süre daha uzar?

"Ölümden sonra saç ve tırnaklar üç gün daha uzar fakat çalan telefonlar azalır", önemli Johnny Carson deyişlerinin sonuncusu ve en iyisidir.

Fakat saç ve tırnaklar ölümden sonra hiç uzamaz. Bu tamamen bir efsanedir. Öldüğümüzde vücudumuz su kaybeder ve derimiz sıkılaşır, bu da saç ve tırnağın uzadığına dair bir göz yanılgısı yaratır.

Bu düşünce büyük ölçüde Erich Paul** Remarque'ın klasik romanı *Im Western nichts Neues*'a (*Batı Cephesinde Yeni Bir*

---

* Cambridge, Oxford ve Londra üniversitelerinde kıdemli sanat profesörlerine verile unvan. Oxford Üniversitesi'ndeki Güzel Sanatlar kürsüsüne, buradaki Slade unvanının ilk sahibi John Ruskin'in adı verilmiştir (ç.n.).

** Annesinin anısına adını Erich Maria Remarque olarak değiştirmiş ve *Im Western nichts Neues*'u da bu adla yayınlamıştır (y.n.).

Şey Yok, çev. Nurten Tunç, İstanbul: Oda Yayınları, 2002) dayanmaktadır. Bu kitapta hikaye anlatıcı Paul Baumer, arkadaşı Kemmerich'in ölümü üzerine kafa yorar: "Kemmerich nefes almayı bıraktıktan çok sonra bile tırnaklarının garip yassı mahzen bitkileri gibi uzamaya devam edecek olması beni korkutuyor. O görüntü gözümün önüne geliyor. Tirbuşon gibi kıvrılarak uzayıp gidecekler, çürüyen kafatasındaki saçlar da tırnaklarla birlikte uzayacak, aynı iyi bir topraktaki çimler gibi, aynı çimler gibi..."

Buna rağmen, ölümden sonra devam eden birçok eylem vardır: Yaşam boyu gelişir serpiliriz; bakteriler, böcekler, keneler, kurtlar için bu aynı zamanda kocaman bir çürüme sürecine katkıda bulunan çılgınca bir ziyafet olacaktır.

Vücudun en hevesli müşterisi kambur *phorid* ya da "tabut sineği"dir. Bu sinek hantal uçuşu nedeniyle "seğirten sinek" olarak da bilinir, bütün bir hayatını yeraltında bir cesedin içinde geçirebilir.

Tabut sinekleri özellikle iş insan vücuduna gelince çok açgözlüdür ve bir cesede ulaşmak için yerin bir metre aşağısına kadar girmeleri sık rastlanan bir şeydir.

Son zamanlarda phoridlerin *Apocephalus* adlı bir cinsi, Amerika'nın güneydoğusuna ilk kez 1930'larda Brezilya'dan kargo gemileriyle gelen ve gitgide yayılan ateş karıncası popülasyonunu kontrol altına alma girişiminde kullanılmaya başlanmıştır. Bu sinekler yumurtalarını karıncaların kafasına bırakır. Larva, ateş karıncasının kafasının içindekilerle beslenip birkaç gün sonra ortaya çıkar.

Atlas omuzlarında ne taşır?

Dünyayı değil gökkubbeyi taşır.

Titanlar Olimposlulara karşı isyan edince Zeus, Atlas'ı gökyüzünü taşıma cezasına çarptırdı. Bununla birlikte, Atlas çoğunlukla küre şeklinde bir şey taşırken tasvir edilir, en mükemmeli de Flaman Mercator'un toplu halde yayınlanan haritalarının kapağında kullanılanıdır.

Daha yakından bakılırsa bu kürenin aslında Dünya değil, gökkubbe olduğu görülecektir. Ayrıca Mercator, kitabının adını Titan'dan değil, ilk kez "göksel" küreyi ("yerküre"nin aksine) ürettiği kabul edilen (dağlara da adını vermiş olan) efsanevi filozof, Moritanya Kralı Atlas'tan almıştır.

Bu kitap, *Mercator'un Atlası* olarak tanındı ve bu isim daha sonraki herhangi bir harita kitabı için de kullanıldı.

Bir ayakkabı tamircisinin oğlu olan Gerard Mercator, 1512'de doğduğunda adı Gerard Kremer'di. Soyadı Flaman dilinde "pazar" anlamına geliyordu, bu yüzden soyadını Latinleştirip "pazarcı" anlamına gelen Mercator yaptı.

Mercator modern haritacılığın babasıdır ve tabii tüm zamanların en önde gelen Belçikalısıdır.

Mercator'un ünlü 1569 izdüşüm haritası –ki bu dünyayı enlem ve boylamların düz çizgileriyle kusursuz bir şekilde haritaya aktarma konusundaki ilk denemedir– çoğu insan için hâlâ "dünya"nın en inandırıcı görünüşü olmaya devam ediyor. Daha da önemlisi, ilk defa yanlışsız konum ve rota belirlemeye imkan vererek Keşif Çağı'nın bilimsel temelini oluşturmuştur.

Bazı biçim çarpıklıkları nedeniyle Mercator'un izdüşümü artık haritalarda ve atlaslarda çok seyrek kullanılıyor: 1989'da önde gelen ABD'li harita bilimi kurumları bu izdüşümün kullanımdan tamamen kaldırılması gerektiğini açıkladı.

İlginçtir ki, bu açıklama, NASA'nın, Mercator'un izdüşüm yöntemini Mars'ın haritasını çıkarmak için kullanmasını engellemedi.

En yüksek bulut nerededir?

Uluslararası Bulut Atlas Ölçeği'ne göre sıfırıncı bulut katmanı en yüksek katmandır. Bu katman, 12.000 m yükseklikte bulunabilen incecik bir tabakadan oluşan sirrus olarak bilinir. Dokuzuncu bulut katmanıysa kütlesel, kümelenen, gürüldeyen bulutlar olan kümülonimbustur. Bu katman ölçeğin en alt katmanıdır, çünkü tek bir bulut bile birkaç yüz metre alçaktan stratosfer seviyesine kadar (15.000 m) bütün bir mesafeyi kaplayabilir.

Uluslararası Bulut Atlası, bulutların isimlendirilmesi ve tanımlanması için uluslararası bir sistem üzerinde anlaşılmasını sağlayacak bir Bulut Komitesi kuran Uluslararası Meteoroloji Konferansı'nın sonucunda 1896'da yayınlandı. Bu kategorilerden on tanesi, 1802'de "Bulutların Değişimi Üzerine Deneme" makalesini yayınlamış olan İngiliz kimyager Luke Howard'ın (1772-1864) öncü çalışmalarına dayanıyordu.

Howard'ın çalışması, çocukken tanık olduğu, 1783'te Japonya ve İzlanda'da gerçekleşen volkanik patlamaların yarattığı "Great Fogg" [Büyük Sis] bulutunun tüm Avrupa'yı kapladığı tuhaf hava şartlarından etkilendi.

Onun çalışmaları John Constable, J. M. W. Turner ve Caspar David Friedrich'in manzara resimlerine ilham kaynağı oldu. Goethe, Howard'ın onuruna dört şiir yazdı ve bu mütevazı İngiliz Kuveykır'ını* "Bulutların Babası" saydı.

---

* Şiddete karşı olan ve ayinleri sessizlik içinde geçen bir Hıristiyan mezhebinin üyelerine verilen isim (Quaker) (ç.n.).

Bulutlar atmosferde asılı kalan minicik su damlacıkları ya da buz kristalleri yığınlarıdır. Bu damlacık ya da kristaller su buharının duman ya da tuz gibi daha da küçük parçacıklar etrafında yoğunlaşmasıyla oluşur. Bunlar yoğunlaşma çekirdekleri olarak adlandırılır.

Sirrus bulutları gökyüzünde tamamen buzdan oluşan tek buluttur. Bu bulut atmosferde daha önce zannedildiğinden çok daha fazla bulunur ve yerkürenin sıcaklığını düzenlemeye yardımcı olur. Bazen yüksekten uçan jetlerin bıraktığı izlerin yoğunlaşması bu bulutun oluşumunu tetikler.

11 Eylül 2001'den sonra hava trafiğinin durdurulması sonucunda sirrus koruması azaldığı için 48 saat içinde tüm ABD'deki günlük sıcaklık değişimleri 3°C arttı; çünkü gece daha fazla sıcaklık dışarı verilip gündüz daha çok gün ışığı içeri giriyordu.

Şampanyayı köpürten şey nedir?

Şampanyayı karbondioksit değil, pislik köpürtür.

Tamamen pürüzsüz ve temiz bir kadehte karbondioksit molekülleri görünmez bir şekilde buharlaşır, bu yüzden uzun zamandır kabarcıkların oluşmasına neden olan şeyin bardaktaki küçük kusurlar olduğu varsayılırdı.

> ***Hayatımdaki tek pişmanlığım daha fazla şampanya içmemiş olmamdır.***
>
> *JOHN MAYNARD KEYNES*

Fakat, yeni fotoğraf teknikleri bardaktaki iz ve pürüzlerin bu kabarcıkların sürekli asılı kalmalarına yetecek boyutta olmadığını gösterdi: Bardakta kabarcıkların oluşmasına neden olan şey, bardağın içindeki mikroskobik toz ve tüy parçacıklarıdır.

Teknik olarak, kadehteki kir/toz/tüy çözünmüş karbondioksitin yoğunlaşmasını sağlayan çekirdekler olarak iş görür.

Moet ve Chandon'a göre, ortalama bir şampanya şişesinde 250 milyon kabarcık vardır.

Çehov'un son sözleri "Uzun süredir şampanya içmedim" olmuştur.

Dönemin Alman tıp geleneğine göre, hiçbir umut kalmadığında doktor hastaya bir kadeh şampanya ikram ederdi.

Yağmur tanesinin şekli nasıldır?

Yağmur taneleri küre şeklindedir, gözyaşı şeklinde değildir.

Rulman ve kurşun gülle yapanlar düşen sıvıların bu özelliğini üretim süreçlerinde kullanır: Dökme kurşun çok yüksekten bir kalburdan geçirilerek soğuk suya damlatılır ve küre şeklini alır.

Gülle üretme kuleleri bu amaç için yapılırdı. Bu kulelerden biri 1951'deki İngiltere Festivali'ne kadar Londra'da Waterloo Köprüsü'nün yanında bulunmaktaydı.

Sadece 71 metre olan Baltimore'daki Phoenix Gülle Kulesi (hâlâ ayaktadır) İç Savaş'tan sonra Washington Anıtı yapılana kadar ABD'nin en yüksek binasıydı.

Yeryüzündeki oksijenin çoğunu üreten şey nedir?

Su yosunları.

Su yosunları fotosentezin atık maddesi olarak oksijen açığa çıkarır. Çıkardıkları net oksijen miktarı diğer tüm ağaçların ve kara bitkilerinin birlikte çıkardıklarından daha fazladır.

Ölü yosunlarsa petrol ve doğalgazın temel bileşenleridir.

Mavi-yeşil yosun ya da cyanobacteria (Yunanca *kyanos* – "koyu yeşilimsi mavi") 3,6 milyar yıllık fosillerle dünyanın bilinen en eski canlı varlığıdır.

Yosunların sınıflandırılması konusunda bitki ve bakteri arasında hep tereddüt ve kararsızlık olmuştur. Şimdi kati olarak Monera aleminin (Yunanca *moneres* – "tek" anlamına gelir, tek hücreli yapılar kastedilir) bakteri tarafındadırlar.

Bir tür yosun olan spirulina 4000 m^2 alanda soya fasulyesinin ürettiğinden yirmi kat daha fazla protein üretir. Spirulina, yüzde 70 protein (dana etinde yüzde 22'dir), yüzde 5 yağ, yüzde sıfır kolesterol ve muazzam düzeyde vitamin ve mineral içerir. Bu yüzden spirulina püresinin popülaritesi her geçen gün artmaktadır.

Ayrıca bağışıklık sistemini de destekler, özellikle protein interferonların üretilmesi ve vücudun virüs ve tümör hücrelerine karşı ilk savunmasında etkilidir.

Spirulinanın beslenme ve sağlıkla ilgili faydaları yüzyıllar önce Aztekler, Sahra içlerindeki Afrikalılar ve flamingolar tarafından keşfedilmişti.

Gelecek için önemi, bu yosunun verimli olmayan topraklarda tuzlu su kullanımıyla (bu suyu da geri dönüştürerek) yetiştirilebilir olmasıdır.

Erozyona neden olmayan bir üründür, gübre ya da zirai ilaç gerektirmez ve havayı yetişen her şeyden çok daha fazla temizler.

Birinci Dünya Savaşı'nda kullanılan Alman üniformaları neyden yapılmıştı?

Isırgan otu.

Birinci Dünya Savaşı sırasında hem Almanya hem de Avusturya'da pamuk kıtlığı vardı.

Pamuğun yerini tutabilecek uygun bir madde arayan bilimciler zekice bir çözüm denedi: Çok az miktarlarda pamuğu ısırgan otuyla karıştırdılar; özellikle de kaşındıran ısırganların (*Urtica dioica*) sert liflerini kullandılar.

Almanlar hiçbir sistematik üretim olmaksızın bu maddeden 1915'te 1,3 milyon kilo, bir sonraki yılsa 2,7 milyon kilo daha yetiştirdiler.

Küçük bir muhabereden sonra İngilizler iki Alman giysisini ele geçirmiş ve bu giysilerin yapısını şaşkınlıkla incelemiştir.

Isırganın pamuğa kıyasla birçok tarımsal kolaylığı vardır: Pamuk çok fazla sulama ister, sadece ılık iklimlerde yetişir ve ekonomik olarak yetiştirilmek isteniyorsa bol miktarda zirai ilaç gerektirir.

"Tamamen ısırgandan bir ceket" giymenin de tehlikeli bir tarafı yoktur, kaşındıran tüyler –zehir dolu silikadan yapılmış küçük deri altı şırıngaları– üretimde kullanılmaz. Sadece gövdedeki uzun lifler işe yarar.

Elbette bu bitkinin çeşitli kullanımlarını ilk keşfeden Almanlar değildi. Avrupa çevresindeki arkeolojik kalıntılar bu bitkinin balık ağı, sicim ve giysi yapımında on binlerce yıldır kullanılmakta olduğunu göstermektedir.

İngiltere'nin Dorset kasabasının Marshwood köyünde Bottle Inn adında bir bar her sene Dünya Isırgan Yeme Şampiyonası düzenlemektedir. Kurallar çok katıdır: Eldiven yok, ağza uyuşturucu madde almak yok (bira hariç) ve kusmak yok.

İşin püf noktası, ısırgan yaprağının tepesini kendinize doğru katlayıp dudaklarınız arasından ittirmekte ve bir yudum birayla hızlıca mideye indirmekte yatıyor. Kuru ağız, yara bere olur derler. Bir saatin sonunda boş sapları ardı ardına ekleyip en uzun sap dizisini yapan kazanır.

Şu andaki rekor erkeklerde 14,6 metre, kadınlarda 8 metre civarındadır.

Penisilini kim keşfetti?

Sir Alexander Fleming listenin çok çok altlarındadır.

Kuzey Afrika'nın Bedoin kabilesinin üyeleri bin yıldan fazla bir süredir eşek koşumlarının üzerindeki küfleri merhem yapımında kullanmaktadırlar.

1897'de Ernest Duchesne adında genç bir Fransız doktor, ahırcı Arap çocukların rutubetten küflenmiş semerleri, nasıl semer sıyrıklarını tedavi etmek için kullandıklarını gözlemleyerek bunu yeniden keşfetti.

Küfün *Penicillium glaucum* olduğunu saptadığı eksiksiz bir araştırma yaptı, küfü kobaylardaki tifo tedavisinde kullandı ve *E.coli* bakterisi üzerindeki yıkıcı etkisini fark etti. Bu sonradan penisilin olarak adlandırılan şeyin neye yaradığının klinik olarak ilk test edilişiydi.

Bunu tez olarak sundu ve daha derin bir araştırmanın gerekliliğini ileri sürdü, fakat Institut Pasteur tezin teslimini bile kabul etmedi; belki de bu, Ernest Duchesne'nin henüz 23 yaşında ve tamamen silik bir öğrenci olmasından kaynaklanmıştı.

Araya askerlik hizmeti girdi ve 1912'de kimse bilmeden –sonraları kendi buluşunun tedavi edebileceği bir hastalık olan– tüberkülozdan öldü.

Kıymeti ölümünden çok sonra, Sir Alexander Fleming'in penisilinin antibiyotik etkisini yeniden keşfiyle aldığı Nobel Ödülü'nün beş yıl ardından, 1949'da anlaşıldı.

> ***Bazıları aramadıkları şeyleri bulur.***
> ***ALEXANDER FLEMING***

Fleming "penisilin" kelimesini 1929'da icat etti. *Penicillium rubrum* olarak tanımladığı bir tür küfün antibiyotik özellikler gösterdiğini şans eseri fark etti. Aslında türleri karıştırdı. Bu küf seneler sonra Charles Thom tarafından, *Penicillium notatum* olarak doğru tanımlandı.

Küfün başlangıçta *Penicillium* olarak adlandırılmasının nedeni mikroskopla bakılınca spor üreten kollarının minicik boya fırçalarına benzetilmesiydi. Yazarların kullandığı fırçaların Latincesi *Penicillum*'dur ve İngilizcede kurşun kalem anlamına gelen "pencil" kelimesi de buradan gelir. Aslında, *Penicillium notatum* küf hücrelerinin korkunç bir şekilde çok daha fazla benzediği şey, insanın el kemikleridir. Şu internet sitesinde bir fotoğrafı var:

http://botit.botany.wisc.edu/Toms_fungi/nov2003.html

İngiliz Stilton peyniri, rokfor, mavi Danimarka peyniri, Gorgonzola, Camambert peyniri, Limburger ve bri peynirleri penisilin içerir.

Mide ülserinin sebebi nedir?

Stres ya da baharatlı yiyecekler değildir.

Yıllardır süregelen tıbbi tavsiyelerin aksine, mide ve bağırsak ülserinin stres ya da hayat tarzından değil, bir bakteriden kaynaklandığı anlaşılmaya başlandı.

Ülser hâlâ nispeten yaygındır, on insandan birinde ortaya

çıkmaktadır. Ülser acı veren ve ölümcül olabilen bir hastalıktır. Napolyon da, James Joyce da mide ülserine bağlı sorunlardan ölmüştür.

1980'lerin başında Barry Marshall ve Robin Warren isimli iki Avustralyalı patolojist, gastrit ve ülseri olan insanların midelerinin alt kısmında tanımlanamayan bir bakterinin önceden kolonileştiğini fark etti. Bu bakteriyi yetiştirip *Helicobacter pylori* ismini verdiler ve üzerinde deneyler yapmaya başladılar. Bakterinin ortadan kaldırılmasının ülseri de tedavi ettiğini keşfettiler.

Bugün bile çoğu insan ülserin stresten kaynaklandığını zannediyor. Bu kanının tıbbi açıklaması, stresin mideye kan pompalanmasını engelleyerek koruyucu iç çeper sıvısı salgılanmasını azaltmasıydı. Bu durum dokuyu mide asidine maruz bırakarak gittikçe ülsere sebep oluyordu.

Marshall ve Warren'ın tezleri modern tıpta daha önce görülmemişti: Bir kabarcığa ya da yaraya benzeyen yaygın bir fizyolojik vaka, aslında bulaşıcı bir hastalık olabilir.

Marshall kendi kendisinin kobayı oldu. Bir Petri kabı dolusu bakteri içti ve ciddi bir gastrit durumuyla karşı karşıya kaldı. Bu bakterinin ne durumda olduğuna dair kendisinde deneyler yapıp midesinin bu bakteriyle dolu olduğunu gördü, kendini bir kür antibiyotikle tedavi etti. Yaygın tıbbi kabulün yanlışlığı kanıtlanmış oldu.

2005'te Marshall ve Warren azim ve ileri görüşlülükleri nedeniyle ödüllendirilerek Nobel Tıp Ödülü'ne layık görüldüler.

Helicobacter pylori insan popülasyonunun yarısında ve gelişmekte olan ülkelerdeki insanların tamamında bulunuyor. Genelde çocuklukta bulaşıyor ve ömür boyu midede kalabiliyor. Bulaştığı insanların sadece yüzde 10-15'inde ülsere sebep olur.

Bunun neden olduğunu bilmiyoruz, ama nasıl tedavi edildiğini biliyoruz.

Kobaylar ne için kullanılır?

Öğle yemeği için.

Kobaylar ya da hintdomuzları artık neredeyse hiç deney hayvanı olarak kullanılmıyor, ama Perulular bunlardan her yıl yaklaşık 65 milyon adet tüketiyor. Ayrıca Kolombiya, Bolivya ve Ekvador'da da afiyetle yeniyorlar. En lezzetli yerleri tabii ki yanaklarıdır.

Laboratuvar hayvanlarının yüzde 99'u fare ve sıçanlardan oluşmaktadır ve tavşan ve tavuklar kobayların kendisinden çok daha fazla "kobay" olarak kullanılmaktadır.

Fare ve sıçanlar, genetik olarak daha kolay değiştirilebilirler ve 19. yüzyıl tıp araştırmalarının en çok tercih edilen kurbanları olan kobaylara nazaran çok daha çeşitli insan hastalığına model oluşturabilirler. 1890'larda difterinin antitoksini, kobaylar kullanılarak bulunmuş ve milyonlarca çocuğun hayatı kurtulmuştur.

Günümüzde kobayların kullanımları aşırı duyarlılık reaksiyonu çalışmalarında devam ediyor. Ayrıca beslenme araştırmalarında da kobaylardan faydalanılıyor, çünkü kobaylar (primatlar haricinde) C vitaminini kendileri sentezleyemeyen tek memelidir ve bu ihtiyaçlarını yiyecekler aracılığıyla karşılar.

Ortalama bir kobayın ağırlığı 250 gramla 700 gram arasında değişir, fakat Peru'daki La Molina Üniversitesi bir kiloluk kobaylar geliştirerek ihracat pazarında rağbet görmeyi umuyor. Eti az yağlı ve kolesterolü düşüktür, tadı tavşan etine benzer.

Peru'da hayvanların dumana ihtiyaçları olduğuna dair Andlar'dan gelen bir inanış gereği hayvanlar mutfakta tutulur. Ve Andlar'daki halk doktorları insanlardaki hastalıkları kobayları kullanarak ortaya çıkarır; bir kemirgen, hasta bir insanın üzerinde gezdirildiğinde hastalığın bulunduğu bölgede cıyaklayacağına inanılır. Peru'nun Cuzco şehrinin katedralinde Son Akşam Yemeği'ni tasvir eden bir tabloda İsa ve havarileri kızarmış kobay yemek üzereyken resmedilmiştir.

2003'te Venezuella'daki arkeologlar sekiz milyon yıl önce yaşamış olan kobay benzeri çok büyük bir yaratığın fosil kalıntılarını buldu. *Phoberomys pattersoni* bir inek büyüklüğünde ve ortalama evcil bir kobayın 1400 katı ağırlığındaydı.

İngilizcede kobaylar için kullanılan "guinea pig" teriminin nereden geldiğiniyse kimse bilmiyor. Fakat en olası açıklama, Güney Amerika'dan çıkıp Batı Afrika'daki Guinea limanı üzerinden Avrupa'ya geldikleridir.

Uzaydaki ilk hayvan hangisidir?

Meyve sineği.

1946 Temmuz'unda küçücük astronotlar bir miktar tahıl tohumuyla birlikte Amerikan V2 roketine bindirilip uzaya fırlatıldılar. Yüksek irtifada patlamanın radyasyon üzerine etkisini test etmeye alışkındılar.

Meyve sinekleri laboratuvarlar için idealdir. Bilinen insan hastalıkları genlerinin dörtte üçünün genetik kod karşılığı meyve sineklerinde bulunur. Onlar da geceleri uyur, narkoza benzer bir tepki verir ve en güzeli de çok çabuk ürerler. 15 günde yepyeni bir jenerasyon oluşturabilirsiniz.

Uzay, "100 km yükseklikten sonra başlar" diye tarif edilir.

Uzaya meyve sineğinden sonra ilk olarak yosun ve sonra da maymun gönderildi.

Uzaydaki ilk maymun 1949'da 134 km yüksekliğe ulaşan Albert II idi. Onun selefi Albert I bir yıl önce 100 km sınırına ulaşamadan boğularak can verdi. Maalesef Albert II de iniş sırasında roket kapsülündeki paraşütün açılmaması nedeniyle öldü.

Uzaydan bir maymunun sağlam dönebilmesi 1951'i buldu, Albert VI ona eşlik eden 11 fareyle birlikte dönmeyi başardı (gerçi o da dönüşünden iki saat sonra öldü).

Genelde öncü uzay maymunları pek uzun ömürlü olmaz, fakat 1959'daki görevinden sonra 25 yıl yaşamış olan sincabımsı maymun Baker gurur verici bir istisnadır.

Uzay hiç de uzak değildir: Arabanız dümdüz yukarı gidebiliyor olsa sadece bir saatlik yol.
FRED HOYLE

Ruslar köpekleri tercih etmiştir. Rusların yörüngeye gönderdiği ilk hayvan Sputnik 2'deki Laika'dır (1957), Laika uçuş sırasındaki sıcaklık stresinden dolayı öldü. Uzaya 1961'de çıkan ilk insan Yuri Gagarin'den önce en az on köpek daha gönderilmişti. Bu köpeklerden altısı yaşamlarına devam etti.

Ruslar 1968'de uzayın derinliklerine de hayvan gönderdi. Bu hayvan bir Horsefield kaplumbağasıydı ve ayın yörüngesindeki ilk canlı varlık (aynı zamanda dünyanın en hızlı kaplumbağası) oldu.

Uzaya gönderilmiş olan diğer hayvanlar arasında şempanzeler (hiçbiri ölmemiştir), hintdomuzu, kurbağa, fare, kedi, eşekarısı, böcek, örümcek ve çok dayanıklı bir balık olan mummi-chog var. Japonların uzaya gönderdiği hayvanlar ise 1985'te yolladıkları on tane semenderdir.

2003'teki Kolombiya uzay mekiği faciasından sağ kurtulan tek canlı, enkaz altında bulunan mekiğin laboratuvarından çıkan nematod kurtlarıdır.

Farenin mi daha çok boyun kemiği vardır, zürafanın mı?

İkisinin de yedi tane boyun omuru vardır, deniz ayısı (manati) ve tembel hayvan dışındaki tüm memelilerde de bu böyledir. İki parmaklı tembel hayvanda altı boyun omuru olduğundan kafasını çevirmekte zorlanır.

Kuşlar tüylerini temizlerken kafalarını çok fazla çevirme ihtiyacı duydukları için memelilerden çok daha fazla boyun omurları vardır. Baykuşların 14, ördeklerin 16 tane boyun omurları vardır, ama rekor 25 omurla sessiz kuğudadır.

Baykuşlar iddia edilenin aksine kafalarını 360 derece çeviremez, fakat 270 dereceye kadar çevirebilirler. Bu, fazladan omurlar ve kemiklerin birbirinden bağımsız hareket etmesini sağlayan özel bir kas yapısı sayesinde mümkün olabilmektedir.

Bu özellik, baykuşların gözlerini hareket ettirememesini telafi eder. Eğer görüş alanlarını değiştirmek isterlerse kafalarını çevirmek zorundadırlar.

Baykuşların gözleri dışa doğru çıkıktır, bu da nesneleri üç boyutlu görebilmelerine imkan veren dürbün görüşünü arttırır. Bu özellik gece avlanmak için zorunludur. Ayrıca mümkün olduğunca çok ışık alabilmek için gözleri oldukça büyüktür. Eğer bizim aynı ölçekte gözlerimiz olsaydı greyfurt büyüklüğünde olurdu.

Baykuşların gözleri daha da geniş bir retina oluşturabilmek için küre değil, boru biçimindedir. Alaca baykuşların gözleri ışığa bizim gözümüzden yüz kat daha duyarlıdır. Işık seviyesi bir mum ışığına düşürülse bile 500 metreden yerdeki fareyi görebilirler.

Keltler ne zamandır Britanya'da yaşıyor?

21 Haziran 1792'den beri.

O gün Londralı bir grup "ozan", Londra'daki Primrose Tepesi üzerine tamamen uydurma bir temsil sahneye koydu; bu temsilde çakıl taşından yapılmış daireler kullandılar ve eski Kelt ulusuna ve Kelt papazlarına ait bir ayini yeniden canlandırdıklarını iddia ettiler.

Bundan önce "Kelt" kelimesinin Roma öncesi İngiltere ya da İrlanda yerlilerini tanımlamak için kullanıldığına dair hiçbir kayıt yoktur ve kendilerini tanımlamak için de bu terimi asla kullanmamışlardır.

"Kelt" kelimesi MÖ 450'de Yunan tarihçi Herodot tarafından Alpler'in kuzeyinde Tuna'nın doğduğu yerdeki insanları tanımlamak için ortaya atılmıştır.

Bu insanların Roma dönemindeki isimleri *Galli*'dir ("Tavuk insan") ve Romalılar Britanya adasının yerlilerine kesinlikle Kelt değil *Britanni* derlerdi.

İngilizcedeki "Kelt" sözcüğünün kullanımı 17. yüzyıla uzanır. Oxford'da yaşayan Edward Lluyd adındaki Galli bir dilbilimci İrlanda, İskoçya, Galler, Cornwall ve Britanya'da konuşulan dillerin benzerliklerine dikkat çekti. Bu dillere "Keltçe" adını verdi ve bu isim de öylece kaldı.

Ayrıca "Kelt" kelimesi İrlanda'da hediyelik eşya satılan yerlerdeki kıvır kıvır tasarım tarzını tanımlamak için de kullanılır. Bunun etnik olarak homojen bir grup insan tarafından yapıldığını ileri sürmek için yeterli kanıt yoktur.

Çoğu tarihçi "Kelt" olarak adlandırdığımız kültür ve dilin istilayla değil, kurulan ilişkiler yoluyla yayılmış olduğunu düşünüyor. İnsanlar, mimariyi, adetleri ve konuşma şekillerini aynı etnik gruba ait oldukları için değil, daha kullanışlı ya da çekici oldukları için benimseyerek Kelt "olmuştur".

Atları seven usta zanaatkarları, yaşlı bilge Kelt papazları, arp çalan şairleri ve vahşi sakallı savaşçıları içeren bir Kelt İmparatorluğu yönündeki romantik düşünce, 18. yüzyılın sonunda başlayan Kelt Uyanışı'nın ürünüdür.

Bu düşünce tarihsel bir gerçeklik olmaktan çok, modern İrlanda, Galler ve İskoç milliyetçiliğiyle alakalıdır.

Dünya'nın etrafını dolaşan ilk insan kimdir?

Zenci Henry.

Hemen herkese yabancı bir isim olan Enrique de Malaca, Macellan'ın kölesi ve çevirmeniydi.

Ferdinand Macellan dünyanın etrafındaki turunu asla tamamlayamadı. 1521'de Filipinler'de henüz turun yarısındayken öldürüldü.

Macellan 1511'de Portekiz'den çıkıp Hint Okyanusu'nu geçerek önce Uzakdoğu'yu ziyaret etti. Zenci Henry'yi 1511'de Malezya'daki bir köle pazarında buldu ve onu geldiği yoldan Lizbon'a götürdü.

1519'da çıkılan dünya turu girişimi de dahil olmak üzere bundan sonraki tüm yolculuklarında Zenci Henry, Macellan'ın yanında gitti. Bu yolculuk diğer yönden, yani Atlas Okyanusu'nu ve Büyük Okyanus'u geçerek gerçekleşti, bu yüzden 1521'de Uzakdoğu'ya vardıklarında Zenci Henry dünyanın etrafını tam olarak dolaşmış ilk insan oldu.

Kimse Zenci Henry'nin nerede doğduğunu bilmiyor –muhtemelen çocukken Sumatralı korsanlarca kaçırılıp köle olarak satılmıştı– fakat Filipinlere vardığında oranın yerlilerinin kendi anadilini konuştuğunu gördü.

Macellan'ın ölümünden sonra zor yolculuk devam etti, Bask komutan yardımcısı Juan Sebastian Elcano önderliğinde dünya turu başarıyla tamamlandı.

Turun bu kısmında Zenci Henry onlarla birlikte değildi. Elcano, Macellan'ın vasiyeti olan Henry'yi kölelikten azat etme sözünü yerine getirmeyi reddedince Henry kaçtı ve bir daha da onu gören olmadı.

Juan Sebastian Elcano, tek bir yolculukla dünyanın çevresini dolaşan ilk insan olma şerefine erişti.

1522 Eylül'ünde Sevilla'ya döndü. Dört yıl önce beş gemi yola çıkmıştı, fakat geri dönebilen sadece *Victoria* oldu. Gemi baharat doluydu, ama yola çıkan 264 mürettebattan sadece 18'i hayatta kalabildi: Geri kalanların sonunu iskorbüt, yetersiz beslenme, yerlilerle çatışmalar hazırladı.

İspanya Kralı, Elcano'yu, kollarına "Benim çevremi ilk sen dolaştın" sözüyle birlikte bir dünya resminin işlendiği bir palto ile ödüllendirdi.

Zenci Henry birçok güneydoğu Asya ülkesinin milli kahramanıdır.

Dünya'nın Güneş'in çevresinde döndüğünü ilk iddia eden kişi kimdir?

Kopernik'ten tam 1800 yıl önce MÖ 310'da doğan Samoslu Aristarkos.

Aristarkos sadece yerküre ve gezegenlerin Güneş etrafında

döndüğünü ortaya atmakla kalmamış, Dünya, Ay ve Güneş'in birbirlerine göre olan büyüklüklerini ve uzaklıklarını hesaplamış ve gökyüzünün küresel bir kubbe şeklinde değil neredeyse sonsuz genişlikte bir evren olduğunu keşfetmiştir. Ama onu dikkate alan olmamıştır.

Aristarkos yaşarken gökbilimciden çok matematikçi olarak tanınırdı. Onun hakkında İskenderiye Lisesi'nde okuduğu ve daha sonraları Romalı mimar Vitruvius'un belirttiği gibi "bilimin her dalında bilgili" bir adam olduğu dışında pek bir şey bilmiyoruz. Ayrıca yarıküre şeklindeki güneş saatini de o icat etmiştir.

Sadece bir çalışması günümüze ulaşabilmiştir: *Güneş'in ve Ay'ın Büyüklük ve Mesafeleri Üzerine*. Maalesef burada Güneş merkezli teorisinden bahsetmiyor. Bu teoriden, Arşimet'in, Aristarkos'un teorilerine muhalefet ettiği bir yazısındaki tek bir yorumundan dolayı haberdarız.

Kopernik kesinlikle Aristarkos'un farkındaydı, çünkü çığır açan eseri *Göklerdeki Kürelerin Dönüşüne Dair*'in elyazmalarında ondan saygıyla bahseder. Fakat kitap 1514'te basıldığında ileri görüşlü Yunanlarla ilgili kısımlar, muhtemelen kitabın özgünlük iddialarını sarsmasına kızan yayımcı tarafından çıkarılmıştır.

İzafiyet Teorisi'ni kim buldu?

Einstein bulmadı. İzafiyet teorisi ilk kez 1632'de Galileo Galilei tarafından *Dünyanın Başlıca İki Sistemine Dair Diyalog* makalesinde dile getirildi.

İzafiyeti anlamak için, yerini aldığı teoriyi anlamamız gerekir. Bu teori, MÖ 4. yüzyılda Aristoteles tarafından doğru kabul edilen "eylemsizlik" teorisidir ve eylemsizliğin her nesnenin doğal hali olduğunu, bir nesne kendi haline bırakıldığında ilk durumuna geri döneceğini belirtir.

İzafiyet teorisi, tüm nesnelerin hareketinin birbirlerinin hareketine bağlı olduğunu ve bir nesneyi "eylemsiz" olarak tanımlamanın sadece bir kabul olduğunu savunur. Bu teori şöyle devam eder: Bir nesnenin hızı da kesin olarak belirtilemez; sadece başka bir şeye "izafeten" belirtilebilir.

İtalyan gökbilimci ve filozof Galileo da modern fiziğin kurucularından biridir. O daha çok "Kopernik"in (ya da Aristarkos'un) Dünya'nın Güneş etrafında döndüğüne dair teorisini desteklemesiyle ünlüdür.

Katolik Kilisesi ona şiddetle cephe almıştır, fakat Galileo ilkeleri için fare dolu bir hücrede çürümemiştir. Cezasını çekmeye Siena Başpiskoposu'nun lüks evinde başlamış ve daha sonra rahat bir göz hapsi için Floransa yakınındaki villasına geri götürülmüştür. Katolik Kilisesi 1992'ye kadar Galileo'nun güneş sistemi hakkındaki görüşlerinin doğruluğunu kabul etmemiştir.

Galileo bu konuda haklı olabilir, fakat hatalar yapmaya da çok açıktır: Dünya'nın dönüşüyle ilgili en dikkat çekici iddiası, gelgitlere Dünya'nın kendi etrafındaki dönüşünün sebep olduğuydu. Akdeniz'de Kızıldeniz'den daha çok gelgit olduğunu gözlemlemiş ve bunu denizin, Dünya'nın dönüşüyle çalkalanmasına bağlamıştır; ayrıca Akdeniz'in, doğu-batı hizasında olduğu için daha güçlü hareket ettiğini savunmuştur.

Bu argüman, görgü tanığı gemicilerin ifadesiyle yalanlanmıştır. Gemiciler, Galileo'nun ileri sürdüğü gibi tek değil, günde iki gelgit olduğunu işaret etmiştir. Galileo onlara inanmayı reddetmiştir.

Albert Einstein da Galileo'nun izafiyet teorisinde bazı hatalar olduğunu fark etmiştir, ya da daha ziyade özel durumlarda teori çökmüştür.

Einstein'ın 1905'teki *On the Electrodynamics of Moving Bodies* [Hareket Eden Cisimlerin Elektrodinamiği Üzerine] makalesi, Özel İzafiyet Teorisi'nden bahseden ilk çalışmadır ve burada, boşlukta ışık hızına yakın hareket eden cisimlerin garip özellikleri tarif edilir.

Özel teoriyi ağırlık gibi daha geniş ölçekli olaylara da uygulayan Genel İzafiyet Teorisi ise on yıl sonra, 1915'te yayımlandı.

Kolomb Dünya'nın şeklinin nasıl olduğunu düşünüyordu?

a. Düz
b. Yuvarlak
c. Armut şeklinde
d. Kutuplardan basık küre şeklinde

Kolomb asla dünyanın yuvarlak oluğunu söylememiştir. O, dünyanın armut şeklinde ve gerçek boyutunun dörtte biri büyüklüğünde olduğunu sanıyordu.

Daha sonra kazandığı ünün aksine Kolomb'un 1492'deki yolculuğu yeni bir kıta keşfetme iddiasından çok, Asya'nın herkesin zannettiğinden çok daha yakın olduğunu kanıtlama iddiasındaydı. Fakat Kolomb yanılıyordu.

Kolomb Amerika kıtasına asla ayak basmamıştır, Amerika'ya yaklaşabildiği en uç nokta Bahama Adaları (muhtemelen küçük Plana Yassı Adaları) idi, fakat mürettebata sorulduğunda Hindistan'a vardıklarını söylemeleri için yemin ettirdi. Kolomb 1506'da Valladolid'de öldü ve Asya kıyılarına ulaştığına sonuna kadar emindi.

Kolomb hakkında olağanüstü derecede belirsizlikler var. Çoğu ifade onun Cenevizli dokumacı Domenico Columbo'nun oğlu olduğunu işaret eder, fakat onunla ilgili Sefarad Yahudisi, İspanyol, Portekizli, Katalan ve hatta Yunan olduğuna dair çok sayıda tutarsız iddia bulunuyor.

İlk öğrendiği dil olduğu için Kolomb'un Ceneviz aksanı vardı (İtalyan değil), daha sonra İspanyolca (belirgin bir Portekiz aksanıyla) ve Latince okuyup yazmayı öğrendi. Hatta gizli gizli Yunanca bir günlük tuttu.

Hiçbir orijinal portresi günümüze ulaşamadığı için dış görünüşü nasıldı bilmiyoruz, fakat oğlu 30 yaşına kadar sarışın olduğunu ve otuzundan sonra saçlarının tamamen beyazladığını söylemiştir.

Bazı dahilere gülünüp geçildiği, gülünen herkesin dahi olacağı anlamına gelmez. Kolomb'a güldüler, Fulton'a güldüler, Wright Kardeşler'e güldüler. Ama aynı zamanda Soytarı Bozo'ya da güldüler.

CARL SAGAN

Nereye gömüldüğünü bile tam olarak bilmiyoruz. 16. yüzyılda önemli insanlar için âdet olduğu üzere derisinin yüzüldüğünü ve kemiklerinin önce Valladolid'e, sonra da Sevilla'daki keşiş mezarlığına defnedildiğini biliyoruz. Oradan da Küba Santa Domingo'ya, daha sonra Havana'ya ve en sonunda muhtemelen 1898'de Sevilla Katedrali'ne gömülmüştür.

Fakat, Santa Domingo'da isminin yazılı olduğu bir tabut bulunuyor. Cenova ve Pavia birbirlerine karşı Kolomb'tan kalanlar üzerinde hak iddia ediyor. DNA testleri yapılabilir, ama kesin olan şu ki, Kolomb'un –ya da Columbo'nun ya da (kendi tercih ettiği şekliyle) Colon'un– son gömülme yeri tıpkı hayatı ve başarıları gibi tartışmalı bir konu olarak kalacak.

Ortaçağ'da insanlar Dünya'nın şeklinin nasıl olduğunu düşünüyordu?

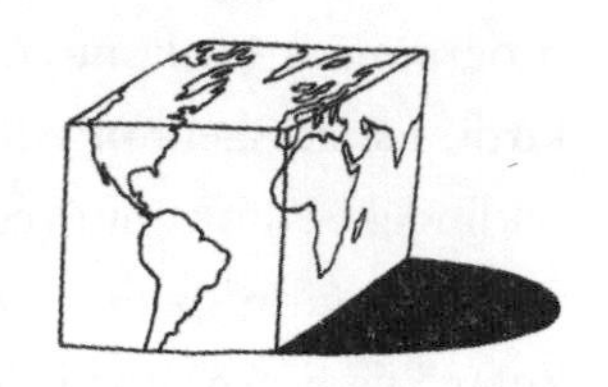

Düşündüğünüz gibi değil.

MÖ 4. yüzyıl civarından beri Dünya'nın düz olduğunu zanneden hemen hemen kimse olmamıştır. Fakat Dünya'yı düz bir tepsi gibi göstermek isteseniz Birleşmiş Milletler bayrağındakine çok benzer bir şey elde edersiniz.

Hatta dümdüz bir Dünya inanışı, 19. yüzyıl öncesinde ortaya çıkmış olan bir şey değildi. Bunun müsebbibi olan metin, Washington Irving'in, Kolomb'un, yolculuğuna Dünya'nın yuvarlak olduğunu kanıtlamak için çıktığına dair hatalı izlenimi yansıtan yarı kurgusal *The Life and Voyages of Christopher Columbus* [Christof Kolomb'un Hayatı ve Yolculukları] (1828) kitabıdır.

Tepsi şeklinde bir Dünya fikri ciddi olarak ilk kez 1838'de tuhaf bir İngiliz olan Samuel Birley Rowbotham tarafından yayımlanan on altı sayfalık bir makaleyle ortaya atıldı: "Zetetic Astronomy: A Description of Several Experiments which Prove that the Surface of the Sea Is a Perfect Plane and that the Earth is not a Globe [Zetetik Astronomi: Dünya'nın Küre Olmadığını ve Denizin Dümdüz Bir Yüzey Olduğunu Kanıtlayan Çeşitli Deneylerin Tarifi] ("Zetetik", "araştırmak, soruşturmak" anlamına gelen Yunanca *zetein* kelimesinden türemiştir).

Bir yüzyıldan daha uzun bir süre sonra, sadık bir Hıristiyan olan Samuel Shenton isminde bir Kraliyet Astronomi Birliği üyesi, Evrensel Zetetik Birliği'ni, Uluslararası Düz Dünya Birliği olarak yeniden kurdu.

NASA'nın 1960'larda aya ayak basmakla sonuçlanan uzay

programının bu konuyu tarihin derinliklerine gömmesi gerekirdi. Fakat Shenton yılmıyordu. Uzaydan çekilmiş olan küre şeklindeki Dünya'nın resimlerine bakınca "Bunun gibi bir fotoğrafın eğitimsiz bir gözü nasıl kandırabileceğini görmek çok kolay" dedi. Apollo inişleri, tabii ki senaryosu Arthur C. Clarke tarafından yazılmış bir Hollywood hilesiydi. Kurduğu derneğe üye olanlar hızla arttı.

Shenton 1971'de öldü, ama birliğin başkanı olacak selefini seçmeyi ihmal etmemişti. Charles K. Johnson yönetimi ele aldı ve kahramanca, gösterişsiz bir "Büyük Bilim* karşıtı" hareketi canlandırdı. 1990'ların başında üyeleri 3500'lerin üzerine yükseliverdi.

Mojave çölünün engin düzlüğünde yaşamış ve çalışmış olan Johnson, üzerinde yaşadığımız Dünya'yı, merkezinde Kuzey Kutbu'nun olduğu, çevresi 45 metre yüksekliğindeki buzdan duvarla örülü bir disk olarak tasavvur etmiştir. Güneş ve Ay'ın her ikisi de 51 km çapında ve yıldızlar Dünya'dan "yaklaşık San Francisco'dan Boston arası kadar bir mesafededir."

Johnson'un çöl sığınağı 1995'te yandı ve birliğin tüm belgeleri, üye listeleri yok oldu. Johnson, birliğin birkaç yüz üyeye gerilediği sıralarda, 2001'de öldü. Birlik şu anda sadece, 800 kayıtlı kullanıcısı olan bir internet forumu olarak varlığını sürdürüyor: www.theflatearthsociety.org.

Dünya'nın yuvarlak olduğunu ilk kim keşfetti?

Kim değil, ne keşfetti demek lazım. İlk keşfeden arılardır.

---

* Büyük Bilim (Big Science), 2. Dünya Savaşı öncesinde ve sırasında büyük makine ve laboratuvarlarda yapılan büyük bütçeli, büyük ekipli çalışmaların bilimde meydana getirdiği değişimleri açıklamak için kullanılan bir terimdir (ç.n.).

Bal arıları en iyi bal özünün nerede olduğunu birbirlerine anlatmak için Güneş'i referans noktası alan karmaşık bir dil geliştirmişlerdir. Şaşırtıcı bir şekilde, bunu bulutlu havalarda da, geceleri de, *Dünya'nın öbür tarafında olan* Güneş'in pozisyonunu hesaplayarak yapabiliyorlar. Bu da onların, bizden 1,5 milyon kat daha küçük beyne sahip olmalarına rağmen bilgiyi öğrenip saklayabildikleri anlamına geliyor.

Bir arının beyninde 950.000 civarında nöron vardır. İnsan beyninde ise 100 ila 200 milyar arası nöron bulunur.

Bal arılarında, Güneş'in gökyüzünde 24 saat boyunca gerçekleştirdiği hareketleri gösteren içsel bir "harita" vardır, çabucak yerel şartlara uyum sağlayabilmek için bu haritayı değiştirebilirler (nereden nereye uçulacağına dair karar 5 saniye içinde verilmek zorundadır).

Ayrıca, bal arıları yerkürenin manyetik alanına diğer tüm canlılardan daha duyarlıdır. Bu özelliklerini rota belirlemede ve kovanlardaki petek levhaların yapımında kullanırlar. Yapılmakta olan bir peteğin yakınına güçlü bir mıknatıs konursa, doğadaki hiçbir şeye benzemeyen silindirimsi garip bir petek oluşur.

Bir arı kovanının sıcaklığı insan vücudununkiyle aynıdır.

Arılar yaklaşık 150 milyon yıl önce, Kretase döneminde, kabaca çiçekli bitkilerle aynı zamanlarda meydana çıkmıştır. Bal arısı familyası, *Apis*, 25 milyon yıl öncesine kadar henüz ortaya çıkmamıştı. Onlar gerçekten otçul yaban arılarının bir türüdür.

Arılar antenleriyle koku alır. Kraliçe bal arısı "kraliçe özü" denen bir kimyasal vererek işçi arıların dişi döl üretmelerini engeller.

Bir çay kaşığı dolusu bal üretmek için 12 arının ömür boyu çalışması gerekir. Arıların bir turu yaklaşık 12 km'dir ve günde birçok turları olur. 450 gram bal üretebilmek için bir arının 75.000 km yol kat etmesi gerekir, ki bu neredeyse Dünya'nın çevresinde iki tur atmak demektir.

Arılar neden vızıldar?

İletişim kurmak için.

Arılar hareketleri ve "dansları" gibi, vızıltılarını da bilgiyi iletmek için kullanırlar. Arılarla ilgili on farklı ses tanımlanmış ve bazıları belirli faaliyetlerle ilişkilendirilmiştir.

Bu kullanımlardan en belirgini, kovanı soğutmak için yapılan "yelpazeleme"dir. Saniyede 250 vuruşla uzun ve durağandır, kovanın kendisi bu sesi daha da güçlendirir. Arılar ayrıca tehlikeyi haber vermek için daha yüksek sesle vızıldarlar (bir kovana yaklaşırsanız ses tonundaki değişimi fark edersiniz); "tehlike geçti" işaretini verip kovanı yatıştırana kadar saniyede 500 vuruşluk bir dizi gerçekleştirirler.

Özellikle kraliçe arı çok zengin çeşitlilikte sese sahiptir. Yeni bir kraliçe yavruladığında yüksek perdeden cıvıldar, buna "ötme" ya da "çığırma" denir. Kız kardeşleri (hücrelerinde kıvrılmış durumda) bu sese vıraklama gibi bir sesle cevap verirler. Bu büyük bir hatadır: Bir kovanda sadece bir kraliçe olabilir. Yavrulayan kraliçe "vıraklamaları" rehber olarak kullanıp her birini avlar; hücrelerini yararak açar, sonra da ya öldürene kadar sokar ya da kafalarını koparır.

Arılar bacaklarını duymak için kullanır: Kovandaki ses "mesajları" titreşimin yoğunluğu sayesinde iletilir. Fakat, arıların antenleri üzerine yapılan son araştırmalar, "koklamak" için kullandıkları kimyasal reseptörler kadar, antenleri kaplayan kulak çeperi gibi levhaları da (bunlar "kulak" olabilir) kullandıklarını ortaya koymaktadır.

Bu, "sallanma dansı" sırasında diğer işçi arıların, antenleriyle neden dans eden arıların "sallanan" karınları yerine göğüslerine dokunduklarını açıklıyor – bal özüne götüren bilgileri görmekten ziyade duyuyorlar. Ne de olsa kovanın içi karanlık.

Arıların nasıl vızıldadığı daha tartışmalı. Son zamanlara kadar başlıca teori, yanlarında bulunan 14 ("solunum deliği" denen) nefes alma deliğini (aynen bir trompetçinin enstrümanının sesini dudaklarıyla kontrol etmesi gibi) ses çıkarmak için kullandıklarıydı.

California Üniversitesi'ndeki böcekbilimciler bu delikleri dikkatlice kapatarak bu teorinin yanlış olduğunu ispatladı. Delikler kapatıldıktan sonra da arılar hâlâ vızıldıyordu.

En son hipotez ise vızıldamanın kısmen kanatlardaki titreşimden kaynaklandığı ve göğsün bu sesi biraz güçlendirdiği yönünde. Bir arının kanadını koparmak sesin şiddeti ve yoğunluğunu değiştirse de vızıldamasını durdurmaz.

Cüssesine kıyasla en büyük beyne sahip olan hayvan hangisidir?

a. Filler
b. Yunuslar
c. Karıncalar
d. İnsanlar

Karıncalar.

Karıncanın beyni vücudunun toplam ağırlığının yüzde 6'sını oluşturur. Aynı yüzdeyi insana da uygulayacak olsaydık kafamızın şu andakinden üç kat daha büyük olması gerekirdi ve eğer öyle olsaydı hepimiz Mekon ya da Morrissey gibi görünürdük.

Ortalama insan beyninin ağırlığı 1,6 kg'dır, bu da vücut ağırlığımızın yüzde 2'sinden biraz fazladır. Bir karıncanın beyni yaklaşık 0,3 mg'dır.

Karıncalar huzursuzluk yaratacak derecede insanlara benzerler. Mantar yetiştirirler, böcek olarak afid beslerler, ordularını savaşa sokarlar, düşmanlarını korkutmak ve bozguna uğratmak için kimyasal spreyler kullanırlar, esir alırlar, çocuk işçi kullanırlar, durmaksızın bilgi alışverişinde bulunurlar. Televizyon izlemek dışında her şeyi yaparlar.

LEWIS THOMAS

Karıncaların beyninde insan beynindeki nöronların sadece bir kısmı bulunsa da bir karınca kolonisi bir süper organizmadır. 40.000 karıncalık ortalama bir yuvada bir insanınkine eşit sayıda beyin hücresi vardır.

Karıncalar 130 milyon yıldır yaşıyor ve konuştuğumuz sırada yaklaşık 10.000 trilyon tanesi dolaşıp duruyor. Gezegenimizdeki karıncaların toplam kütlesi insanların toplam kütlesinden daha fazladır.

Karıncaların bilinen 8000 türü var. Dünyadaki toplam böceklerin yüzde birini karıncalar oluşturuyor. Dünyadaki toplam böcek sayısı bir kentilyon olarak hesaplanmıştır (yani 1.000.000.000.000.000.000 adet).

Karıncalar günde sadece birkaç dakika uyur ve su altında 19 gün yaşayabilirler. Ağaç karıncası kafası olmadan yirmi dört saat idare edebilir. Fakat yalnız bir karınca, kafası olsun olmasın, kolonisi dışında tek başına yaşayamaz.

Görünüşe göre, karıncaların yollarını bulmalarına yardımcı

olan görsel bir hafızaları vardır. Geçtikleri yerlerin seri fotoğraflarını çekiyor gibidirler. Bilimciler karıncaların minnacık beyinlerinin bu kadar bilgiyi nasıl sakladığını anlayamıyor.

Karıncalar insanlardan daha güçlü değildir. Karıncalar kendi ağırlıklarının misliyle fazlasını kaldırabilir, ama bunun tek nedeni küçük olmalarıdır. Hayvan ne kadar küçük olursa vücut kütlesine bağlı olarak kasları da o kadar güçlü olur. Eğer insanlar karıncalarla aynı boyutta olsaydı onlar da o kadar güçlü olurdu.

Beynimizin ne kadarını kullanırız?

Yüzde yüzünü.

Ya da yüzde üçünü.

Genelde beynimizin yüzde 10'unu kullandığımız söylenir. Bu genelde geri kalan yüzde 90'ı da kullanabilsek ne olacağı tartışmasına neden olur.

Aslında insan beyninin tamamı zaman zaman da olsa kullanılır. Diğer yandan New York Üniversitesi Sinirsel Bilimler Merkezi'nden Peter Lennie'nin yakın zamanlarda yazdığı bir makale, beynin ideal olarak nöronların yüzde üçünden fazlasını aynı anda çalıştırmaması gerektiğini, aksi halde kullanılan her bir nöronu düzeltmek için, beynin karşılayabileceğinden çok daha büyük bir enerjiye ihtiyaç duyduğunu belirtmektedir.

Merkezi sinir sistemi beyin ve omurilikten oluşur ve iki tür hücreden meydana gelir: Nöronlar ve glia hücreleri.

Nöronlar temel bilgi işleyicileridir, aralarında veri alışverişi yaparlar. Veriler dal benzeri dendritler aracılığıyla alınır ve kablo benzeri aksonlarla verilir.

Her bir nöronda 10.000'e kadar dendrit olabilir fakat sadece bir akson vardır. Akson, küçük bir nöron hücresinden binlerce kat daha uzun olabilir. Zürafalarda bulunan en uzun akson hücresi 4,5 metre uzunluğundadır.

Sinapslar, akson ve dendritler arasındaki elektrik itkisinin kimyasal sinyallere çevrildiği geçiş yerleridir. Sinapslar elektrik düğmeleri gibidir, bir nöronu diğerine bağlayarak beyni bir iletişim ağına dönüştürürler.

Glia hücreleri beynin yapısal çerçevesini oluşturur, nöronları idare ederek temizlik işlevi görür ve nöronlar öldükten sonra kalıntıları temizler. Beyinde nöronların elli katı kadar glia vardır.

Tek bir insan beyninde yaklaşık beş milyon km akson, bir katrilyon (1.000.000.000.000.000) sinaps ve 200 milyar kadar nöron vardır. Eğer nöronlar dışarıda yan yana yayılsalar 25.000 metrekarelik alanı, yani bir futbol sahasının dört katını kaplarlar.

Beyin içinde bilgi alışverişi yollarının sayısı dünyadaki atom sayısından daha fazladır. Bu muazzam potansiyelle, beynimizin kaçta kaçını kullanırsak kullanalım hepimiz tabii ki biraz daha iyisini yapabiliriz.

Beynimiz ne renktir?

Yaşadığımız sürece pembe renktedir. Rengini damarlarımızdan alır. Oksijenli taze kan olmazsa (vücuttan çıkarıldığında olduğu gibi) insan beyni griye döner.

İşleri biraz karıştıralım; yaşayan bir beynin yaklaşık yüzde 40'ı "gri madde", yüzde 60'ı "beyaz madde"den oluşur. Bu ifadeler bizim gördüğümüz renklerle örtüşen tanımlamalar değil, daha ziyade küçük parçalara ayrılmış ve bölümler halinde iki belirgin şekilde farklı beyin dokusudur.

Beyin incelemeleriyle bu bölümlerin her birinin fonksiyonunun ne olduğunu anlamaya başladık. Gri madde gerçek bilgi "işlemesi"nin yapıldığı hücreleri içerir. Beyinde kullanılan oksijenin yaklaşık yüzde 94'ünü kullanır.

Beyaz madde yağlı bir protein olan *myelin*'dir, hücrelerin dışına doğru uzayan dendrit ve aksonları sararak birbirinden ayırmaya yarar. Farklı gri maddeleri birbirine ve gri maddeyi vücudun diğer taraflarına da bağlayarak beynin iletişim ağını oluşturur.

İyi bir benzetme bilgisayardır. Gri madde işlemci, beyaz madde ise kablo bağlantısını oluşturur. Zeka dediğimiz şey hem birlikte hem de hızlı çalışmayı gerektirir.

Şimdi iş daha da ilginç bir hal alıyor: California ve New Mexico üniversitelerinde aynı IQ'ya sahip kadın ve erkek beyinleri üzerinde incelemeler yapıldı. Sonuçlar şaşırtıcıydı: Erkeklerde kadınlarınkinden altı buçuk kat daha fazla gri madde varken kadınlarda erkeklerden on kat daha fazla beyaz madde vardı.

Kadınlardaki beyaz maddenin ön loblarda yoğunlaşmış olduğu, erkeklerdeyse ön loblarda hiç beyaz madde olmadığı anlaşıldı. Bu ön lobların duygusal kontrol, kişilik ve karar almada önemli olduğu düşünülüyor.

Yani cinsiyet farkıyla ilgili bütün çeşitli "Mars ve Venüs" teorileri yakında fizyolojik bir gerekçe bulabilir. Kadın ve erkeğin beyni farklı bağlantı ve şekillenmeye sahip gibi görünüyor. Ortaya çıkan sonuç (zeka) aynı, fakat üretilme şekli çok farklı.

Alkolün beyin hücreleri üzerindeki etkisi nedir?

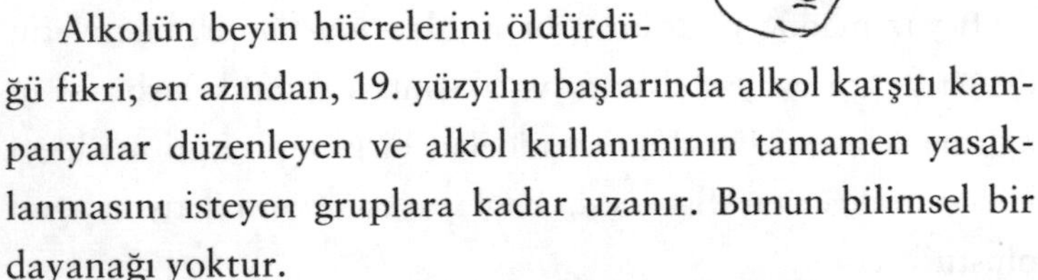

İyi haber. Alkol beyin hücrelerini "öldürmez." Sadece yeni hücrelerin daha yavaş büyümesine neden olur.

Alkolün beyin hücrelerini öldürdüğü fikri, en azından, 19. yüzyılın başlarında alkol karşıtı kampanyalar düzenleyen ve alkol kullanımının tamamen yasaklanmasını isteyen gruplara kadar uzanır. Bunun bilimsel bir dayanağı yoktur.

Alkoliklerden ve alkol kullanmayanlardan alınan örnekler, hem toplam nöron sayısı hem de nöronların yoğunluğu açısından belirgin bir fark göstermemiştir. Birçok diğer çalışma, makul miktarda içmenin aslında kavramaya yardımcı olabildiğini göstermiştir. İsveç'teki bir çalışma alkol verilmiş farelerde *daha çok* beyin hücresi oluştuğunu ortaya koymuştur.

Çok fazla alkol kullanımı beyinde ciddi zararlara neden olur, fakat bu zararların hücrelerin ölmesiyle bir ilgisi olduğuna dair hiçbir kanıt yoktur; bunun sebebi daha ziyade alkolün, beynin çalışan işlemlerini engellemesinden kaynaklanıyor olabilir.

Sarhoşken söylenen şeyler önceden düşünülmüştür.

FLAMAN ATASÖZÜ

Baş ağrısıysa beynin su kaybından dolayı büzülmesinden ve beyni saran zarın çekilmesinden kaynaklanmaktadır. Ağrıyan zardır. Beynin içine bıçak batırsanız bile bir şey hissetmez.

Filtrum, üst dudağımızın üstünde bulunan dikey oyuktur, kimse bu adın nereden geldiğini bilmez. Bu oyuk, birayı şişeden içerken içeriye havanın girmesini sağlar.

Eğer birayı yerçekiminin olmadığı bir yerde açacak olursanız biranın tamamı bir anda çıkıp küre şeklinde damlalar halinde çevrede yüzerdi.

Gökbilimciler son zamanlarda Samanyolu'ndaki bizim bölgemizde muazzam miktarda alkol olduğunu keşfettiler. Dev metanol bulutu bir uçtan bir uca 463 km'dir. Bizim içmeyi sevdiğimiz alkol tahıl alkolüdür (diğer adıyla etil alkol ya da etanol) ve metanol bizi zehirleyebilir. Ama sözkonusu keşif, "evren onu içelim diye var" teorisini bir yanıyla destekler.

Yunuslar ne içer?

Hiçbir şey içmezler.

Yunuslar çölde hiçbir su kaynağına ulaşamayan hayvanlar gibidir. Suyu yiyeceklerinden (genellikle balık ve kalamar) ve su açığa çıkaran vücut yağlarını yakarak elde ederler.

Yunuslar balinadır, katil balina yunusların en büyük üyesidir. İsimleri İspanyolcada *asesina-ballenas*, yani "katil balina" sözünün değişime uğramış halidir. Bu şekilde adlandırılmalarının nedeni, bir grubunun biraraya gelince daha büyük balinaları öldürebilmesidir.

Yaşlı Plinius bu şanı devam ettirmelerinde yardımcı olmamıştır. Ona göre bir katil balina ancak şöyle tanımlanabilir ya da tasvir edilebilirdi: "Vahşi dişlerle donanmış, korkunç büyüklükte bir et kütlesi."

Yunusların diğer tüm memelilerden daha fazla, 260'a kadar dişleri olabilir. Buna rağmen balıkları bütün olarak yutarlar. Dişler sadece avı kavramaya yarar.

Yunuslar beyinlerinin bir yarısını ve aynı anda zıt yöndeki gözlerini kapatarak uyurlar. Beynin geri kalanı uyanık kalırken diğer göz, yırtıcı hayvanları ve engelleri izler ve su yüzüne çıkıp nefes almayı hatırlar. İki saat sonra yan dönerler. Bu sırada suda giden "tomruk"lara benzerler.

Yunuslar Vietnam Savaşı'ndan beri büyük hizmet verdikleri Amerikan Donanması'nda çalışıyor. Amerikan Donanması şu anda yüz kadar yunus ve otuz kadar diğer deniz memelilerinden çalıştırıyor. Altı deniz aslanı yakın zamanda Irak Görev Gücü'ne tayin edildi.

Katrina tayfunundan sonra, Amerikan Donanması'ndan eğitim almış 36 saldırı yunusunun zehirli mızraklarla donanmış olarak denizde gezindiğine dair bir hikaye dolaştı. Bu hikaye bir uydurmaca gibi görünüyor; her şeyin ötesinde "askeri" yunuslar saldırı için değil, bir yerleri bulmak için eğitilir.

James Bond'un en sevdiği içki hangisiydi?

Votka martini değildi.

Fleming'in tüm külliyatıyla ilgili www.atomicmartinis.com adlı internet sitesinde yapılan özenli çalışma, James Bond'un ortalama olarak her yedi sayfada bir içki içtiğini göstermektedir.

İçtiği toplam 317 içkiden en çok tercih ettiği, açık arayla viskidir. Toplamda 101 viski içer, bunlardan 58'i bourbon, 38'i scotch'tur. Şampanyaya da oldukça düşkündür (30 bardak) ve çoğunluğu Japonya'da geçen *You Only Live Twice* [İnsan İki Kere Yaşar] (1964) kitabında Japon likörü dener. Bu içkiyi de beğenir ve 35 tane içiverir.

Bond, favorisi sanılan votka martiniyi sadece 19 kez tercih eder ve neredeyse aynı miktarda cin martini de içmiştir (16 adet, gerçi bunların çoğunu başkaları ısmarlamıştır).

Ünlü "çalkalanmış olsun, karıştırılmış değil" lafı ilk kez *Diamonds are Forever* [Ölümsüz Elmaslar] (1956) kitabında geçer, fakat *Dr No* [Doktor No] (1959) kitabına kadar Bond tarafından kullanılmaz. Sean Connery, "çalkalanmış olsun, karıştırılmış değil" lafını kullanan ilk beyazperde Bond'udur (*Goldfinger* [*Altın Parmak*] [1964] filminde) ve bundan sonraki filmlerin çoğunda bu tekrar eder. 2005'te American Film Institute bu cümleyi tüm zamanların en iyi 90. alıntısı seçti.

James Bond'un, ilk kitap olan *Casino Royal*'deki (1953) şahsi martini tarifi şöyledir: "Üç ölçü Gordon's, bir ölçü votka ve yarım ölçü Kina Lillet. Buz gibi olana kadar iyice çalkala ve büyük, ince bir limon dilimi ekle."

Bu cin ve votka karışımını tek içişidir. Bu karışıma, romandaki, ikili oynayan ajan ve Bond'un aşığı Vesper Lynd'in adından dolayı Vesper adını verir. Bu kadın tüm roman ve hikayelerdeki kadınlar arasında en çok içki içendir.

Bond neden "çalkalanmış" martinide ısrar eder? Doğruyu söylemek gerekirse, çalkalanmış cin martiniye Bradford adı verilir. Bu işin üstatları buna kızarlar, çünkü çalkalamadan kaynaklanan hava girişi cindeki lezzeti oksitlendirir – ya da "çürütür." Fakat votka için bu sorun yoktur, çalkalamak içkiyi daha soğuk ve sert hale getirir.

Ian Fleming'in kendisi de martinisini cinle birlikte ve çalkalanmış tercih ederdi. Hayatının ilerleyen yıllarında doktorunun isteğiyle cin yerine bourbon içmeye başladı ki, bu, yarattığı kahramandaki değişimi de açıklayabilir. Fleming de, Bond da ne sevdiklerini bilen adamlardı.

Su kaybettiğimizde ne içmememiz gerekir?

Alkollü içecek içebilirsiniz. Çay ya da kahve de olabilir.

Aslında herhangi bir sıvı su kaybınızı gidermeye yardımcı olur, siz yine de deniz suyundan kaçının.

Su dışındaki sıvıların susattığına dair tuhaf inanışın bilimsel hiçbir dayanağı yoktur. İdrar sökücü olarak kafein, su kaybına neden olur, fakat bu da kahve içerek eklediğinizin sadece bir kısmıdır. Çay, kahve, meşrubat veya çocuklar için sütten her biri sıvıların yerini eşit derecede doldurabilir.

Aberdeen Tıp Okulu Üniveristesi'nde İnsan Fizyolojisi profesörü olan Ron Maughan, diğer bir idrar sökücü olarak görülen alkolün etkilerine bakmış ve ölçülü içilince, alkolün de ortalama insanın sıvı dengesi üzerinde çok az etkisi olduğu sonucuna varmıştır.

Araştırmasının *Journal of Applied Physiology*'de yayımlanan sonuçlarına göre, yüzde 4'ten daha az alkol içeren *light* ya da *lager* biralar gibi alkollü içecekler su kaybını gidermek için kullanılabilir.

Diğer yandan, deniz suyu kusturucu etkiye sahiptir. Yani içerseniz kusarsınız. Eğer birazını bile içmeyi başarabilirseniz, vücudunuzdaki hücrelerdeki suyun tamamı, ozmos nedeniyle daha yoğun olan tuzlu suya doğru harekete geçerek onu sulandırmaya çalışacaktır.

Bu da hücreleri susuz bırakır ve ciddi durumlarda kasılmalara, beyin işlevlerinin iflasına ve akciğer, böbrek yetmezliklerine neden olabilir.

Hangisinde daha çok kafein vardır: Bir fincan çayda mı, bir fincan kahvede mi?

Bir fincan kahvede.

Kuru çay yaprakları kahve çekirdeklerine nazaran ağırlıkça daha fazla kafein içerir. Fakat ortalama bir *fincan* kahvede, ortalama bir fincan çaydan üç kat daha fazla kafein vardır, çünkü bir fincan kahve yapmak için daha çok çekirdek gerekir.

> ***Eğer bu kahveyse lütfen bana biraz çay getirin, eğer bu çaysa lütfen bana biraz kahve getirin.***
>
> *ABRAHAM LINCOLN*

Çay ve kahvedeki kafein miktarı birçok etmene dayanır. Su ne kadar sıcaksa çekirdek ya da yapraklardan açığa çıkan kafein miktarı o kadar artar. Basınçlı buharla yapılan espresso, sıcak suda demlenmiş kahveden daha fazla kafein içerir. Suyun çay yaprağı ya da kahve çekirdeklerine temas etme süresi de kafein miktarını etkiler. Ne kadar uzun süre suda kalırlarsa o kadar yüksek kafeinli demektir.

Çayın ya da kahvenin çeşidi, nerede yetiştiği, kahvenin kavrulma, çayın kesilme şekli de önemlidir.

Kahve ne kadar çok kavrulursa kafeini o kadar azalır. Çayda ise, filizler geniş yapraklara göre daha yoğun kafein içerir.

Paradoksal bir biçimde, 30 ml'lik ortalama bir fincan espresso, 150 ml'lik çayla aynı miktarda kafein içerir. Yani bir içimlik cappuccinodan ya da latteden, bir bardak çaydan aldığınızdan daha fazla kafein almazsınız. Diğer yandan, bir fincan neskafe, bir fincan filtre kahvenin sadece yarısı kadar kafein içerir.

Sindirimi kolaylaştıran bisküvilerin ne faydası vardır?

Çok bir faydası yoktur.

Sindirimi kolaylaştıran bisküviler Edinburg'taki Mc Vitie's firmasının genç çalışanı Alexander Grant tarafından 1892'de bulunmuştur.

Reklamlarında bol miktarda kabartma tozu ve tam buğday unu kullandıkları için "sindirime yardımcı" ("gaz çıkarmayı azaltır"ın kibarcası) olduğunu söylerlerdi. Bu bilimsel olarak hiç kanıtlanmamıştır ve sonuç olarak ABD'de bu isimle satışı yasaklanmıştır. Bu bisküvilerin ABD'deki karşılığı graham krakeridir.

McVitie'nin Orijinal Sindirimi Kolaylaştırıcı Bisküvileri, yıllık 20 milyon poundluk satışla hâlâ Britanya'nın dokuzuncu büyük bisküvi markasıdır.

McVitie'nin en çok satan bisküvileri ve Britanya'nın en çok satan ikinci bisküvi markası, 1925'te piyasaya sürülen sindirimi kolaylaştırıcı çikolatalı bisküvilerdir. KitKat sektördeki en büyük İngiliz markası olmayı sürdürüyor.

Sindirimi kolaylaştırıcı çikolatalı bisküvi satışları yılda 35 milyon poundun üzerindedir, bu da saniyede 71 milyon paket ya da 52 adet bisküvi anlamına gelmektedir. Son zamanlardaki naneli, portakallı ve karamelli rakiplerine rağmen çikolatalı bisküviler hâlâ ilk tercih olmaya devam ediyor. Amerikalı gezgin yazar Bill Bryson bu bisküvileri "İngiliz Şaheseri" olarak nitelendirmektedir.

Bisküviler bilinen en eski yiyeceklerdendir. İsviçre'de 600 yıllık bisküviler bulunmuştur. Eski Mısır'da da bisküvi yeniyordu ve MS 2. yüzyılda Eski Roma'da bisküvi yapılıyordu.

Bisküvi Fransızcada "çifte kavrulmuş" anlamına gelir, fakat İngilizcedeki adı tamamen Latince *biscoctum panem*'den (çifte kavrulmuş ekmek) gelmektedir. 18. yüzyılın ortalarına kadar da, doğru okunuşu olan "bisket" kullanılmıştır.

Fransızcadan "biscuit" kelimesinin (Fransızca okunuşunu almadan) kabul edilmesi sadece gösterişçi ve manasız değil aynı zamanda yanlıştır. Fransızcada *un biscuit* "bir bisküvi" değildir, kektir (daha iyi tarif etmek gerekirse pandispanyadır). İngilizcedeki anlamıyla bisküvi, *un biscuit sec*'tir.

Kuzey Amerika'da "bisküviler" daha çok çörek gibidir. İngilizlerin bisküvi dedikleri şeye Amerikalılar kurabiye ya da kraker der. Amerikan İngilizcesindeki "cookie" kelimesi Hollandaca "kek" anlamına gelen *koekje*'den gelir.

Bisküviler ekmekten daha uzun süre dayansınlar diye birden fazla kez pişirilirdi, fakat arık çoğu bisküvi iki kez pişirilmiyor. Aslında çoğu bisküvi hiçbir zaman iki kez fırınlanmamıştır. Dr. Johnson'un Sözlüğü'ne göre, uzun deniz seyahatleri için tasarlanmış olan bisküviler genellikle dört kez fırınlanırdı.

Teflon nasıl keşfedildi?

Israrcı iddiaların aksine Teflon, uzay programının bir yan ürünü olarak bulunmamıştır.

Teflon politetrafloroetilen (PTFE) ya da akışık floropolimer'in ticari adıdır, 1938'de Roy Plunkett tarafından tesadüfen keşfedilmiş ve ilk kez 1946'da ticari olarak satışa sunulmuştur.

Plunkett, soğutma işlemlerinde kullanılan kloroflorokarbonlarla (CFC) deney yaparken, bir numunenin bir gecede garip özellikleri olan beyazımsı, mumumsu bir kalıp haline geldiğini gördü: Bu garip özellikler, bu maddenin asla yapışmaması ve çok yıpratıcı asitler de dahil olmak üzere hemen hemen tüm kimyasallara karşı eylemsiz oluşuydu.

Patronu DuPont, öncelikle Manhattan Projesi'nde (1942-46 yıllarında nükleer silah geliştirilmesine verilen kod ad) ve ardından mutfak eşyası olmak üzere kısa sürede bu yeni maddenin çeşitli kullanımlarını buldu.

Hiçkimse, Apollo Misyonu'ndaki tüm kablo yalıtımının Teflona dayanması dışında, "uzay programı" efsanesinin nereden geldiğine dair kesin bir kaynak bulamadı.

Teflonla ilgili diğer efsanelerden biri de Teflon kaplı mermilerin, çelik yeleği delme konusunda diğer türlere göre daha iyi olduğu inanışıdır. Aslında merminin üzerindeki Teflon kaplama, kullanılan silahın namlusunun iç tarafındaki aşınma miktarını azaltmak içindir ve merminin tesiriyle bir ilgisi yoktur.

Fakat Teflon, bilinen katı herhangi bir maddeye göre en az sürtünmeye sahip olan maddedir, kızartma tavalarında bu kadar iyi bir yapışmaz yüzey olmasının nedeni budur.

Peki, madem Teflon bu kadar kaygan, tavaya nasıl yapıştırıyorlar? Bu işlem tavanın yüzeyinde minik pürüzler oluşturmaya yarayan kumlamayla başlar, daha sonra tavaya ince bir tabaka halinde sıvı Teflon püskürtülerek bu pürüzlerin içine akması sağlanır. Tava yüksek ısıda pişirilerek Teflonun sertleşmesi ve makul düzeyde mekanik bir tutunma gerçekleştirmesi sağlanır. Son olarak yalıtkan bir maddeyle kaplanarak yeniden pişirilir.

Yemekten sonra yirmi dakika içinde yapmamanız gereken şey nedir?

Anne babalarınız buna yüzmek yanıtını verirdi, fakat normal

bir yemekten sonra normal bir şekilde yüzmenin riskli olduğuna dair hiçbir kanıt yoktur.

Yüzme havuzları başka yerlerden daha tehlikeli değildir; resmi istatistiklere göre külotlu çorap çıkarırken, sebze keserken, köpeğinizi gezmeğe çıkardığınızda ya da çit budarken kendinizi incitme riskiniz daha yüksektir.

Hayattaki en büyük tehlike çok fazla önlem almanızdır.
ALFRED ADLER

Aman pamuklu çubuklardan, mukavva kutulardan, sebzelerden, aromaterapi malzemelerinden ve banyo liflerinden uzak durun. Tüm bu saydıklarım giderek tehlikeli hale geliyor.

Yemekten sonra yüzmemek gerektiğine dair yaygın öğüdün (günümüzde havuzlarda bile bu uyarı yazılıyor) altında yatan düşünce şudur: Yediğiniz yemeği sindirebilmek için kaslardaki kanın mideye hücum edeceği ve bu yüzden diğer organların kansız kalarak felç eden kramplara neden olacağı (daha bilinçsiz versiyonuysa midenizdeki yemeğin ağırlığının sizi batıracağıdır.)

Çok fazla yemek yedikten sonra bile denize girseniz bunun en muhtemel sonucu yan tarafınızda bir sızı ya da deniz tutması olacaktır. Yemek ve su birlikteliğinde özünde hiçbir tehlike yoktur.

Su içmemek nedeniyle su kaybına uğramak ya da oruçtan kaynaklanan halsizlik daha büyük bir risktir.

Diğer yandan, Kraliyet Kazaları Önleme Derneği (RoSPA), teorik olarak en azından kusma riski olduğunu ve suda kusmanın karada kusmaktan daha tehlikeli olduğunu iddia ederek bu "genel kanı"yı savunmaktadır.

Televizyon sağlığınızı nasıl kötü etkiler?

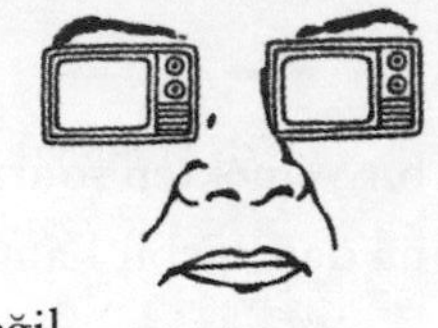

Televizyonu çok yakından seyrettiğinizde değil.

1960'ların sonuna kadar katot ışın tüplerinin kullanıldığı televizyon cihazları çok düşük seviyelerde ultraviyole radyasyon yayardı ve televizyon seyredenlere 2 metreden daha yakından televizyon seyretmemeleri tavsiye edilirdi.

Çocuklar en çok risk altında olanlardı. Çocukların gözleri mesafede meydana gelen değişikliklere çok kolay uyum sağladığından, çocuklar yetişkinlere göre televizyonu çok daha yakından seyredebiliyorlardı.

Yaklaşık 40 yıl önce, Sağlık ve Güvenlik için Radyasyon Kontrolü Sözleşmesi, üreticilerin katot ışını tüpleri için kurşunlanmış cam kullanmalarını zorunlu hale getirerek televizyonları tamamen güvenli hale getirdi.

Televizyonun asıl zararı, yarattığı tembel hayat tarzından kaynaklanmaktadır. Son yıllarda yapılan araştırmalarla, çocuklardaki obezite oranının arttığı, bunun da televizyon seyretmekle doğrudan ilgili olduğu ortaya kondu. Araştırmalara göre çocukların televizyon başında geçirdiği süre, spor yaparak ya da açık hava etkinliklerinde geçirdikleri süreden çok daha fazlaydı.

2004'te *Pediatrics* dergisinde yayınlanan bir araştırma, günde 2-3 saat televizyon seyreden çocuklarda Dikkat Toplama Bozukluğu (ADD) görülme ihtimalinin diğerler çocuklara göre yüzde 30 daha fazla olduğu sonucuna vardı.

2005'te Nielsen araştırma şirketi ortalama bir Amerikan ailesinin günde 8 saat televizyon başında olduğunu ortaya koydu. Bu on yıl öncesine kıyasla yüzde 12,5'lik bir artıştır ve 1950'lerde ilk kez yapılan televizyon izleme istatistiklerinden beri görülmüş en yüksek orandır.

Amerikan Pediatri Akademisi 70 yaşına gelmiş bir Amerikalının televizyon izleyerek ortalama 8 tam yıl harcamış olacağını hesapladı.

Günde kaç saat uyumak gerekir?

Günde sekiz saat uyumak tabii ki çok tehlikelidir.

Günde sekiz saat ya da daha fazla uyuyan yetişkinler, günde 6-7 saat uyuyanlara göre daha genç yaşta ölmektedirler.

California Üniversitesi'nden Profesör Daniel Kripke'nin 2004'te 1,1 milyon insan üzerinde yaptığı altı yıllık bir araştırma, günde sekiz saat ya da daha fazla (ya da dört saatten az) uyuyan insanların daha büyük bir kısmının, bu altı yıl içinde öldüğünü gösterdi.

Yetersiz uykunun kısa süreli IQ, hafıza ve mantıklı düşünme yetisi kaybına neden olduğunu iddia etmek için yeterli kanıt vardır.

Leonardo da Vinci hayatının neredeyse yarısını uyuyarak geçirmiştir. Einstein gibi o da gün içinde şekerlemeler yapardı, fakat onun şekerlemeleri dört saatte bir 15 dakikaydı. Büyük sözlük bilimcisi Dr Johnson'ın öğleden önce uyandığı pek görülmemiştir. Fransız filozof Pascal da gününün çoğunu yatakta uyuklayarak geçirirdi.

Diğer taraftan uzun yaşamalarıyla ünlü olan filler günde sadece iki saat uyur. Koalalar günde 22 saat uyur, ama sadece on yıl yaşarlar. Karıncalar daha önce de bahsedildiği gibi, günde sadece birkaç dakika uyur.

Ortalama bir insanın uykuya dalışı yedi dakika sürer. Normal, sağlıklı bir insan her gece uykusundan 15 ila 35 kez uyanır.

Şu ana kadar tanımlanmış 84 farklı uyuma bozukluğu vardır, bunlardan bazıları insomnia, aşırı horlama, narkolepsi (gündüz uykuya dalmak), apnoea (uykuda nefes almamak) ve huzursuz bacak sendromudur.

Meydana gelen trafik kazalarının önemli bir kısmı sürücülerin uyumasından kaynaklanmaktadır. Bunu engellemenin en iyi yolu saçınızdan bir tutamı sun-roof'a sıkıştırmaktır. Diğer bir yöntemse elma yemektir. Bu, sindirimi uyararak azar azar enerji yayılımı sağlar ve kısa süreli bir etkisi olan kahve çarpmasından daha etkili olur.

2030'da en büyük katil kim olacak?

a. Tüberküloz
b. AIDS
c. Sıtma
d. Tütün
e. Cinayet

Dünya Sağlık Örgütü'ne göre tütün şu anda dünyadaki ölümlere neden olan ikinci büyük etmendir. Dünyadaki yetişkin ölümlerinin yüzde onunun sebebi tütündür ve bu da yılda beş milyon ölüm anlamına gelmektedir. Kanserse şu anda yılda yedi milyon insan öldürmektedir.

Eğer istatistikler bugünkü değerlerle artmaya devam ederse (ve sigaraya bağlı hastalıklar da böyle artarsa) tütün, 2030'da yılda on milyon kişiyle dünyadaki en büyük katil olacak.

1,3 milyar insan düzenli olarak sigara içiyor. Bunların yarısı (yani 650 milyon kişi) sigara içtikleri için ölecek.

Gelişmekte olan ülkeler en çok zarar görecek olanlardır.

Günümüzde sigara içen insanların yüzde 84'ü, orta ve düşük gelirli ülkelerde yaşıyor ve bu ülkelerde sigara kullanımı 1970'ten beri sürekli artıyor.

Bunun aksine, ABD'de erkekler için 1950'lerde yüzde 55 olan sigara içme oranı 1990'larda yüzde 28'lere indi. Ortadoğu'da nüfusun yüzde 50'sini oluşturan erkeklerin tütün kullanımı 1990-1997 arasında yüzde 24 arttı.

Gelişmekte olan ülkelerdeki sigara kullanımının ekonomik sonuçları sağlıkta yarattığı sonuçlar kadar yıkıcıdır. Nijer, Vietnam ve Bangladeş gibi yerlerde yoksul aileler tütüne, besin maddelerine harcadıklarının üçte biri kadar daha fazla para ayırıyor.

Modern bilim ancak 1940'larda tütünün hastalıklarla alakasını ortaya koydu.

Dünya Sağlık Örgütü'nün (WHO) yayınladığı "Küresel Tütün Salgını-2008" adlı rapora göre, Türkiye dünyada en çok sigara içilen 10 ülke arasında yer alıyor: Buna göre, dünyada sigara kullanan insanların üçte ikisi, aralarında Türkiye'nin de bulunduğu 10 ülkede yaşıyor. 18 yaş üstü nüfusun yüzde 34,6'sının (erkeklerin yüzde 52'si, kadınların yüzde 17'si) sigara içtiği Türkiye'de sigara içenlerin sayısı 17-20 milyon civarında.

2004'te Himayalar'daki Butan Krallığı, sadece kamusal alanda sigara içilmesini yasaklamakla kalmayıp, tütün satışlarını da yasakladı ve dünya üzerinde bunu yapan ilk ülke oldu.

Dünyada en sık görülen hastalık nedir?

Dünyada en sık karşılaşılan hastalık zatürree/bronşittir. Onu ishal, HIV/AIDS ve depresyon izler (Dünya Sağlık Örgütü, 1999).

Yapılan hesaplara göre dünya üzerinde her yıl kadınların yüzde 10'u, erkeklerinse yüzde 3-5'i klinik (yani ciddi boyutta) depresyona giriyor.

Türkiye'de depresyon geçirme oranı kadınlarda yüzde 24, erkeklerde yüzde 3'tür. Diğer ülkelerde de durum ciddidir: Britanya'da depresyona girenlerin sayısı yaklaşık 3,2 milyondur (yüzde 7) ve sürekli artmaktadır. Britanya'da 1990-2000 arasında depresyon için yazılan reçetelerin sayısı on milyondan fazla artmıştır. Hesaplara göre, depresyonun Britanya ekonomisine maliyeti 8 milyar pounddur; buna işe gidilemeyen zaman, tedavi masrafları, intiharlar ve verim düşüklüğü dahildir (bu da her kadın, erkek ve çocuk başına yılda 160 pounda eşittir). 25 milyon Amerikalı (nüfusun yüzde 9'u) hayatının bir döneminde klinik olarak depresyondadır. Avustralya'da beş yaşındaki çocuklar depresyon tedavisi görmektedir.

Bangladeş'te en yaygın hastalık açık ara ishaldir, bunu bağırsak kurdu enfeksiyonları izler. Fakat depresyon da yüzde 3'lük bir oranla yaygın bir hastalıktır (özellikle de kadınlar arasında).

Afrika'da depresyon, sık görülen hastalıklar sıralamasında on birinci sıradadır; ilk iki sırada ise HIV ve sıtma yer alıyor. Çoğu gelişmekte olan ülke kültüründe akıl hastalığına duyulan şüpheler, teşhisin zor olduğu ve semptomların Batı'dakine nazaran daha çok fiziksel olarak görüldüğü anlamına gelmektedir.

Depresyonla mücadelenin yolu "yürüyüş yapmak" mıdır?

Evet. İlaçlar kadar etkili bir yol olduğu kesin.

24-45 yaş arası denekler üzerinde yapılan son araştırmalar, haftada üç ile beş kez yarımşar saat yapılan egzersizin depresyonu yenmek konusunda ilaçlar kadar (hatta daha fazla) etkili olduğunu ve depresyon belirtilerini düzenli olarak yüzde 50'lere kadar azalttığını ortaya koymuştur.

Science News dergisine göre, plasebolar* depresyonu tedavi etme konusunda diğer tüm ilaçlardan ve bitkisel tedavilerden daha etkilidir. Seattle'da yaşayan psikiyatr Dr. Arif Khan, 1979-1996 arasında gerçekleştirilen bir dizi deneyde, sarı kantoronun (St John's Wort) vakaların yüzde 24'ünü tamamen tedavi ettiğini gördü, anti-depresan ilaç Zoloft ise vakaların yüzde 25'ini tedavi etti, buna karşılık şeker hapı plasebolar hastaların yüzde 32'sinde tam bir tedavi sağladı.

Geleceği düşünürken hüzünlendim; sonra düşünmeyi bıraktım ve biraz marmelat yaptım. Portakalları dilimlemenin ve yerleri silmenin insanı keyiflendirmesi çok şaşırtıcı.

D. H. LAWRENCE

Prozac ve Efexor anti-depresanlarını plasebolarla kıyaslayan daha güncel bir araştırmada, ilaçlar yüzde 52'lik tedavi oranıyla plaseboları geride bıraksa da, plasebolar da yüzde 38'le etkileyici bir skor elde etti. Fakat yapılan numara açıklanınca hastaların durumu hemen kötüleşti.

Bu konuda yorum yapanların çoğu, uygulamanın gerçekleştirildiği bağlamın (katılımcılara çok fazla profesyonel ilgi gösterilen klinik bir deney olmasının) çok önemli bir etken olduğuna inanmaktadır. Görünüşe göre, ilaçlarla kişisel ilginin bileşimi en hızlı ve en uzun süreli iyileşmeyi sağlamaktadır.

Meditasyon da iyi gelen yollardan biri gibi görünmektedir. Dalay Lama'nın önerdiği Tibet keşişlerinin dahil olduğu bir

* Plasebo (placebo) farmakolojik olarak etkisiz, fakat telkine dayalı ve plasebo etkisi olarak da bilinen tedavi etkisini ortaya çıkaran bir tür ilaçtır (ç.n.).

araştırma projesinde, Wisconsin-Madison Üniversitesi'nde Nörobilim Dalı Profesörü olan Richard Davidson keşişlere "koşulsuz, karşılıksız şefkat ve merhamet" düşüncesine dalmalarını söylemiştir.

Sonuçta, anormal bir gama beyin dalgası oluşumu ortaya çıkmıştır ki bu dalgaları fark etmek çok zordur. Bunun taşıdığı anlam şudur: Eğer beyin eğitilirse kendi depominini (yokluğunun depresyona yol açtığı madde) üretebilir.

İlaç kullanmak beynin kendi depominini üretmesini neredeyse tamamen durdurur.

Kendinizi "pozitif" olmak yolunda eğitirseniz gerçekten keyfiniz yeniden yerine gelebilir. Plaseboların işe yaramasının nedeni de bu olabilir: Düşünce güçlü bir şeydir.

İntihar oranının en yüksek olduğu ülke hangisidir?

2003'te 100 binde 42 gibi şaşırtıcı bir intihar oranına sahip olan Litvanya'dır. Bu da toplamda 1500 kişi yapıyor: Trafik kazalarından ölenlerden daha fazla ve 20 yıl öncekinin iki katı kadar.

Uluslararası bağlamda ele alacak olursak, Litvanya'daki intiharlar Britanya'daki rakamların altı katı, ABD'dekinin beş katı ve dünya ortalamasının üç katıdır. Kimse nedenini bilmese de, intiharda ilk ondaki yedi ülkenin Baltık ya da eski Sovyetler Birliği ülkelerinden oluşması ilginçtir. Belki de Litvanya'nın aynı zamanda en fazla sinir hastalıkları uzmanına sahip ülke olmasının sebebi de budur.

Baltık ülkeleri de dahil dünyanın her yerinde intihara en meyilli insanlar kırsal kesimde yaşayan erkeklerdir (genç ya da yaşlı fark etmez). Bu gayet anlamlıdır: Zahmetli bir tarlada vakit harcayan herkes; alkol, yalnızlık, borç, hava şartları ve yardım isteyememenin (psikologların deyimiyle "çaresiz erkek" sendromu) ateşli silahlar ve tehlikeli kimyasallarla biraraya gelmesi durumunda ölümcül sonuçlara yol açacağını bilir.

Bunun istisnası Çin ve güney Hindistan'dır. Buralarda kırsal kesimdeki kadınlar daha riskli konumdadır: Sırasıyla 100 binde 30 ve 148 oranlarında intihar görülür. Çin'de bunun nedeninin, genç gelinlerin, evlendikten hemen sonra çalışmak için şehre giden kocaları tarafından yalnız bırakılmaları olduğu düşünülür. Hindistan'da ise genç kız intiharlarının üçte biri, bu kızların kendilerini kurban etmelerinden kaynaklanmaktadır.

İntihar genel olarak yükseliştedir. Yılda bir milyon kişi kendini öldürmektedir, ya da kırk saniyede bir intihar ediliyor diyebiliriz. Bu bütün vahşi ölümlerin yarısı kadardır: Şu anda savaşlarda ölenlerden daha çok insan intihar ederek ölmektedir.

Diğer yandan, "çok sıkıcı bir yer, o yüzden orada herkes kendini öldürüyor" lafıyla başı belada olan İsveç artık listede ilk yirmide bile değil.

"İsveç intiharı" efsanesinin kesin tarihsel dayanağı, savaş sonrası yeniden inşa kargaşasının içinde kayboldu, fakat İsveçlilerin çoğu, İsveç'te (o zamanlar) yüksek olan intihar oranlarını, İsveç sosyal demokrasisinin güler yüzlü ve tehlikeli derecede anti-kapitalist eşitlikçiliğini kötülemek için kullanan ABD Başkanı Dwight D. Eisenhower'i (1953-61) suçlamaktadır.

Hitler vejetaryen miydi?

Hayır.

Bu bir espridir. Ellerinde on milyonların kanını taşıyan 20.

yüzyılın en zalim diktatörü, et yemek için fazla pimpirikli, hassas ya da huysuzdu. Bu, mantıksız bir biçimde, Hitler'in vejetaryen olduğu iddiasını desteklemek için muntazaman öne sürülmüştür. Maalesef doğru değildir.

Diktatörü yakından tanıyanlar da dahil çeşitli biyografi yazarları onun Bavyera sosisi, (kendi aşçısının yaptığı) avcı böreği ve güvercin dolmasına ne kadar düşkün olduğunu yazmışlardır.

Fakat Hitler devamlı olarak gazdan muzdaripti. Bu nedenle de doktorları devamlı vejetaryen beslenme tavsiye ederlerdi (birçok vejetaryeni şaşırtacak bir çözüm). Ayrıca Hitler'e düzenli olarak, ezilmiş boğa testislerinden elde edilen yüksek proteinli serum veriliyordu. Bunun mantar ezmesi ya da fırında mercimekle yakından uzaktan alakası yoktur.

Konuşmalarında ya da yazılarında da ideolojik olarak vejetaryenliği desteklediğine dair bir kanıt yoktur ve subaylarından hiçbiri de vejetaryen değildir. Aslında vejetaryenleri de, Esperanto dilini konuşanlar, vicdani retçiler ve diğer nefret ettiği "enternasyonalistler" gibi suçlu ilan etmiş olması çok daha muhtemel görünmektedir.

Ateist de değildi. İşte *Mein Kampf* [Kavgam] (1925) kitabındaki muğlak olmayan ve eksiksiz sözlerinden onun ne olduğu: "Eminim ki ben Yaratıcımızın temsilcisi olarak hareket ediyorum. Yahudilere karşı savaşarak Tanrı'nın işini yerine getiriyorum." Aynı tür kelimeleri 1938'de Reichstag'taki (Alman Millet Meclisi) konuşmasında da kullanacaktı.

Bundan üç yıl sonra General Gerhart Engel'e "Ben önceden olduğu gibi bir Katoliğim ve öyle de kalacağım" demiştir.

Nazi Almanyası "tanrısız" bir devlet olmak bir yana, Katolik Kilisesi'yle ateşli bir işbirliğine gitmiştir. Piyade askerleri, tokasında *Gott mit uns* (Tanrı bizim yanımızda) yazılı kemerler takardı ve askeri birliklerin ve teçhizatının kutsanması da sürekli ve yaygın bir uygulamaydı.

Toplama kamplarını hangi millet keşfetmiştir?

Hâlâ Almanya olduğunu düşünüyorsanız bir mağarada yaşıyor olmalısınız.

Yaygın cevap Britanya'dır, çünkü 1899-1902 arasındaki İkinci Boer Savaşı'nda aileler için gözaltı kampları kullanmışlardır.

Aslında bu kavram İspanya kökenlidir. İspanyollar Küba'da hâkimiyetlerini koruma mücadelesi sırasında, daha kolay kontrol altında tutabilmek için sivilleri bir yerde "toplama" fikrini ilk akıl edenlerdi. Bu mücadele İspanyolların yenilgisiyle sonuçlandı ve İspanyol askerler 1898'de adayı terk etmeye başladı. Boşluğu adada askeri bir nüfuz kuran ABD doldurdu, ta ki Castro'nun 1959'daki devrimine kadar.

İngilizler, İspanyolcadaki *reconcentratión* kelimesini Güney Afrika'da benzer bir durumla karşılaşınca kendi dillerine çevirdi. Kamplar, İngilizlerin Boer çiftliklerini yakma politikası nedeniyle zorunlu hale geldi. Bu da çok sayıda mültecinin ortaya çıkmasına yol açtı. İngilizler, Boer askerlerinin geride bıraktığı kadın ve çocukları, düşmana yeniden yardım etmelerini engellemek için biraraya toplama kararı aldı.

Boer kadın ve çocukları için 45 ve siyah Afrikalı tarla işçileri ve aileleri için altmış dört çadır kampı vardı.

İnsani niyetlere rağmen kamplardaki şartlar hemen bozuldu. Bu kamplarda çok az yiyecek vardı ve çok geçmeden salgın hastalıklar baş gösterdi. 1902'ye gelindiğinde (22.000'i çocuk) 28.000 Boer ve 20.000 Afrikalı bu kamplarda hayatını kaybetmişti. Bu rakam savaşta ölen askerlerin iki katı kadardır.

Bundan hemen sonra, Almanlar da ilk toplama kamplarını Güneybatı Afrika'yı (şimdiki Namibya) kolonileştirme çabaları sırasında kurdu.

Hererolu ve Namaqualı erkek, kadın ve çocuklar tutuklanıp bu kamplara hapsedildi ve zorla çalıştırıldılar. 1904-1907 arasında 100.000 Afrikalı (Hererolulanın yüzde 80'i, Namaqualıların yüzde 50'si) şiddet ve açlıktan öldü.

BM şu anda bu olayı 20. yüzyılın ilk soykırımı sayıyor.

Kırım Savaşı'ndan sağ çıkan son canlı ne zaman öldü?

2004'te.

1856'da biten Kırım Savaşı'ndan geriye kalan son eski tüfek, Mahmuzlu Akdeniz Kaplumbağası Timothy'ydi. Öldüğünde yaklaşık 160 yaşında olduğu tahmin edilen kaplumbağa Britanya'nın bilinen en yaşlı sakiniydi.

Timothy 1854'te devlet destekli bir Portekiz korsan gemisinde (privateer), Kraliyet Donanması kaptanı John Courtenay Everard tarafından bulundu ve 1892'ye kadar birçok donanma gemisinde maskot olarak kullanıldı. Buna Kırım Savaşı'ndaki ilk Sivastopol bombardımanı sırasında HMS *Queen* gemisinin maskotluğu da dahildir.

Daha sonra, Everard'ın akrabası olan 10. Devon Kontu tarafından götürüldüğü Powderham Şatosu'nda emekliye ayrıldı.

Timothy'nin vücudunun alt kısmına Devon ailesinin şiarı ("Nereye düştüm? Ne yaptım?") kazınmıştır.

İkinci Dünya Savaşı sırasında, en sevdiği sarmaşığın gölgesini terk edip teras merdivenlerinin altında kendi hava taarruzu sığınağını kazdı. O zamanki kontun ve Timothy'nin bakıcısının teyzesi olan bayan Gabrielle Courtenay bunun, Exeter yakınlarına düşüp onu rahatsız eden bomba titreşimlerinin sonucu olduğunu iddia etti. Ayrıca Timothy'nin insan seslerini tanıdığını ve çağırıldığında her zaman geldiğini de ileri sürdü.

Savaştan sonra her yıl, yine aynı gül bahçesine dönüp, üzerinde "Benim Adım Timothy. Çok Yaşlıyım. Lütfen Beni Kaldırmayınız" yazılı büyük bir etiketle kış uykusuna daldı.

Eğer bir kaplumbağaysan kafirleri ezemezsin ... tüm yapabileceğin onlara anlamlı bir bakış atmaktır.

TERRY PRATCHETT

Timothy'nin biyografı Rory Knight-Bruce'a göre, onu taşımasına izin verilen az sayıda kişi, "orta boy bir Le Creuset tenceresi ağırlığında, keskin bakışlı, gözüpek ve kıdemli bir askeri taşımış oluyordu."

1926'da Devonlar, Timothy'nin çiftleşmesi gerektiğine karar verdi. İşte o zaman Timothy'nin aslında dişi olduğu ortaya çıktı. Yaşını göz önüne alarak ismini değiştirmemeye karar verdiler. Ona Toby adlı potansiyel bir eş bulsalar da, bir varis bırakamadan öldü.

Timothy şato sınırlarındaki aile mezarlığına gömüldü.

Bir insan yılı kaç köpek yılına eşittir?

7 değil.

Türler arası yaş karşılaştırmalarında bize yardımcı olabilecek herhangi bir güvenilir ölçüt yoktur. 12 yaşındaki bazı kedi ve köpekler, 84 yaşındaki en hareketli insandan bile daha yüksek bir fiziksel kapasiteye sahip olabilirler. Ayrıca görünüşe göre farklı cinsler arasında önemli farklar vardır.

Yapılabilecek en iyi şey, yaygın kabul gören yaklaşık bir formülü uygulamaktır. Buna göre, kedi ve köpek yavruları bebeklere göre çok daha hızlı büyür ve iki yıl sonra yaşlanma belirgin şekilde yavaşlar.

Bu nedenle bir yaşında bir kedi kabaca 16 yaşında bir insana denkken dört yaşındaki bir kedi 32 yaşındaki bir kadın ya da erkeğe denk olabilir, sekiz yaşındaki bir kediyse 64 yaşındakine denk diye uzar gider.

Bir günün uzunluğu ne kadardır?

BİR GÜN

Bu değişken bir şeydir.

Bir gün, dünyanın kendi etrafında bir yöne doğru yaptığı bir tam turdur. Bu asla tam olarak 24 saat sürmez.

Şaşırtıcı şekilde, elli tam saniye kadar daha hızlı ya da daha yavaş olabilir. Bunun nedeni dünyanın dönüş hızının, gelgitlerin neden olduğu sürtünme, hava şartları ve coğrafi olayların etkisiyle sürekli değişiyor olmasıdır.

Bir yıl boyunca, ortalama bir gün, 24 saatten saniyenin çok küçük bir dilimi kadar daha kısadır.

Atom saatleri bu sapmaları kaydedince, şimdiye kadar güneş gününün tanımlı bir bölümü olan saniye birimini (yani günün seksen altı bin dört yüzde biri olarak belirlenen süre) yeniden tanımlama kararı alındı.

Yeni saniye tanımı 1967'de yürürlüğe girdi. Buna göre saniye, "sezyum-133 atomunun uyarılmamış durumunun iki aşırı ince (hyperfine) düzeyi arasındaki geçişe tekabül eden radyasyonun 9.192.631.770 devir yaptığı süredir." Kati, fakat uzun ve yorucu bir günün sonunda söylemesi zor bir tanım.

Bu yeni tanımın anlamı şudur: Güneş günü yavaş yavaş atomik günden sapmaktadır. Sonuç olarak bilimciler atomik yıla bir adet "artık saniye" ekleyerek güneş yılıyla eşit hale getirdiler.

En son artık saniye, (Coordinated Universal Time [Eşgüdümlü Evrensel Zaman - UTC] 1972'de kurulduğundan beri bu yirmi üçüncüsüdür) 31 Aralık 2005'te, Paris Gözlemevi'nde bulunan Uluslararası Yerküre Dönüş Hizmetleri'nin talimatlarına göre eklendi.

Bu durum, astronotlar ve saatlerinin dünyanın güneş etrafında dönüşüne tam olarak denk gelmesini isteyenler için iyi haber; bilgisayar yazılımı ve uydularda yerleştirilmiş olan tüm teknolojiler için ise kötü haberdir.

Uluslararası Telekomünikasyon Birliği bu fikre şiddetle karşı çıkmakta ve artık saniyenin ortadan kaldırılmasıyla ilgili çalışmalar yürütmektedir.

Uzlaşma yollarından biri, UTC ile GMT arasındaki uyuşmazlığın bir saate varmasını (400 yıl sonrasını) bekleyip ayarlamayı o zaman yapmak olabilir. Bu süre zarfında "gerçek" zamanı neyin oluşturduğu bir tartışma konusu olarak sürüp gider.

En uzun hayvan hangisidir?

Üzgünüm, mavi balina değildir.

Ya da çivit denizanası da değildir.

Bantlı solucan (*Lineus longissimus*) altmış metre uzunluğa ulaşabilir, bu daha önceki rekorların sahibi mavi balinanın neredeyse iki katı, çivit denizanasının 2-3 katı kadardır.

Bantlı solucan bir olimpik havuzun bir ucundan öbürüne

uzanır ve yine de bir bölümü artar.

Bantlı solucanlar Nemertea solucan ailesine dahildir (Nemertea adı Yunancadaki bir deniz tanrısı olan *Nemertes* kelimesinden gelir). Binden fazla türü vardır ve çoğu suda yaşar. Çok uzun ve incedirler, en geniş olanının eni birkaç milimetredir.

İnsanlar bir solucan bile meydana getiremez, ama düzinelerce tanrı yaratır.
MICHEL DE MONTAIGNE

Çoğu kaynak, bantlı solucanların sadece 30 metre uzunluğa ulaştığını savunur, bu da onun şu ana kadar ölçülmüş en uzun çivit denizanasından (yaklaşık 36,5 m) kısa olduğu anlamına gelir. Fakat son bilgilere göre bu solucanların esneme oranlarının inanılmaz derecede yüksek olduğu ortaya çıkmıştır. Tamamen uzadığında birçoğunun 50 metreyi aştığı görülmüştür.

Fosil kalıntıları, bantlı solucanların 500 milyon yıldır varolduklarını göstermektedir.

Bantlı solucanların kalbi yoktur. Kan, kaslar tarafından pompalanır. Ağzı ve anüsü ayrı olan en basit organizmadır.

Çok obur etoburlardır. Yapışkan ya da zehirli kancalarla donanmış uzun ince hortumlarını fırlatarak küçük kabukluları yakalarlar. Bu hortumlar solucanın kendi boyunun üç katı kadar olabilir.

Çoğu bantlı solucan, okyanusun derin kuytularında gizlenir fakat bazıları inanılmaz derecede parlak renktedirler. Nemertealar zarar gördüklerinde kendilerini yenileyebilirler. Fakat bantlı solucan türleri aslında küçük parçalara bölünerek çoğalır, bu parçalardan her biri yeni bir solucan haline gelir.

Okyanustaki en gürültülü şey nedir?

Karidesler.

Karada ya da denizde yaşayan canlılar arasında, tek bir hayvanın çıkarabildiği en yüksek sesi mavi balina çıkarsa da, toplama bakıldığında doğal olan en yüksek sesi karidesler çıkarır.

Bir "karides yığını"nın sesi, operatörleri kulaklıkları aracılığıyla sağır edebilecek ve bir denizaltı sonarının "yönünü şaşırtabilecek" tek doğal sestir.

Bu karides yığınının altındaysanız, yığının üstündeki hiçbir ses duyulmaz; yığının üstündeyseniz de yığının altındaki hiçbir sesi duyamazsınız. Alt taraftan bir ses duymak ancak o sese doğru bir alıcı uzatılmasıyla mümkün olabilir.

Biraraya gelmiş karideslerin gürültüsü sağır edici 246 desibele eşittir; sesin su altında beş kat daha hızlı hareket ettiğini göz önünde bulundurduğumuzda bile bu şiddet, havadaki 160 desibele denktir. Bu da kalkış yapan bir jetten (140dB) ya da insanın ağrı eşiğinden oldukça yüksektir. Tanık olanlar bu durumu dünyadaki herkesin aynı anda et kızartmasına benzetmişleridir.

Ortaya çıkan ses, trilyonlarca karidesin kocaman kıskaçlarını aynı anda açıp kapatmalarının yarattığı gürültüdür. Kıskaçlarını açıp kapatan, *Alpheus* ve *Synalpeus* cinslerine mensup çeşitli karidesler tropikal ya da astropikal bölgelerdeki sığ sularda bulunur.

Oluşan sesten daha da ilginci ise şudur: Saniyede 40.000 karelik video çekimleri sesin, kıskaçların kapanmasından 700 mikrosaniye sonra gerçekleştiğini açıkça göstermektedir. Ses kıskaçların kendisinden değil, patlayan kabarcıklardan gelmektedir, buna "kavitasyon" etkisi denir.

Bu olay şöyle gerçekleşir: Kıskacın bir tarafındaki tümsek diğer taraftaki çukurluğa tam olarak oturur. Kıskaç o kadar çabuk kapanır ki arada kalan su saatte 100 km hızla dışarı fışkırır; bu da bir sürü su kabarcığının açığa çıkmasına yetecek bir hızdır. Su yavaşlayıp normal basınca ulaşınca kabarcıklar patlayarak ortaya yüksek bir ısı (20.000°C kadar yüksek), büyük bir patlama ve ışık çıkmasına sebep olurlar (ışığın açığa çıkması çok nadiren görülür ve bu olaya "sonoluminescence" adı verilir), ışığa sebep olan şey sestir.

Karidesler bu sesi avlarını sersemletmek, iletişim kurmak ve eşlerini bulmak için kullandıkları gibi, sonarları bozmak için de kullanırlar; keskin, aşırı yüksek ses gemilerin çarklarında çökmelere neden olur.

Flamingolar neden pembedir?

Çünkü çok fazla mavi-yeşil alg yerler.

Flamingolar karides de yer, fakat bu hayvanların rengi su yosunlarından gelir. İsimlerine rağmen mavi-yeşil algler kırmızı, mor, kahverengi, sarı, hatta turuncu olabilirler.

Flamingolar adlarını parlak renklerinden alırlar. *Flamenko* kelimesi gibi *flamingo* da Latincedeki "alev" anlamına gelen kelimeden (*flamma*) türemiştir. Peru'nun kırmızı beyaz bayrağının da esin kaynağı bu hayvanlardır.

Flamingoların dört türü vardır. Eskiden Avrupa, Amerika ve Avustralya'ya yayılmış olan flamingolar en az on milyon yıllık bir tarihe sahiptir. Şu anda sadece Afrika, Hindistan, Güney Amerika ve güney Avrupa'nın korumaya alınmış bölgelerinde yaşamaktadırlar.

Tüm türleri tekeşlidir. Yılda sadece bir kez yumurtlarlar ve yumurtalarını bir toprak birikintisine yerleştirirler. Ebeveynlerin ikisi de dönüşümlü olarak kuluçkaya yatar ve her ikisi de boğazlarında çok besleyici olan parlak kırmızı bir tür "süt" üretir. Yavrular ilk iki ay bu sütle beslenir. Flamingolar süt üretebilen iki kuş türünden biridir; diğeri güvercinlerdir. Bir yere kapatıldıklarında, gerçek ebeveyn olmayan flamingolar yavru bir flamingonun ağlamasını duyarlarsa kendiliğinden süt üretirler.

Yavru flamingolar kuluçkadan çıktıktan sonra çok büyük topluluklar halinde yaşarlar. Bu topluluklar 30.000 kanatlıdan fazla hayvanı barındırıyor olabilir. Yavru bir flamingo, sadece onu bağırışından tanıyan ebeveynleri tarafından beslenir. Bir flamingo ailesine "*pat*" denir.

Flamingolar kafaları tepetaklak bir şekilde yemek yerler. Diğer kanatlıların aksine yiyeceklerini balina ve istiridyeler gibi süzgeçten geçirirler. Gagalarında sıra sıra bulunan plakalar, alınan parçaları sudan arındırır. Küçük flamingolarda (*Phoeniconaias minor*) bu plakalar o kadar sıktır ki, kalınlığı 0,05 mm'yi geçmeyen tek hücreli bitkileri bile süzebilirler. Flamingoların dili, suyu saniyede dört kez gagasından geçiren bir pompa görevi görür.

Yaşlı Plinius, flamingo dilinin leziz bir yemek olarak yenmesini tavsiye etmiştir.

Flamingolar tek ayak üzerinde uyur ve bu sırada (tıpkı yunuslar gibi) vücutlarının bir tarafı uyurken diğer tarafı avcılara karşı tetikte bekler.

Flamingolar 50 yıl yaşayabilir. Diğer hayvanların su içemeyeceği kadar yüksek miktarda tuz ve soda içeren, hiçbir şeyin yetişmediği ve yaşamaya elverişli olmayan göllerde yaşarlar. En temel avcıları hayvanat bahçesi görevlileridir.

Panter ne renktir?

Panter diye "bir" şey yoktur.

Bu kelime Sanskritçedeki beyazımsı sarı renk anlamına gelen ve aslında kaplan için kullanılmış olan *pandarah* kelimesinden geliyor olabilir.

Yunanlar bu kelimeyi alıp "tüm hayvanlar" anlamında kullanılan *panthera* olarak değiştirdiler. Bu kelimeyi hem mitolojik hem de gerçek hayvanları tanımlamak için kullandılar.

Ortaçağ armalarında panter, güzel kokan, uysal ve çok renkli bir hayvan olarak betimlenmiştir.

Bilimsel olarak, büyük kedilerin dört türü de panterdir.

Aslan *Panthera leo*, kaplan *Panthera tigris*, leopar *Panthera pardus* ve jaguar *Panthera onca*'dır. Kükreyebilen kediler bunlardan ibarettir.

İnsanların akıllarında yer etmiş olan panterler ya siyah leoparlar (Afrika ya da Asya'da bulunur) ya da siyah jaguarlardır (Güney Amerika'da bulunur).

Hiçbir hayvan tamamen siyah değildir. Yakından bakıldığında derilerindeki benekler hafifçe görülür. Bu hayvanlar genetik bir mutasyona uğramışlardır, bu da kürklerindeki siyah pigmentlerin turuncu olanların yerini aldığı anlamına gelir.

Çok seyrek rastlanan "beyaz panterler" aslında albino leoparlar ya da jaguarlardır.

Genel olarak insanlar "panter" dediklerinde siyah pumayı kastederler. İspatlanmamış birçok rapor ve gözlemin aksine henüz kimse bunlardan bulamamıştır.

Hayvanların kırmızıyı görmesini sağlayan şey nedir?

Boğaların kırmızı rengi görünce kızdığına dair efsane, zamanın çok satan yazarı John Lyly "Filin önünde duran parlak, boğanın önünde duran kırmızı giymesin" diye yazdığından, yani en az 1580 civarından beri vardır.

İşin aslı şudur: Aynı fareler, hipopotamlar, baykuşlar ve karınca yiyenler gibi boğalar da renk körüdür. Boğayı sinirlendiren matadorun pelerinin hareketidir, pelerinin rengiyse sadece izleyen kalabalığın işine yarar.

Köpekler maviyle sarıyı ayırt edebilir, fakat yeşille kırmızıyı ayıramazlar. Trafik ışıklarında yol gösteren köpekler karşıya geçmenin güvenli olup olmadığını trafiği dinleyerek anlarlar. Yani, modern yaya geçitlerinde korna seslerini dinlerler.

Kırmızıyı çok net bir şekilde görebilen hayvanlar tavuklardır.

Tavuk yetiştirenler tavukların "kırmızıyı görme"leri konusundaki gündelik sorunları çok iyi bilirler. Tavuklardan birinin bir yeri kanarsa diğerleri sürekli onu gagalar.

Bu yamyamsı hareket kontrol edilmezse bir ölüm cümbüşüne dönüşebilir ki, bu da kümesteki hayvan sayısında ani bir düşüşe neden olabilir.

Bu konuda eskiden beri uygulanan çözüm, tavukların gagalarını sıcak bıçakla köreltip birbirlerine zarar vermelerini önlemektir. Fakat 1989'da Animalens adında bir şirket yumurtlayan tavuklar için kırmızı renkli kontakt lens üretti. İlk sonuçlar umut vericiydi: Her şey zaten kırmızı göründüğü için tavuklar daha az kavga etmeye başladılar, böylece daha az hareket ettiklerinden daha az yiyeceğe ihtiyaç duyuyorlardı, hem de aynı miktarda yumurtlamaya devam ederek.

Yumurta sektörü çok küçük bir kâr marjıyla çalışır: Yaklaşık yüzde 1,6. ABD'de 250 milyon damızlık tavuk vardır ve bunların 150 milyonu elli çiftlikte toplanmış durumdadır. Tavuklar için üretilen kırmızı lensler bu çiftliklerin kârını üçe katlamıştır.

Maalesef, lensleri takmak zahmetli ve emek isteyen bir işti. Lensler oksijensiz bıraktığından, tavukların gözlerinin çabucak bozulmasına ve bu nedenle de acı ve sıkıntıya sebep oluyordu. Hayvan hakları lobisini kızdıran Animalens daha sonra bu ürünü kaldırdı.

İlk Umpa-Lumpalar ne renkti?

a. Siyah
b. Altın sarısı
c. Çok renkli
d. Turuncu

Roald Dahl'ın klasik çocuk romanı *Çarli'nin Çikolata Fabrikası*'nın 1964'teki ilk baskısında yorulmak nedir bilmeyen, sadık Umpa-Lumpalar turuncu değil siyahtır.

Dahl onları, kovulan beyaz işçilerin yerine geçmeleri için "daha önce hiçbir beyaz adamın giremediği Afrika ormanlarının en derin ve en karanlık bölgelerinden" Bay Wonka tarafından getirilmiş 3000 yıllık zenci bir cüce kabilesi olarak tanımlamıştır. Daha önce sadece "böcek, okaliptüs yaprağı, tırtıl ve bong bong ağacı kabuğu" yemiş olmalarına rağmen burada sadece çikolatayla yaşıyorlardı.

Zamanında hoş karşılanmış olsa da Dahl'ın Umpa-Lumpa

tanımlaması kölelik iması nedeniyle 1970'lerin başında tehlikeli bir şekilde ırkçılığa dönüştü, bu nedenle Amerikalı yayımcı Knopf bazı değişiklikler konusunda ısrarcı oldu. 1972'de *Çarli'nin Çikolata Fabrikası* kitabının düzeltilmiş hali çıktı. Zenci cüceler çıkmış, yerlerine küçük hippilere benzeyen "parlak kestane saçlı" ve "kızıl-beyaz tenli" Umpa-Lumpalar gelmişti.

Daha sonra, Dahl'ın kitabına çizimler yapan Quentin Blake, bu yaratıkları çok renkli Mohawk saçları olan futuristik punkçılar olarak betimledi. 1971 ve 2005'teki iki Hollywood filmi Umpa-Lumpaları turuncu elfler haline getirdi.

Dahl 1971 yapımı filmden, (adı geçmeyen) senarist David Seltzer'in (Daha sonra *Omen*'i yazmıştır) Wonka'ya kitapta olmayan şiirsel alıntılar okutmasından dolayı nefret etmiştir.

Söylenenlere göre, "Charlie" ismi ABD'de Afro-Amerikalıları kasteden bir sokak ağzı haline geldiği için, filmin adı *Willy Wonka'nın Çikolata Fabrikası* olarak değiştirilmiştir.

Robin Hood'un taytı ne renkti?

Kırmızı.

En eski Robin Hood hikayeleri 15. yüzyıla ait baladlardır.

Bunlardan en uzunu ve en önemlisi olan *A Gest of Robyn Hode*'da [Robin Hood'un Macerası] Robin ve "Soytarılar", "parlak kırmızı çizgili sağlam bir pelerin" olarak bilinen bir tür kolsuz manto giyerlerdi.

Diğer baladlarda Robin kırmızı ya da kızıl giyinirken adamları yeşil giyer. Bu onun lider konumunu yansıtır (meşe kabuklarında bulunan kermeslerin [*Kermes ilicis*] kurutulmasından elde edilen boyayla boyanan "parlak kırmızı" giysiler

Ortaçağ İngiltere'sinin en pahalı giysileriydi).

Bu durum aynı zamanda kızıl göğüslü robin kuşuyla özdeşleştirilen Robin'in ve en yakın soytarısı Will Scarlet'in isminin nereden geldiğini de açıklamaktadır.

"Lincoln yeşili"nin bu asilerin giydiği renk haline gelmesiyse hikayenin daha sonraki versiyonlarında olmuştur ki, bu yeşil olmayabilir.

Lincoln, Ortaçağ İngiliz boya endüstrisinin merkeziydi. "Lincoln yeşili" yeşildi (çivitten elde edilen mavi boyanın üzerinden sarı boyayla geçiliyordu), fakat "Lincoln rengi (*grain*)" kızıl renkteydi, kermesle boyanıyordu ve "tohum (*graine*)" olarak biliniyordu.

Eski Robin Hood hikayeleri renge çok önem verir. Robin adını başlığından, pelerininden, paltosundan, mantosundan, pantolonundan, gömleğinden ve *Gest*'te bahsedilen altı farklı renkteki giysiden almıştır; hikayenin bir yerinde manifaturacı rolündedir ve krala 37 metre yeşil kumaş satar.

Bu durum baladların, üretici tüccarların üye olduğu Kumaşçı Loncaları için yazılmış olabileceği düşüncesini doğurmuştur. Bu loncaların çoğu *Gest*'in yazıldığı dönemde kuruldu (yaklaşık 1460); tercih ettikleri giyim tarzı renkli başlıktı.

En azından bir tarihçi, Robin Hood hikayelerinin ana fikrinin, geleneksel olarak sunulan "ormana karşı şehir" ya da "zengine karşı fakir" mücadelesi değil, denizaşırı tüccarlığın bozulmuş, yok olmakta olan soyluluğa karşı zaferi olduğunu savunmuştur.

Pahalı kırmızı elbiseler içindeki Robin Hood aslında fakirlerden ziyade, ortaya çıkmakta olan orta sınıfların savunucusudur.

Havuç ne renktir?

Havuçlar içlerindeki turuncuyu 5000 yıl kadar açığa çıkarmamışlardır.

İnsanlar havucu ilk defa MÖ 3000'de Afganistan'da kullandı. Bu ilk havuçların dışı mor içi sarıydı.

Eski Yunanlar ve Romalılar havuç yetiştirdiler, fakat daha çok tedavi amaçlı kullandılar. O zamanlar havuç güçlü bir afrodizyak olarak kabul ediliyordu.

Diğer yandan, ünlü bir 2. yüzyıl fizikçisi olan Galen, havucu gaz sorunu olanlara öneriyordu. Havucu karakavza denen yabanhavucundan ayıran ilk kişi de odur.

Arap tüccarlar havuç tohumlarını Asya, Afrika ve Arap yarımadasına yaydıkça havucun mor, beyaz, sarı, kırmızı, yeşil ve hatta siyahın farklı tonlarındaki çeşitleri meydana geldi.

İlk turuncu havuçlar 16. yüzyılda, Hollanda Kraliyet Sarayı'nın rengi olan turuncuya uysun diye vatansever duygularla Hollanda'da üretildi.

17. yüzyılda Hollandalılar Avrupa'nın başlıca havuç üreticisiydi ve havucun tüm modern çeşitleri onların dört turuncu havucundan gelir: Early Half Long, Late Half Long, Scarlet ve Long Orange.

"Hayat nedir?" diye soruyorsun. Bu "Havuç nedir?" diye sormakla aynı şey. Havuç havuçtur işte, başka da bir şey bilmiyoruz.

ANTON ÇEHOV

Şimdilerde turuncu olmayan havuçlara rağbet arttı. Dükkanlarda beyaz, sarı, koyu kırmızı ve mor çeşitleri bulmak mümkün. 1997'de İzlanda çocuklara yönelik Çılgın Sebze kampanyası kapsamında çikolata aromalı havuç geliştirmişti. Sekiz ay sonra kampanya sona erdi.

Birleşmiş Milletler'e göre 1903'te 287 çeşit havuç vardı, fakat bu sayı günümüzde yüzde 93'lük bir düşüşle 21'e geriledi.

Bazı havuç türlerinin tohumları buzlanmayı önler. Bu doğal havuç "antifrizi", vücut dokularını tıbben korumak ve dondurulmuş gıdaların raf ömrünü uzatmak için kullanılabilir.

Havuç karanlıkta görmemize yardımcı olur mu?

Olmaz.

Havuç, yokluğu gece körlüğü hastalığına (ışıktaki değişikliğe gözün çok zor adapte olması) neden olan A vitamini açısından zengindir.

Gözün retina tabakası çubuk ve koni adı verilen ışığa duyarlı hücrelerden oluşur. Koniler ayrıntıları ve renkleri algılar fakat bu fonksiyon için çok fazla ışığa ihtiyaç duyar ("yavaş" bir film emülsiyonu gibi). Çubukların tek ayırt edebildiği şey renklerdir, fakat daha az ışığa ihtiyaç duyarlar ("hızlı" film emülsiyonu gibi), bu yüzden gece görüşü için kullanılırlar. Bu hücreler, temel bileşeni A vitamini olan ve rodopsin adı verilen ışığa duyarlı bir kimyasal madde içerir.

Gece körlüğü tedavisinin en kolay yolu daha çok A vitamini almaktır, bu vitamin de en çok karotende bulunur. Havuç karoten içerir fakat kayısı, ıspanak ve yabanmersini gibi koyu yapraklı sebzeler bu açıdan daha zengindir.

Fakat gece görüşü bozukluğunu iyileştirmekle normal gece görüşünü daha iyi hale getirmek çok farklı şeylerdir. Daha çok havuç yemek karanlıkta daha iyi görmenizi sağlamaz (uzun vadede tek yapabildiği, ten renginizi turuncu hale getirmek olacaktır).

İkinci Dünya Savaşı sırasında Filo Kaptanı John Cunningham'a (1917-2002) "Kedi gözlü Cunningham" lakabı takılmıştır. Onun 604 nolu filosu geceleyin faaliyet gösteriyordu. Britanya hükümeti, onun çok havuç yediği için gece görebildiği söylentilerinin yayılmasını teşvik etmiştir.

Bu söylenti, kaptanın yeni geliştirilmiş, çok gizli hava radar sisteminin denemelerini yaptığını gizlemek için kasten uydurulmuştu.

Bunu Almanların yutmuş olması pek muhtemel görünmese de, bir nesil İngiliz çocuklarının, savaş yıllarında sürekli tedarik edilebilen tek sebzeyi yemeleri için ikna edilmelerine yardımcı olmuştur.

Bir süre sonra hükümet bu havuç propagandası olayını abartmaya başladı. Havuçlar "Güzel Britanya toprağından çıkarılan parlak hazineler" haline geldi. 1941'den kalma bir Havuç Tartı tarifinde bulunan "kayısı tartını hatırlatır fakat kendine has bir lezzeti vardır" lafı da kimseyi kandırmaya yetmedi. Havuç reçeli ve marmelatı kendine Britanya kahvaltılarında bir yer edinemedi.

Buna karşılık Portekizliler havuç reçeline çok düşkündür. Portekizlilerin bu düşkünlüğü, 2002'de Avrupa Birliği'nde havucun meyve olarak tanımlanmasına sebep oldu.

Muz nerede yetişir?

Muz ağacı diye bir şey yoktur.

Muz bitkisi aslında devasa bir ottur ve muz da onun meyvesidir.

Bu tür otlar, "kalınca fakat odunsu olmayan, çiçek açıp tohum verdikten sonra ölüp toprağa düşen bitkiler" olarak tanımlanır. Bu her zaman doğru değildir: Adaçayı, kekik, biberiye (bir kabukla kaplı olmasalar da) odunsu bir gövdeye sahiptir.

Bu tanıma göre, çiçek açtıktan sonra otun toprak üzerindeki kısmı ölür. Muz sözkonusu olduğunda, bu durum garip bir sonuca neden olur. Gövde öldükten sonra hemen yakınındaki kökten bir diğeri büyür. Böylece birkaç yıl sonra muz bitkisi birkaç metre "yürümüş" olur.

Muzun anavatanı Malaya'dır ve 10.000 yıldır yetiştirilmektedir. Güneydoğu Asya'da hâlâ bulunabilecek olan yabani muzların geniş sert çekirdekleri vardır ve az etlidir. Yarasalar muz bitkilerine polen taşıyarak onları döller.

Pazardan ya da marketten aldığınız muz yabani değildir, çekirdeksiz ve etli olduğu için çiftçiler tarafından seçilmiş bir cinstir. Kültür üretimi, tatlı ve lezzetli fakat kısır bitkiler üretmiştir, bu bitkiler insan müdahalesi olmadan üreyemez.

Çoğu muz bitkisi 10.000 yıldır cinsel ilişkiye girmemiştir. Yediğimiz hemen hemen her muz, varolan bir bitkiden emilen özle, insan eliyle döllenmiştir. Zaten bu bitkinin genetik özellikleri 100 asırdır değişmemiştir.

Bunun sonucu olarak muzlar hastalıklara karşı son derece hassastırlar. Birçok tür, siyah Sigotoka ve Panama hastalıkları gibi ilaçlara dayanıklı olan mantar hastalıklarına yenik düşmüştür. Eğer yakında genetiğiyle oynanmış bir cins üretilemezse tüm muz türlerinin nesli tükenebilir.

Bu ciddi bir sorundur. Muz dünyada ihracatı en kârlı olan mahsuldür. Muz sektöründe yılda 12 milyar dolar döner ve bu sektör, çoğu yoksulluk sınırının altında yaşayan 400 milyon kişinin geçim kaynağıdır.

Muz üretiminin çoğu sıcak ülkelerde yapılır, fakat Avrupa'daki üretimin merkezi İzlanda'dır. Burada muzlar geniş seralarda jeotermal sularla ısıtılarak yetiştirilir, hem de Kuzey Kutup Dairesi'nin sadece 2 derece aşağısında.

Her yıl Belize'deki muz hasadının tamamını satın alan Fyffes adlı çokuluslu şirket bir İrlanda firmasıdır.

Aşağıdakilerden hangisi sert kabuklu kuruyemiştir?

a. Badem
b. Yerfıstığı
c. Brezilya kestanesi
d. Ceviz

Sert kabuklu kuruyemişler genelde tek (nadiren iki) çekirdekli, olgunlaştıklarında çekirdeklerinin etrafında çok sert bir duvar oluşan, basit, kuru meyveler olarak tanımlanır.

Eğer iki üç gün boyunca fıstık ezmesi kokmayı göze alıyorsanız, fıstık ezmesi tam bir tıraş kremi görevi görür.

BARRY GOLDWATER

Gerçek sert kabuklu kuruyemişler ceviz, boz ceviz, asma gövdeli Amerikan akcevizi, pikan cevizi, kestane (atkestanesi hariç), kayın, meşe palamudu, kestane çiçekli meşe (*Lithocarpus densiflorus*), fındık, gürgen, huş ve kızılağaçtır.

Yerfıstığı, badem, antepfıstığı, Brezilya kestanesi, kaju, Hindistan cevizi, atkestanesi ve çamfıstığı sert kabuklu değildir. Yani, bir paket yerfıstığının üzerindeki efsanevi sağlık uyarısı ("sert kabuklar içerebilir") kesinlikle doğru değildir.

Brezilya kestanesi kabuklu kuruyemiş değil, çekirdektir. Kestanelerin içinde bulunduğu sert kabuk (bir kabuktan 24 taneye kadar çıkabilir) ağacın tepesinde, yerden 45 metre yüksekte yetişir ve kafanıza düşerse ölümcüldür. Brezilya'da bu kabuklara *ouricos* ("kirpi") adı verilir.

Badem tek çekirdekli etli bir bitkinin çekirdeğidir.

Yetiştiği ülkeye göre çeşitli isimlerle anılan yerfıstığı aslında yeraltında yetişen bir tür baklagildir.

Yerfıstığının anavatanı Güney Amerika'dır, fakat günümüzde başta ABD'nin Georgia eyaleti olmak üzere birçok yerde yetiştirilir. Bazı insanların yerfıstığına çok ciddi boyutlarda alerjisi vardır, çok az yerfıstığı yemek (hatta yerfıstığı tozu solumak bile) ölümcül sonuçlara yol açabilir. Bu insanların gerçek sert kabuklu kuruyemişlere alerjisi olma ihtimali de vardır.

Antepfıstığının da ölümcül tehlikeleri vardır. Antepfıstığı, Uluslararası Denizcilik Tehlikeli Maddeler listesinin 4.2'nci maddesinde "Yanıcı Katılar (Aniden Alev Almaya Eğilimli Maddeler)" başlığı altında sınıflandırılmıştır. Taze antepfıstığı basınç altında kalırsa alev alabilir ve taşınan malların yanmasına sebep olabilir.

Antepfıstığı toplandıktan sonra bile oksijen alıp karbondioksit vermeye devam eder. Bu da antepfıstığının deniz yoluyla taşınması sırasında ciddi sorunlara neden olabilir. Eğer yeterli havalandırma yoksa, yük gemisinin ambarına giren bir mürettebat, karbondioksit zehirlenmesi ya da oksijen eksikliğinden ölebilir.

Antepfıstığı en az 9000 yıldır insanlar tarafından tüketilmektedir. İslami bir menkıbeye göre antepfıstığı Adem'in yeryüzüne inerken cennetten getirdiği yiyeceklerden biridir.

Hindistancevizinin içinde ne vardır?

Süt yoktur, hindistancevizi suyu vardır. Hindistancevizi sütü, hindistancevizinin beyaz, "etli" kısmının bu çıkan suyla kaynatılıp süzülmesiyle elde edilir. Bu karışımı biraz daha kaynatırsanız hindistancevizi kreması elde edersiniz.

Hindistancevizi böyle bir çekirdek sıvısı üreten tek bitkidir. Hindistancevizi büyüdükçe içindeki çekirdek, "hindistancevizi elması" adı verilen tatlı süngersi bir kütle halini alır. En sonunda bundan da ağacın deliklerinin birinden çıkan körpe bir filiz oluşur.

Taze hindistancevizi suyu, çok içtiğiniz bir gecenin sabahı için mükemmel bir çözümdür. Tamamen sterildir, vitamin ve mineral deposudur ve insan kanındakiyle aynı oranda tuz içerir (teknik terimle izotoniktir).

Bu nedenle serum yerine kullanılabilir ve ticari anlamda sporcu içeceği olarak pazarlanmaktadır. Bu pazar özellikle hindistancevizinin 75 milyon dolarlık bir endüstri olduğu Brezilya'da yaygındır. Ayrıca hindistancevizi suyu çabuk fermente olduğundan şarap ya da sirke yapımında da kullanılabilir.

Hindistancevizi yağı, AIDS tedavisinde kullanılmaktadır. Dünyanın en zararlı sabit yağı olmasının aksine (ki bir zamanlar öyle düşünülüyordu), şu sıralar dünyanın en sağlıklı yağı olarak pazarlanıyor. Emilen anne sütünde bulunan laurik asit açısından zengindir ve anti-viral ve anti-bakteriyel özellikleri vardır. Kan akışına karışmayıp doğrudan akciğere gitmesi nedeniyle kolesterolü düşürücü etkisi de görülmüştür.

Hindistancevizi ağacının daha az bilinen kullanımları ise şunlardır: DaimlerChrysler, bu ağacın kabuğunu (ya da lifini) kamyonlara (plastik köpükten daha esnek olan) ekolojik koltuklar yapmak için kullanıyor; kökü sıvı hale getirilerek gargara olarak kullanılıyor; meyvesinin kabuğu jet motorlarını temizlemekte kullanılıyor. Hindistancevizinden yapılacak ilk araba gövdesinin çizimleri de çoktan başlamıştır.

Hindistancevizi ağacı 3000 yıldan fazla bir zamandır dünyanın en faydalı ağacı kabul edilir. Erken Sanskrit metinlerinde bu ağaçtan *kalpa vriksha*, yani tüm ihtiyaçları karşılayan ağaç olarak bahsedilir.

Issız bir adada sadece hindistancevizi yiyip içerek hayatta kalabilirsiniz.

Kaptan Cook iskorbüt hastalığının tedavisi için adamlarına ne verirdi?

a. Misket limonu
b. Limon
c. Lahana turşusu
d. Rom ve Frenk üzümü

Eskimolar/İnuitler iskorbüt hastalığına yakalanmaz, çünkü balina yağı C vitamini yönünden çok zengindir.

Cook gemide asla taze misket limonu ya da limon taşımadı. Elindeki buna en yakın ilaç lahana turşusu ve "rob" adı verilen konsantre karışık meyve sularıydı. Bunlar da uzun yola dayanmaları için kaynatıldığından C vitamininin çoğunu yitirmiş olurlardı.

Cook, limon suyunun Britanyalı gemicilerin standart ihtiyaç listesine girmesinden yirmi yıl önce öldü.

İskorbüt uzun yolculuklarda ciddi bir sorun teşkil ediyordu. Macellan, Pasifik'i geçişi sırasında mürettebatının çoğunu bu hastalık nedeniyle kaybetti. Artık bu hastalığın sebebinin C ve B vitamini eksikliğinden kaynaklandığını ve vücut hücrelerinin parçalanmasına neden olduğunu biliyoruz. Fakat 18. yüzyılda bu hastalık bilgiden ziyade batıl inançlarla tedavi ediliyordu. Çoğu denizci karaya çıkmanın bu hastalığı tedavi ettiğine inanıyordu.

Büyük buluş, 1754'te Edinburghlu fizikçi James Lind'in *Treatise on Scurvy* [İskorbüt Üzerine İnceleme] adlı yayınıyla gerçekleşti. Lind'in çalışması, hastalığa karşı turunçgillerin ve taze sebzelerin tüketilmesi gerektiğini savunuyordu.

Efsaneye göre Cook'un bilgili yaklaşımı onun gemilerini bu hastalıktan korumuştur. Gerçekteyse, Cook'un bu hastalığı gözardı ettiği anlaşılmaktadır. Arkadaşlarının günlüklerinde, ölümler az olmasına karşın Cook'un üç yolculuğunda da bu hastalığın yaygın şekilde görüldüğü belirtilmiştir.

1795'te İngiliz Amirallik Dairesi (Lind'in önerisiyle) nihayet gemilerde turunçgiller bulundurulması emrini verdiğinde gemilere yüklenen misket limonu suyu değil, limon suyuydu. Bunun hastalığın önlenmesi konusunda çok büyük bir etkisi oldu.

1850'lere gelindiğinde limonun yerini ekonomik nedenlerle misket limonu aldı (misket limonu Britanyalı işadamları tarafından kolonilerde üretiliyordu, limon ise Johnny Foreigner tarafından Akdeniz'de yetiştiriliyordu). İskorbüt bir intikamla geri döndü, bu sefer sebep ironik bir şekilde misket limonlarının çok az C vitamini içermesiydi.

Argoda "İngiliz" için kullanılan limonluk (daha sonraları *limey*) tabiri ilk kez 1859'da kaydedilmiştir. 1930'lara kadar C vitaminine bir isim verilmemiştir. C vitaminin kimyasal adı askorbik asittir. Askorbik, "iskorbüt karşıtı" anlamına gelir.

Avustralya'yı kim keşfetti?

Bu sorunun cevabına birçok yerde hâlâ "Kaptan Cook" dendiğini duyarsınız (gerçi bunu Avustralya'da kimse söylemez).

Hadi en baştan alalım: Öncelikle, *Endeavour* gemisinin ilk seferinde Cook kaptan değil, ast rütbede bir subaydı (1768-71). Ayrıca, Cook bu kıtayı gören ilk Avrupalı değildi, (Hollandalılar ondan 150 yıl öndeydi) hatta bu karaya ayak basan ilk İngiliz bile değildi. Buraya ilk ayak basan İngiliz, William Dampier'di; Dampier aynı zamanda 1697'de "büyük zıplayan hayvan"ı da ilk kaydeden kişiydi.

Dampier (1652-1715) bir deniz kaptanı, kaşif, araştırmacı, haritacı, bilimsel gözlemci, korsan ve hayduttu. *Robinson Crusoe*'ya kaynaklık eden Alexander Selkirk de onun mürettebatındaydı. Selkirk dünyayı üç kez gemiyle dolaştı, ilk rüzgar haritasını icat etti, *Oxford English Dictionary*'de adı avokado, barbekü, ekmek ağacı, kaju, yemek çubuğu, yerleşim bölgesi ve tortilla gibi kelimelerin açıklamalarında 1000 kez anılır.

Son yıllarda, Avustralya'nın ilk yabancı konuklarının Çinliler olduğuna dair güçlü bir lobi faaliyeti var. Büyük Ming Hanedanlığı amirali Zheng He'nin (1371-1435) 1432'de Darwin yakınlarında karaya çıktığına dair bazı arkeolojik kanıtlar bulunuyor.

Gavin Menzies'in çok satan *1421: The Year the Chinese Discovered America* [1421: Çinlilerin Amerika'yı Keşfettiği Yıl] adlı kitabında uydurduğu "Tüm dünyayı keşfeden Zheng He'dir" hikayesini yutmasak da, bu olağanüstü 15. yüzyıl gezgininin (Müslüman ve hadımdı) Avustralya'nın kuzey kıyısına ulaşmış olması gayet muhtemel görünüyor.

Bununla birlikte, yerli denizhıyarına rağbet eden Endonezyalı balıkçılar (Çinlilerle denizhıyarı ticareti yapıyorlardı) Avrupalıların Avustralya'ya ilk kez ayak basmalarından çok önce bunu başarmıştı.

Hatta Yolngu gibi Kuzeyli Aborijinlerin bir kısmı, sandalla

açılıp balık tutmayı bu denizaşırı ziyaretçilerden öğrenmiştir ve bu esnada bazı kelimeleri, araç gereci ve kötü alışkanlıkları (alkol ve tütün) onlardan almıştır.

Kıtanın gerçek kaşifleri elbette 50.000 yıl önce Avustralya'ya ulaşmış olan Aborijinlerdir. Aborijinler sadece 8 nesildir kıtada olan Avrupalılara karşılık 20.000 nesildir oradalar.

Bu da onların çevrelerindeki etkileyici değişimlere tanıklık etmek için yeterli bir süredir. Avustralya içlerinin manzarası 30.000 yıl önce yeşil bitki örtüsü, dolup taşan göller ve karla kaplı dağlardan oluşuyordu.

Aborijin dilinde "kanguru" ne anlama gelir?

"Bilmiyorum" anlamına gelmez; halbuki sayısız internet sitesi ve lüzumsuz bilgiler kitabı bundan kültürel yanlış anlamanın gülünç bir ilk örneği olarak bahsedip "bilmiyorum" anlamına geldiğini söyler.

Hikayenin aslı çok daha ilginçtir. 18. yüzyıl Avustralyası'nda 250 farklı dil konuşan 700 Aborijin kabilesi vardı.

Kanguru (ya da *ganguru*), Botany Körfezi'nde konuşulan Guugu Ymithirr dilinden gelir ve büyük gri ya da siyah kanguru (*Marcropus robustus*) demektir. İngiliz yerleşimciler içlere ilerledikçe bu kelimeyi her yaşlı kanguru ya da valabi için kullandılar.

Baagandji'ler Botany Körfezi'nden 2250 km uzakta yaşıyorlardı ve Guugu Ymithirr dilini bilmiyorlardı. Bu yabancı kelimeyi ilk kez İngiliz göçmenlerden duydular ve kelimenin "daha önce kimsenin duymamış olduğu hayvan" anlamına geldiğini zannettiler.

Daha önce hiç at görmedikleri için bu kelimeyi (gayet mantıklı bir şekilde) yerleşimcilerin atları için kullandılar.

Dünyadaki en büyük kaya hangisidir?

Avustralya'daki Ayers Kayası (Uluru) değildir.

Batı Avustralya'nın ücra bir köşesi olan Augustus Dağı ya da *Burringurrah*, dünyanın tek parça halindeki en büyük kayasıdır. *Uluru* ya da Ayers Kayası'nın iki buçuk katı büyüklüktedir ve doğal dünyanın en az tanınan ama en görkemli mevkilerinden biridir.

Etrafını saran ıssız alandan 858 metre yüksektedir ve dağ sırtı uzunluğu 8 km'den fazladır.

Uluru'dan daha yüksek ve daha büyük olmasının yanında ondan çok daha yaşlıdır. Görünürdeki gri kumtaşı, bir milyar yıl önce oluşmuş deniz dibinin kalıntılarıdır. Kumtaşının altındaki asıl kaya 1650 milyon yıl öncesine dayanan bir granittir. Uluru'daki en eski kumtaşı ise sadece 400 milyon yıl öncesinden kalmadır.

Bu kaya Wadjari'ler için kutsaldır ve ismini yetişkinliğe adım töreninden kaçmaya çalışan Burringurrah adlı bir erkek çocuğundan almıştır. Burringurrah, takip edilip bacağından mızrakla vurulmuş, ardından da eli sopalı kadınlar tarafından öldüresiye dövülmüştür. Kayanın şekli, onun yüzüstü yığılmış, bacaklarını göğsüne doğru çekmiş ve bacağından mızrağın bir ucu çıkmış haldeki vücudunun şeklini yansıtır.

Ayers Kayası'nın bir diğer kuyruk acısıysa Augustus Dağı'nın monolit (tek parça) oluşudur. Uluru ise tek parça değildir. O sadece devasa bir yeraltı kaya oluşumunun doruk yaptığı bir yerdir ve bu, Conner Dağı (*Attila*) ve Olga Dağı'nda (*Kata Tjuta*) da ortaya çıkmıştır.

Bumerang ne için kullanılmıştır?

Kanguruları yere sermek için mi? Bir daha düşünün. Bumerang, geri dönmesi üzerine tasarlanmıştır. Hafif ve hızlıdır. Büyük bir bumerang bile 80 kg'lık bir yetişkin erkek kangurunun kafasında bir sıyrık atmaktan öteye gidemez; diyelim ki kanguruyu yere devirdi, o zaman da geri dönmesine gerek kalmazdı.

Aslında bumerang hiçbir şekilde sopa niyetiyle yapılmamıştır. Bumerang, şahinleri taklit edip, av kuşlarını ağaçlara gerilmiş ağlara çekmek amacıyla yapılmıştır (bir nevi muz şeklinde ve tahtadan av köpeği).

Ayrıca bumerang Aborijinlere has da değildir. Fırlatılıp geri dönen en eski alet Polonya Karpatlarındaki Olazowa Mağarası'nda bulunmuştur ve 18.000 yıllıktır. Araştırmacılar bu aleti denemişler ve hâlâ çalıştığını görmüşlerdir.

Bu da bu aletin uzun süredir kullanıldığını göstermektedir. Başarılı bir bumerang yapmak için gerekli fiziksel özellikler o kadar kesindir ki, her biri birbirinin tıpa tıp aynısı olmalıdır.

En eski Aborijin bumerangları 14.000 yıllıktır.

Eski Mısır'da MÖ 1340'tan itibaren çeşitli tiplerde fırlatılan tahtalar kullanıldı. MS 100'lerde ise Batı Avrupa'da, *cateia* adlı geri dönen tahta bir sopa, kuş avlamak için kullanıldı.

17. yüzyılda Seville Piskoposu *cateia*'yı şöyle tanımlamıştır: "Çok esnek malzemeden yapılan ve fırlatılan bir tür Galya aleti var; ağır olmasından ötürü fırlatıldığında çok uzağa gitmiyor ama gideceği yere mutlaka varıyor. Onu sadece çok büyük bir güç kırabilir. Ama eğer usta biri fırlatırsa, fırlatan kişiye geri döner."

Avustralya Aborijinlerinin bumerangda usta olmalarının sebebi belki de hiçbir zaman ok ve yay yapamamış olmalarıdır. Aborijinlerin çoğu hem bumerangı hem de "kylie" adlı geri dönmeyen fırlatma çubuklarını çok iyi kullanırdı.

"Bou-mar-rang" kelimesinin kayıtlı ilk kullanımı 1822'de gerçekleşmiştir. Bu kelime Sidney yakınlarındaki George Nehri çevresinde yaşayan Turuwal halkının kullandığı dilden gelir.

Turuwal'ler avlanma amaçlı aletleri için başka kelimeler kullanırlardı; "Bumerang" kelimesini ise, fırlatılınca geri dönen sopa anlamında kullanıyorlardı. Turuwalce, Dharuk dil grubunun bir parçasıdır. Diğer dillere Aborijinlerden geçmiş olan kelimelerin çoğu (valabi, dingo, kookaburra kuşu ve koala da dahil) Dharuk dillerinden gelmektedir.

Yandaki resimde yanlış olan nedir?

Kazanın büyüklüğünde bir hata vardır.

Bir insanın sığabileceği kadar büyük, su sızdırmayan metal bir kazan yapmak, 19. yüzyılda Batı'da bile çok yeni olan bir teknoloji gerektirirdi. Gerçekteyse, küçük küçük parçalanıp kızartılmanız ya da daha sonra tüketilmek üzere fümelenip tuzlanmanız daha muhtemeldi.

Yamyam kelimesinin İngilizce karşılığı olan "cannibal", Colombus'un, 1495'te Orta Amerikalı Carib kabilesinin adını yanlış not etmesinden gelir. Colombus yeni sona ermiş bir "Canib" ziyafetinde küçük kazanlarda insan organlarının kaynadığını ve şişlere takılmış parçaların ateşte pişirildiğini yazmıştır.

Başka kaşifler de Güney Amerika, Afrika, Avustralya, Yeni Gine ve Pasifik'te yamyamlık olduğunu yazmışlardır. Kaptan Cook, Maorilerin esir aldıkları düşmanlarını yediklerinden emindi. İkinci yolculuğunda sağ kolu Charles Clerke, bir Maori savaşçısının buyruğuyla bir parça kafa pişirmiş ve kurt gibi aç olan savaşçının kafayı iştahla yediğini ve zevkten defalarca parmaklarını yaladığını yazmıştır.

William Arens, önemli kabul edilen kitabı *The Man-Eating Myth*'te [İnsan Yeme Miti] (1979) yamyamlık hikayelerinin Batı sömürgeciliğini meşrulaştırmak için uydurulmuş ırkçı yalanlar olduğunu savundu. Bu iddia, antropologlar arasında "yamyamlık inkarı" dönemine neden oldu.

Fakat yeni bulgular çoğu tarihçi ve antropoloğun, birçok kabilede, çoğunlukla geleneksel törenler için, bazen de beslenme amacıyla yamyamlığın varolduğunu kabul etmesine sebep olmuştur.

Yamyamlığa izin veren son toplum olan Yeni Gine'deki Fore kabilesi de, *kuru* (insan beyni ve omurilik sinirlerini yemekten kaynaklanan bir beyin hastalığı) salgını nedeniyle bu geleneğe 1950'lerin ortasında son verdi.

Yamyamlığın varolduğu yönünde arkeolojik kanıtlar da vardır. Fransa, İspanya ve Britanya'da toplu halde parçalanmış insan kalıntıları bulunmuştur. Britanya'da bulunan kalıntılar MÖ 30 ile MS 130 arasından kalmıştır, bu da Romalıların eski Britanyalıların insan yediğine dair inançlarını doğrulamaktadır.

Ekim 2003'te Fiji köyü sakinleri, 1867'de ataları tarafından öldürülüp yenmiş olan İngiliz misyoneri Thomas Baker'ın ailesinden resmi bir özür dileyeceklerini açıkladılar. Yerliler Baker'ın botlarını bile yemeye çalışmıştı, fakat botlar çok sert oldukları için 1993'te Metodist Kilisesi'ne geri gönderildi.

Bez bebeklere iğne batırarak insanları lanetlemek hangi dinde vardır?

Vudu dininde (Benin'de *vodun*; Haiti'de *voudu*; Dominik Cumhuriyeti'nde *vudu* olarak bilinir) bebeklere iğne batırmak gibi bir gelenek yoktur.

Vudu dininin büyü pratikleri karmaşıktır ve Batı Afrika'dan çıkıp Karayipler ve Amerika'ya gelmiştir.

Çoğu ayinin asıl amacı iyileştirmeye yöneliktir. "Vudu bebeğine" en yakın şey, *bocheo* adında küçük delikleri olan tahta bir biblodur. İyileştirici enerji, ince çubukların uygun deliklere yerleştirilmesiyle yönlendirilir.

Bir insan ancak gerçekten dine dayalı bir ülkeye gidene kadar dindardır. Daha sonra her şeyi masraflar, makineler ve asgari bir ücret olur.
ALDOUS HUXLEY

Popüler olmuş vudu bebeği efsanesi, büyücülükte kullanılan "poppet" (Latince'de "bebek" anlamındaki *pupa*'dan gelir) adı verilen *Avrupai* bir kukladan kaynaklanmaktadır. Bunun kaynağı da koruyucu kuklalar olarak kullanılan *kolossoi* adındaki eski Yunan bebekleridir. Bu kuklalar, kil, balmumu, pamuk, mısır ve meyveden yapılır ve kişinin hayatının sembolü olurdu. O kuklaya ne yapılırsa o insanın başına da aynı şeyin geleceğine inanılırdı.

Kral I. James bunlardan *Demonology* [Şeytan Bilimi] adlı kitabında (1603) bahseder:

"[Şeytan] son zamanlarda bizim dışımızdakilere balmumu ve kili pişirerek nasıl resim yapılacağını öğretmektedir, bu nedenle ismini verdikleri insanları, yaptıkları kuklayı sürekli kaynatıp kurutarak aralıksız bir hastalığa sevk ederler."

Avrupa'daki yasaklanmış "kara büyü" pratiklerini vudu dinine mal edip, hikayelerini zenginleştirmek için yamyamlık, zombiler ve insan kurban etmeyle ilgili şüphelerini de buna ekleyenler ilk sömürgeciler ve köle sahipleriydi. İşte vuduyu karanlık ve korkunç bir şey olarak belleklere kazıyıp, yaygın kabul görmüş kanıyı şekillendiren ve ilk film yapımcılarıyla ucuz romancıların iştahını kabartanlar bunlar olmuştur.

İnsanlara iğne batırma ve acı çekme üzerine düşünme fikri Hıristiyanlığa tamamen yabancı değildir. Daha dehşet verici olan Reform karşıtı bazı çarmıha gerilme heykelcikleri hayal gücüne gerek bırakmıyordu.

Vudu, Hıristiyanlıkla barışıktır. İki gelenek gayet mutlu bir şekilde birarada varolabilmektedir. Yaygın bir Haiti özdeyişi şöyle der: "Haitililer yüzde 80 Katolik, yüzde 100 vududur."

İsa'yı kaç bilge (Mecusi) ziyaret etmiştir?

İki ile yirmi arası.

Üç tane hediye getirdikleri için genellikle üç bilge olduğu varsayılır. Fakat, dört kişi gelip, birinin, dükkanlar o sırada kapalı olduğundan, hediye getirmeyi unutup bir tütsüyle katılmış olması da gayet muhtemeldir.

Aziz Matta İncili'nde bilgelerin sayısından hiç bahsedilmez. Ayrıca bu ziyaret sırasında İsa'nın bebek değil, küçük bir çocuk olduğu ve ahırda değil, evde yaşadığı belirtiliyor.

Uzmanların çoğu Mecusilerin, Zerdüşti astrolog-papazlar olduğu konusunda hemfikirdir. Fakat sayıları iki ile yirmi arasında değişir. 6. yüzyıla kadar üç tane oldukları standart bir kabul haline gelmemişti.

Kilise şimdi bu konuda geri adım atmaya başladı. 2004'ün Şubat ayında İngiliz Kilisesi Rahipler Genel Meclisi, Book of Common Prayer'larda* revizyona gidilmesi konusunda fikir birliğine vardı. Meclisin komitesi, "Mecusi" ifadesinin Acem mahkemesindeki görevlilerin kullandığı ismin çeviriyazısı olduğu ve bu görevlilerin pekala kadın olabileceği konusunda karar verdi.

Rapor şöyle bitiyordu: "Bu Acem mahkeme görevlilerinin kadın olma ihtimali çok yüksek olmasa da, bir ya da birkaçının kadın olma ihtimali tamamen gözardı edilemez. 'Mecusi' kelimesi sayı, bilgelik ya da cinsiyetle ilgili hiçbir anlam taşımaz. Ziyaretçiler illa ki bilge ya da erkek değildi."

Noel Baba nerelidir?

Yaşınıza bağlı olarak cevap Kuzey Kutbu, Laponya ya da Coca-Cola olabilir. Fakat hiçbiri doğru cevap değildir. Noel Baba tıpkı Aziz George gibi Türkiyelidir.

Aziz Nicholas (gerçek Noel Baba) güneybatı Türkiye'nin güneşten kavrulmuş şehri Demre'de yaşamış ve mucizelerini göstermiştir. En ünlü mucizelerinde genelde çocuklar vardır. Bu mucizelerin birinde, bir hancının parçalayıp tuzlu suya koyduğu üç çocuğu hayata döndürmüştür.

Çocuklara bu kadar yakın olması Noel Azizi olmaya neden uyduğunu açıklar, fakat o aynı zamanda hâkimlerin, faizcilerin, hırsızların, tüccarların, fırıncıların, deniz yolcularının ve tuhaf bir biçimde katillerin de koruyucu azizidir.

---

* Anglikan cemaatinde kullanılan İngiltere Kilisesi din kitaplarına verilen genel ad (ç.n.).

1087'de İtalyan denizciler Aziz Nicholas'ın mucizevi bir şekilde mür sızdıran kemiklerini çaldı. Türkiye çalınan kemikleri hâlâ geri istiyor.

Avrupa'nın geri kalanında şefkatli Noel Baba daha eski ve daha karanlık mitolojik karakterlerle özdeşleştirilir (Almanya'nın doğusunda Kabasakal Keçi, Küladam ya da Binici olarak, Hollanda'da yardımcısı uğursuz "Black Peters"in eşlik ettiği Sinterklass olarak bilinir).

Haddon Sundblom'un 1930'larda yarattığı o ünlü reklam figürlerinden çok önce sevimli "Coca-Cola" Baba vardı. Onun ve 1860'larda Thomas Nast'ın çizimleri, New York'lu Clement Clerk Moore'un 1823 tarihli (daha çok "The Night Before Christmas [Noel'den Önceki Gece]" olarak bilinen) şiiri "A Visit from St. Nicholas"a [St Nicholas'ın Ziyareti] dayanmaktaydı.

Moore alışılmadık bir yazardı (asıl işi İbranice ve Doğu dilleri profesörlüğüydü), ama yazdığı şiirin Noel Baba efsanesinin içini doldurmasındaki önemi abartmamak lazım. Bu şiir efsaneyi Noel arifesine kaydırıp aksi bir Aziz Nick yerine; kürklü kırmızı giysileri, güzel isimli ren geyikleri, çatılara konan kızağı ve çuval dolusu oyuncağıyla tombiş, gözleri gülen, beyaz sakallı bir peri tanımlamıştır. Bu şiir tüm zamanların en popüler çocuk şiirlerinden biri olmuştur.

Kuzey Kutbu'nun ve peri fabrikasının hikayeye ne zaman dahil olduğu kesin değildir; fakat bu iş 1927'den önce gerçekleşmiş olmalıdır; çünkü bu tarihte Finler, ren geyiklerinin hiç liken bulunmayan Kuzey Kutbu'nda yaşayamayacaklarını ortaya koyarak, Noel Baba'nın Finlandiya'nın Laponya bölgesinde yaşamış olduğunu iddia etmiştir.

Noel Baba'nın resmi posta kutusu Laponya'nın başkenti Rovaniemi'dedir. Buraya yılda 600.000 mektup gelir.

Vatikan 1969'da, sanki Noel Baba'nın seküler başarısından intikam alır gibi, Aziz Nicholas günü olan 6 Aralık'ı zorunlu olmaktan çıkarıp isteğe bağlı bir anma günü haline getirdi.

Bugs Bunny, Tavşan Birader ve Paskalya Tavşanı'nın ortak noktaları nedir?

Ortak noktaları hepsinin yaban tavşanı olmasıdır.

Bugs Bunny de Tavşan Birader de, Kuzey Amerika yaban tavşanı (uzun kulaklı, iri bacaklı bir tür yaban tavşanı) model alınarak oluşturulmuştur.

1958'de *Knighty Knight* [Kara Şövalye] filmiyle Oscar kazanan Bugs Bunny, beyazperde prömiyerini *Porky's Hare Hunt* [Domuzun Yaban Tavşanı Avı] ile 1938'de yaptı. Bugs Bunny'yi seslendiren Mel Blanc havuç sevmezdi, yine de başka hiçbir sebze istenen bu sesi çıkaramadığı için kayıtlar sırasında havuç yemek zorunda kaldı.

Tavşan Birader'in kökleri, Afro-Amerikan kölelerin masal anlatma geleneklerine dayanır. Bu masallarda tavşanın tilkiden daha kurnaz bir hayvan olduğu anlatılırdı. Başkan Theodore Roosevelt'in amcası ve Oscar Wilde'ın arkadaşı olan Robert Roosevelt, bu hikayeleri yazan ilk kişidir. Fakat bu "Remus Amca" hikayeleri, Joel Chandler Haris tarafından yeniden yazıldığı 1879'dan sonra ulusal klasikler arasına girdi.

Tahammül edilemez derecede kurnaz olan Paskalya Tavşanı da modern bir Amerikan icadıdır. Bu icat, yaban tavşanının doğurganlık-yeniden doğuş-dolunay sembolü olarak ticari bir sterilizasyonuydu. Sakson kültüründe yaban tavşanı, bahar tanrıçası Eostre için kutsaldır; zaten İngilizcede Paskalya anlamına gelen "Easter", adını bu tanrıçadan almıştır.

Çok az hayvanın bu kadar çok mitolojik çağrışımı vardır. Eski Mısır ve Mezopotamya'dan Hindistan, Afrika, Çin ve Batı Avrupa'ya kadar tavşanlar kutsal, şeytani, akıllı, yıkıcı, zeki ve çoğunlukla seksi olarak nitelenmiştir.

Belki çok hızlı olduklarındandır (saatte 77 km hızla koşabilir ve 2,5 metre sıçrayabilirler); ya da hayret verici doğurganlıkları nedeniyledir (dişi bir tavşan bir yılda 42 yavru doğurabilir). Yaşlı Plinius tavşan yemenin, etkisi dokuz gün süren seksi bir çekicilik sağladığına inanırdı.

Yaban tavşanları da, tavşanlar da kemirici değil, "lagomorf"tur (Yunancada "tavşan şeklinde" anlamına gelen kelimeden türemiştir). Lagomorflar burun deliklerini kapatıp kendi dışkılarını yemeyi tercih edebilmeleriyle diğerlerinden ayrılırlar.

Bunu ineklerin geviş getirmesiyle aynı sebepten yaparlar: Yiyeceklerinden en fazla miktarda besin ve enerji alabilmek için. Fakat ineklerin aksine tavşanlar ve yaban tavşanları geviş getirerek saatler geçirmez.

Bahar aylarından aşina olduğumuz "dövüşen yaban tavşanları" erkeklerin üstünlük kavgaları değil, dişilerin istemedikleri çiftlere karşı mücadeleleridir.

Sindirella'nın ayakkabısı neyden yapılmıştır?

Sincap kürkünden.

Masalın bilinen halini 17. yüzyılda yazıya döken Charles Perrault, Ortaçağ masalında *vair* (sincap kürkü) olarak geçen kelimeyi yanlış anlamış ve *verre* (cam) olarak yazmıştır.

Sindirella eski ve evrensel bir hikayedir. Çince versiyonu 9. yüzyıla dayanır ve Perrault'nun yazdığından önce 340 farklı versiyonu vardır. Bu versiyonların hiçbirinde camdan ayakkabıdan bahsedilmez. Orijinal Çin hikayesi "Yeh-Shen"de ayakkabılar altın tabanlı ve altın bağcıklıdır. İskoçya versiyonu "Rashie-Coat"ta ise sazlıklarla yapılmıştır. Perrault'nun hikayesini uyarladığı Ortaçağ Fransız efsanesindeyse ayakkabılar *pantoufles de vair*, yani sincap kürkünden yapılmıştır.

Bir kaynağa göre, *vair-verre* hatası Perrault'dan önce yapılmıştı ve Perrault'nun yaptığı şey bu hatayı tekrarlamaktan ibaretti. Kimilerine göreyse camdan ayakkabılar Perrault'nun kendi fikriydi ve bunu başından beri bilerek yazdı.

Oxford English Dictionary'de *vair* kelimesi, Fransızcada olduğu gibi İngilizcede de en az 1300'lerden beri kullanılan bir kelime olarak geçmektedir. Bu kelime, Latincede "rengarenk" anlamına gelen ve "daha çok aksesuar ve astar olarak" kullanılan bir tür sincap kürkünü karşılayan *varius* kelimesinden gelmektedir.

Snopes.com'da Perrault'nun *vair* kelimesini *verre* olarak duymuş olmasının mümkün olmadığı, çünkü o zamanlar o kelimenin artık kullanılmadığı belirtilmiştir. Bu tamamen şüpheli görünmektedir, bu kelime İngilizcede en az 1864'e kadar sürekli kullanımdaydı.

Perrault, Académie Française'in müdürlüğüne kadar yükselmiş, üst sınıftan gelen Parisli bir yazardı. *Anne Kazın Maceraları* adlı kitabı (1697) aslında bir saray eğlencesi olarak tasarlanmış ve 17 yaşındaki oğlunun adıyla basılmıştır. Fakat kitap çok geçmeden popüler olmuş ve peri masalları denen bir edebi türü başlatmıştır. Perrault'nun Sindirella dışındaki meşhur klasik masalları şunlardır: Uyuyan Güzel, Kırmızı Başlıklı Kız, Mavi Sakal ve Çizmeli Kedi.

Perrault, Sindirella'yı (fareyi, balkabağını, periyi ekleyerek) cilalamanın yanısıra, kaba kanlı anlatımları da azaltmıştır. Hikayenin orijinal Ortaçağ versiyonunda çirkin kız kardeşler ayakkabıya girebilmek için ayak parmaklarını ve ayaklarındaki şişlikleri keserler; ayrıca Prens, Sindirella'yla evlendikten sonra Kral, kız kardeşleri ve kötü üvey anneyi kırmızı sıcak demir ayakkabılar üzerinde ölene kadar dans ettirerek onlardan intikam alır. Bu kana susamış bölümlerin çoğu Grimm Kardeşler tarafından hikayeye yeniden dahil edildi.

> ***Sincapların şeytanın fırın eldivenleri olduğunu biliyor muydunuz?***
> *MISS PIGGY*

Freud, *Three Contributions to the Theory of Sex*'te [Cinsellik Teorisine Üç Katkı] ayakkabıların kadının cinsel organının bir sembolü olduğunu iddia eder.

Kabak lifi nereden gelir?

Ağaçlardan.

Kabak lifleri denizden çıkmaz (insanın aklına geliveren şey süngerdir), ağaçta yetişir. Bir tür su kabağıdır ve Asya'da tatlı bir atıştırmalık olarak tüketilir.

Tüysüz kabak lifi (*Luffa aegyptiaca*) arsız, hızlı büyüyen, tek yıllık bir sarmaşıktır, sevimli sarı çiçekleri ve garip görünüşlü meyveleri vardır. Bu meyveler küçükken yenebilir, tamamen büyüdüklerindeyse faydalı hale gelirler. Bu sarmaşık 9 metreden daha fazla uzayabilir ve yolunun üstündeki her şeye dolanır.

Muhtemelen Afrika ve Asya'nın tropikal bölgelerine has olan bu bitki bütün Asya'da yetiştirilir ve Japonya'ya ihraç edilmek üzere Amerika Birleşik Devletleri'nde de ticari olarak üretilir.

7,5 ila 15 cm olan körpe meyveleri bütün olarak ya da dilimlenerek kızartılabilir veya çorbalara, omletlere rendelenebilir. 10 cm'den uzun olan meyveler, kabukları acılaştığı için soyularak kullanılır.

Meyveler sarmaşık üzerinde büyümeye bırakılırsa kahverengiye döner ve sapları sararır. Kabak liflerini soyarak sırtınızı ovalamak, deri törpülemek ya da mutfakta tencere fırçalamak için rahatlıkla kullanabilirsiniz.

En sağlam ağaç hangisidir?

Balsa.

Sertlik, bükülürlük ve sıkıştırılabilirlik olarak üç kategoride yapılan ölçüme göre dünyanın en sağlam ağacı balsadır; meşe ve çamdan bile daha sağlamdır.

Balsa en yumuşak ağaç olmasına rağmen, botanik anlamda yumuşak ağaç sınıfına değil, sert ağaç sınıfına girer. "Sert ağaç", botanikte geniş yapraklı ağaçlara verilen isimdir, çoğu iğne yapraklının (çam gibi çiçek açmayan ağaçlar) aksine her yıl yapraklarını döken angiospermlere (balsa gibi çiçek açan ağaçlar) "sert ağaç" denir.

Hafiftir de (elbette dünyadaki en hafif ağaç değildir). Dünyadaki en hafif ağaç Yeni Zelanda'ya özgü *whau* (fav diye okunur) ağacıdır, Maorili balıkçılar bu odunu sal yapmakta kullanır.

Balsa İspanyolca'da "sal" demektir. Balsayı güve yemez.

Kurşun kalemi emerseniz ne olur?

Kötü bir şey olmaz; tek kötü yanı sürekli olarak "çek o kalemi ağzından" uyarısına maruz kalmanızdır.

Kurşun kalemler kurşun içermez, hiçbir zaman da içermemiştir. Kurşun kalemlerde karbonun altı saf halinden biri olan grafit bulunur; bu da çevresini saran tahtadan daha zehirli bir şey değildir. Kalemin boyandığı boyalar bile artık kurşun içermez.

Bu yanlış kanı, yontulmuş kurşunun 2000 yıldan daha uzun bir süre papirüs ve kağıt üzerine yazmak için kullanılmış olmasından ileri gelir.

Şimdiye kadar bulunmuş tek saf, katı grafit tabakası, 1564'te Cumbria'nın Borrowdale Vadisi'nde tesadüfen ortaya çıkarıldı. Bu tabaka çok sıkı yasalarla ve silahlı görevlilerce korunmakta ve yılda sadece altı hafta kazılmaktadır.

Bu tabakadan üretilmiş "siyah kurşunun" ince kare çubuklar halinde kesilmesiyle ilk kurşun kalemler elde edildi. İngiliz kurşun kalemleri çok geçmeden Avrupa'nın her yerinde kullanılmaya başlandı. Bilinen ilk kullanım, 1565'te İsviçreli natüralist Konrad Gessner tarafından gerçekleştirildi.

Walden'in yazarı Henry David Thoreau, grafiti tamamen eritip kille karıştırarak "kurşun" kalemi elde etmeyi başaran ilk Amerikalıydı, fakat 1827'de büyük bir ticari çöküş yaşadı. Çünkü Massachusetts, Salem'den Joseph Dixon, köşeli grafit kurşun kalemleri, seri olarak dakikada 132 adet üretebilen bir makineyi kullanıma soktu.

Dixon'un öldüğü 1869'da, Joseph Dixon Crucible Company, günde 86.000 dışı yuvarlak kurşun kalem üretimiyle dünya lideriydi. Günümüzde (artık adı Dixon Ticonderaga) hâlâ dünyanın lider kurşun kalem üreticilerindendir.

En sıradan, küçük ve basit şeyler bile kendi çapında, tıpkı bir uzay mekiği ya da büyük bir asma köprü gibi karmaşık ve büyük olabilir.
HENRY PETROSKI

Roald Dahl tüm kitaplarını Dixon Ticonderoga marka orta sertlikte sarı bir kurşun kalemle yazdı. Geleneksel sarı kurşun kalemler 1890'lara kadar uzanır. Josef Hardmuth o yıllarda Prag'daki fabrikasında ilk sarı kurşun kalemi üretti ve ona Kraliçe Viktoria'nın meşhur sarı elması Koh-i Noor'un adını verdi (kraliçe lüks ürün grubuna "Koh-i Noor kalemleri" adını verirdi). Diğer üreticiler bunu taklit etti. Kuzey Amerika'da satılan kurşun kalemlerin yüzde 75'i sarıdır.

Ortalama bir kurşun kalem 17 kez açılır ve 45.000 kelime yazabilir ya da 56 km uzunluğunda düz bir çizgi çizilebilir.

Kalemin arkasına takılan silginin orada durmasını sağlayan alete *ferrule* denir. Patenti ilk olarak 1858'de alınmıştır fakat okullarda tercih edilmez, çünkü öğretmenler bu kalemlerin tembelliğe yol açtığını düşünmektedir.

Kurşun kalemlerdeki "silgilerin" çoğu aslında bitkisel yağdan yapılır, sadece azıcık silgi bu yağın birarada durmasını sağlar.

Kulübeler ilk olarak nerede yapılmıştır?

Muhtemelen 4000 yıl önce İskandinavya'da.

Tunç devrinde metal aletlerin gelişimi bunu mümkün kılmıştır. Hızlı kurulabilen, dayanıklı, sıcak bina biçimleri olarak kulübeler daha çok kuzey Avrupa'da kullanılmaktaydı.

Eski Yunanlar da bu konuda iddialı olabilir, çünkü eski kozalaklı ormanlar artık Akdeniz'den çekilmiş olsa da, Minos ve Miken medeniyetlerinin tek odalı evleri ya da *megaronlar* çam kütüğünden yapılıyordu.

Kütükten kulübelerin, ruhani yurtları Amerika'ya ulaşması 1630'larda İsveçlilerin ve Finlerin Delaware'e yerleşmesiyle oldu. İngiliz göçmenler ise evlerini tesadüfen kütükten değil kalastan yaptılar.

Kentucky Hodgenville'de bir müze, ölümünden 30 yıl sonra inşa edilmiş bir kulübeyi Abraham Lincoln'ün doğduğu kulübe olarak gururla sergilemektedir. Bu eski okul çocuklarının yaptığı komik bir hata gibi bir şey: "Abe Lincoln kendi yaptığı bir kulübede doğmuştur."

Bu komik aldatmacaya rağmen ABD Ulusal Park Hizmetleri turistlere, flaşlı fotoğraf çekip tarihi kütüklere zarar vermemelerini söylemektedir.

Taş devrinde insanlar nerede yaşardı?

Şu klişeyi unutun.

"Mağara adamları", Taş Devri ya da paleolitik dönem insanlarını tanımlamak için uygun bir ifade değildir. Bu varsayım 19. yüzyılda revaçta olan, tarih öğretiminde "bana ne Roma döneminin çok öncesinden" ekolünün bir parçasıdır. Modern tarihçi ve arkeologlar bu varsayımı asla kullanmaz.

Paleolitik insanlar mağaraları gerektiğinde kullanan göçebe, avcı-toplayıcılardı. Avrupa'da saptanmış 277 yerleşim yeri vardır (İspanya'daki Altamira, Fransa'daki Lascaux, Derbyshire'daki Creswell Kayalıkları da bunlar arasındadır). Bu insanlar mağaralarda resimler yapmışlar; ateş, yemek pişirme, âdetler ve cenazelerle ilgili kalıntılar bırakmışlar, fakat mağaraları sürekli bir mesken olarak tasarlamamışlardır.

Herkesin bildiği gibi kesin yaşını tespit etmek çok zor olsa da, en eski Avrupa mağara sanatı 40.000 yıl öncesine dayanır. Boya organik olmadığı için karbon yöntemiyle yaşı tespit edilememektedir.

Bu mağaraların işlevi konusundaki en ikna edici açıklama, bunları, güney Afrika ve Avustralya'daki avcı-toplayıcı insanların daha yakın zamanlardaki mağara resimleriyle ilişkilendiriyor. Bu teoriye göre bu resimler, tinsel dünyayla bağ kurmak için karanlık ve daha çok ücra mağaralara giren şamanlar tarafından yapılmıştır. Diğer bir teori, bunların sadece paleolitik gençlik grafitisi olduğunu ileri sürer.

Kuzey Çin'de şu anda tahminen 40 milyon insan *yaodong* adı verilen mağara evlerde yaşamaktadır. MÖ 8000'de gezegenin tamamında sadece beş milyon insanın yaşadığını düşünürsek, şu anda, insanlığın o döneminde yaşamış tüm insanların sekiz katı kadar mağara adamı vardır.

Mağaralarda yaşayan insanlara troglodytes (ilkel insan) denir, bu kelime Yunancada "deliğe girenler" anlamına gelir.

Modern zamanlarda troglodyte yerleşimin bulunduğu yerler arasında Türkiye'de Kapadokya, güney İspanya'da Andalucia ile Kanarya Adaları ve ABD'de New Mexico gösterilebilir.

Bu durum, bir eğilimin sonundan ziyade başlangıcını belirtiyor olabilir. Bath Üniversitesi'nde yapılan bir araştırmaya göre yerin altındaki bir ev, normal bir evden yüzde 25 daha az enerji kullanmaktadır.

İlk ehlileştirilen hayvan hangisidir?

a. Koyun
b. Domuz
c. Ren geyiği
d. At
e. Köpek

14.000 yıl kadar önce paleolitik avcı-toplayıcılar, şu anda Rusya/Moğolistan sınırının bulunduğu yerlerde, kendi göçebe gruplarından çok uzaktaki ren geyiklerini ayartmayı ve kendilerine küçük bir sürü yaratmak için bu geyikleri çiftleştirmeyi öğrendiler.

Ren geyikleri, tıpkı köşebaşlarındaki dükkanlar gibi, et, süt ve kürk sağlarlardı. Bu insanlar aynı zamanda ren geyiklerini ehlileştirmede yardımcı olmaları için köpek de eğitmiş olabilirler.

Günümüzde üç milyon civarında ehli ren geyiği vardır ve bunların çoğu İsveç, Norveç, Finlandiya ve Rusya topraklarına yayılmış Laponya'da toplanmıştır.

Geyikleri besleyen Laponlar kendilerine Sami adını verirler. Sami kelimesinin eski İsveççede "serseri" anlamına geldiğini bilmiyor olabilirler.

Ren geyiğine Kuzey Amerika'da "Caribou" adı verilir. Bu kelime doğu Kanada dili Mi'Maq'te (Micmac) "kazan kişi" anlamına gelen *xalibu*'dan gelir. Ren geyikleri/cariboular, altındaki likenlere ulaşana kadar karı kazmak için geniş ayaklarını kullanırlar. Ren geyikleri besinlerinin üçte ikisini likenlerden sağlar.

Ren geyikleri göçmendir ve yılda 4800 km yol katederler (bu mesafe memeliler için bir rekordur). Aynı zamanda hızlıdırlar da; karada saatte 77 km, suda 9,6 km hıza ulaşabilirler. Göç eden bir geyik sürüsü, ayaklarındaki tıkırdayan bir tendondan dolayı kastanyet gösterisi gibi ses çıkarır.

İşte bazı önemli hayvanların yaklaşık ehlileştirilme tarihleri:

Ren geyiği	yaklaşık MÖ 12.000
Köpek (Avrasya, Kuzey Amerika)	yaklaşık MÖ 12.000
Koyun (Güneybatı Asya)	MÖ 8000
Domuz (Güneybatı Asya, Çin)	MÖ 8000
Sığır (Güneybatı Asya, Hindistan, K. Afrika)	MÖ 6000

Ehlileştirme evcilleştirmeden farklıdır; seçici çiftleştirmeyi kasteder. Filler ehlileştirilebilir fakat evcilleştirilemez.

Kırmızı burunlu Ren Geyiği Rudolf'la ilgili tuhaf olan şey nedir?

Rudolf bir dişidir.

Adının Rudolf olmasına ve ona hep "erkek" olarak hitap edilmesine rağmen, Noel Baba'nın diğer bütün ren geyikleri gibi Rudolf da aslında dişi olmalıdır. Erkek ren geyiği kış mevsiminin başında boynuzlarını kaybeder. Dişi ren geyiği ise yavruladığı ilkbahar mevsimine kadar boynuzlarını korur.

Ren geyiği/caribou, boynuzu olan tek geyik türüdür. Boynuzları her sene dökülür ve yeniden çıkar. Dişilerin boynuzları erkeklerinkinden daha kısa ve gösterişsizdir, ama günde 2,5 cm'nin üzerinde bir hızla büyürler; bu da dişi ren geyiklerinin boynuzlarını bütün memeliler arasında en hızlı büyüyen doku haline getirir.

Diğer bir ihtimal de Rudolf'un hadım edilmiş olmasıdır.

Boynuzlarını muhafaza edebilmeleri ve özellikle ağır yükleri taşıyabilmeleri için Samiler zaman zaman erkek ren geyiklerini hadım ederler.

Hindiler nereden gelir?

Asıl kökenleri Kuzey Amerika'ya dayansa da, Pilgrim Fathers'ın* sofralarını süsleyen ehli hindiler İngiltere'den götürülmüştür.

Avrupa'ya ilk hindinin gelişi 1520'lere dayanır. Önce anavatanları Meksika'dan İspanya'ya getirilmiş ve daha sonra Türk tüccarlar tarafından tüm kıtaya satılmıştır. Çok geçmeden de zengin sınıfların gözde yemeği haline gelmiştir.

Hindi İngiltere'de 1585'ten itibaren bir Hıristiyan geleneği haline geldi. Norfolk'lu çiftçiler bu vahşi hayvanın daha ağır göğüslüsünü ve daha uysalını yetiştirmek için işe koyuldu. Norfolk Black ve White Holland, Amerika'ya yeniden sunulan İngiliz damızlıklarıdır. Şu anda ABD'de tüketilen hindilerin çoğu bu cinslerden gelir.

16. yüzyılın sonlarından itibaren her yıl İngiliz hindileri 160 km yürüyüp Norfolk'tan Londra'nın Leadenhall Pazarı'na geliyordu. Bu yolculuk onlar için üç ay sürerdi ve ayaklarını korumak için özel deri ayakkabılar giymeleri gerekirdi.

1000 hindilik bir sürü, söğüt ya da fındık ağacından yapılmış ve uçlarına kırmızı çaput bağlı uzun değnekleri olan iki celep tarafından idare edilebilir. Noel'den birkaç hafta önce

---

* İngiltere Kilisesi'nden kopan Ayrılıkçıların (Separatists) küçük bir grubu olarak 1620'de İngiltere'den Amerika'ya göç edip Plymouth kolonisini kuran göçmenlere verilen isim; Pilgrim Fathers, New England'daki ilk daimi yerleşimi kurmuştur (ç.n.).

oluşan trafik yoğunluğu, Norfolk ve Suffolk'tan Londra'ya yığınlar halinde gelen hindi sürülerinden kaynaklanmaktadır.

Hindilerin Türkiye'yle hiçbir alakası yoktur. İngiltere'de bu hayvanlara, satanlardan dolayı "Turkie horozu" adı verilirdi. Yine Meksika kökenli olan mısıra da aynı sebeple bir zamanlar "Turkie mısırı" denmiştir.

Türkiye de dahil diğer çoğu ülkede hindilerin adı Hindistan'dan gelmektedir. Bunun nedeni muhtemelen, İspanyolların "Indies"ten (Amerika'ya "Indies" deniyordu) hindiyle dönmüş olmalarıdır.

Sadece, hindiye *peru* diyen Portekizliler gerçeğe yaklaşmıştır. Pilgrim Fathers'a göre Amerika yerlilerinin hindi için kullandıkları kelime *furkee* idi (gerçi hiçbiri bunun hangi Algonquin dilinden geldiğini bilmiyordur). Choctaw dilinde hindiye, çıkardığı sesten dolayı *fakit* adı verilir.

Hindiye bilimsel olarak bile ne isim verileceği tartışmalıdır. Latince *Meleagris gallopavo*, kelimesi kelimesine "beçtavuğu, tavuskuşu" olarak çevrilir ki bu, dilde bir serbest atış gibi görünmektedir.

Erkek hindiye baba hindi denir. Hindiler cinsel birleşme olmadan üreyebilen en büyük yaratıklardır. Bu bakir doğumun yavruları erkektir ve hep kısırdır.

Çoğu dilde hindi sesi *glu glu* ya da *kruk kruk* olarak yazılır. İbranice'deyse *mekarkerim* denir.

Günahsız doğan kimdir?

Meryem Ana.

Katolik olmayanların çoğu bu hataya düşer. Günahlardan arınmış doğum (Immaculate Conception), İsa'nın bakir doğumunu değil Meryem Ana'nın doğumunu ifade eder.

Bu kavram genellikle, Meryem'in bakireyken Kutsal Ruh aracılığıyla İsa'ya hamile kalması doktriniyle (Virgin Birth) karıştırılır.

Günahlardan arınmış doğum doktriniyle Meryem'in, hamile kaldığı sırada günahkarlığına dair oluşacak şüphelerden korunması sağlanmıştır.

Maalesef İncil bu olaya dair bir referans içermez. Bu ancak 1854'te resmi Katolik dogması haline gelmiştir.

Çoğu teolog, İsa zaten herkesi günahlarından kurtardığı için bu doktrinin gereksiz olduğunu düşünmektedir.

Meryem'in bakireyken hamile kalması Hıristiyanlıkta çok temel bir doktrindir, fakat bu tartışmasız olduğu anlamına gelmez. Bu doktrin Luka ve Matta'nın İncillerinde açıkça belirtilmiştir, fakat daha eskiye dayanan Markos İncili'nde ya da daha da önce Aziz Paul'ün mektuplarında lafı geçmez.

Aziz Paul Romalılara yazdığı mektupta açıkça İsa'nın "beden olarak Davut'un dölünden yaratıldığını" belirtmiştir. Ayrıca şunu da biliyoruz ki, Nasıralılar denen ilk Yahudi Hıristiyanlar da bakireyken hamileliğe inanmamışlardır.

Bu yeni din, etki alanını genişletmek için pagan fikirleri alırken, İsa'nın hayatıyla ilgili "doğaüstü" unsurlar da abartılmıştır. Bakireyken hamile kalma, Yahudi geleneğinin bir parçası değildi. Fakat, Yunan mitolojisinde Perseus ve Dionysos, Mısır mitolojisinde Horus ve popülerliği Hıristiyanlığa rakip olan bir Pers tanrısı Mithra "bakirelerden doğmuşlardır."

İsa ahırda mı doğmuştur?

Hayır.

Yeni Ahit'e göre öyle değil. İsa'nın ahırda doğmuş olduğu varsayımının tek nedeni Aziz Luka İncil'inde, İsa'nın "doğduktan sonra bir yemliğe yatırılmasının" geçmesidir.

İsa'nın doğumunda herhangi bir hayvanın bulunduğunu iddia eden herhangi bir kutsal otorite de yoktur. Tabii Hıristiyanlar okul ve kiliselerde gördükleri beşik sahnesine aşinadırlar, fakat beşik İsa'dan 1000 yıl sonra icat edilmiştir.

Assisili Aziz Francis, Greccio üstlerinde yükselen tepelerdeki bir mağarada, 1223'te ilk beşiği yapan kişi olarak anılır. Düz bir kayanın üzerine biraz saman serpiştirip (hâlâ görülebilmektedir) üzerine bir bebek koymuş ve öküzle eşek oymaları eklemiştir (Yusuf, Meryem Ana, Mecusiler, papazlar, melekler ya da ıstakozlar oymalarda yoktur).

Nuh'un gemisinde kaç koyun vardı?

Yedi ya da on dört.

Kral James'in İncil'inde, Yaratılış 7:2'de Tanrı Nuh'a şöyle der: "Temiz hayvanlardan yedi tane alacaksın, dişisinden ve erkeğinden. Temiz olmayanlardan iki tane alacaksın, dişisinden ve erkeğinden."

Yahudilerin yemesi yasaklanmış "pis" hayvanlar çok geniş bir çeşitliliğe sahiptir. Bu hayvanlar arasında domuz, deve, porsuk, bukalemun, yılanbalığı, salyangoz, dağgelinciği, kertenkele, köstebek, akbaba, kuğu, baykuş, pelikan, leylek, balıkçıl, kızkuşu, yarasa, kuzgun, guguk kuşu, kartal yer alır.

"Temiz" (yenilebilir) hayvanlar ise koyun, sığır, keçi, antilop ve çekirgeyi içerir.

Bu da şu anlama geliyor ki, Nuh'un gemisinde en az yedi tane koyun vardı, yani Kilise okullarında öğretildiği gibi iki tane değil. Fakat metin biraz muğlak: Acaba dişiden yedi, erkekten yedi tane mi alınacak, yoksa toplamda mı yedi tane alınacak? İşi bilenler yedişer tane almanın bir felaket olacağını söylüyor, böyle olsaydı koçlar arasında kavgalar patlak verebilirdi. Daha pratik bir çözüm bir koça altı tane dişi koyun olmasıdır.

Her bilimsel gerçeğin geçtiği üç aşama vardır. Önce insanlar bunun İncil'e aykırı olduğunu söylerler. Daha sonra bunun zaten daha önce keşfedildiğini söylerler. En sonunda da bunun zaten hep öyle olduğuna inandıklarını söylerler.

LOUIS AGASSIZ

Fakat, Latin Vulgata'sının[*] 1609'da yayınlanmış resmi Katolik çevirisi Douay-Rheims İncil'inde bu konu gayet açıktır: "Tüm temiz hayvanların dişi ve erkeklerinden yedişer tane alacaksın." Yani görünüşe göre gemide on dört tane koyun vardı.

Ortaçağ'da hahamlar, Nuh'un Büyük Tufan'da balıkların kendi başlarının çaresine bakacaklarını mı düşündüğüne, yoksa bunları görev gereği bir akvaryum içinde gemiye mi aldığına dair çok uzun tartışmalar yürüttüler. 16. yüzyılın ortalarında, Johannes Buteo'nun yaptığı hesaplara göre, Nuh'un gemisinde 350.000 *cubit*lik[**] kullanılabilir alan vardı ve bunun 140.000'lik kısmı saman yüklüydü.

Fakat tufan gerçekten meydana geldi. Tüm dünyadaki çeşitli kültürlerde 500 farklı tufan efsanesi vardır.

İnsanoğlu son buzul çağı sırasında ortaya çıktı. Bu çağın sonlarına doğru sıcaklık yükselmiş ve buz kütlelerinin erime-

[*] İncil'in Hieronymus tarafından yapılan Latince tercümesi (ç.n.).

[**] Dirsekten orta parmağın ucuna kadar olan eski bir uzunluk ölçüsü, yaklaşık 50 cm'dir.

sinden dolayı denizlerde son derece yıkıcı su yükselmeleri oluşmuştur. Nuh'un hikayesinin, Basra Körfezi'nin altında kalan Fırat-Dicle deltasının yokoluşunu anlattığı sanılmaktadır.

Toprak parçasındaki bu ani azalma artık avcılık-toplayıcılıkla geçinmeyi zorlaştırdığından insanoğlu ilk defa tarım yapmaya mecbur kalmıştır.

Kültürleri ve sözlü gelenekleri buzul çağına kadar uzanan Aborijinler, 8000 yıl önce eriyen buz kütleleri yüzünden sular altında kalmış olan dağların yerlerini ve isimlerini hâlâ bilir.

İlk modern olimpiyatlar nerede yapıldı?

1850'de Shropshire Much Wenlock'ta. Burada her yıl düzenlenen oyunlar Baron Coubertin'e 1896'da Atina Olimpiyatları'nı organize etmek için ilham kaynağı olmuştur.

"Much Wenlock, Galler sınırlarındaki Shropshire'a bağlı bir kasabadır. Eğer modern Yunanistan'ın diriltemediği Olimpiyat Oyunları hâlâ sürdürülüyorsa, bu Yunanların değil, Dr. W. P. Brookes'ın marifetidir."

Brookes, fiziksel antrenman konusunda sıkı bir program uygulamanın, insanları barlardan uzak tutarak daha iyi birer Hıristiyan haline getirebileceğini düşünüyordu. Eski olimpiyatlara dair bilgisi, ona 1841'de Fiziksel Kültür İlanı için Much Wenlock Derneği'ni oluşturma yönünde ilham kaynağı oldu.

"Brookes" Olimpiyat Oyunları'nın ilki 1850'de yapıldı; koşu, uzun atlama, futbol, halka atma ve kriket oyunlarında küçük para ödülleri vardı. Gözleri bağlı el arabası yarışı, domuz yarışı, at üstünde mızrak yarışı gibi diğer dallar zamanla eklendi. Kazananlar defne çelengi ve üzerinde Yunan Zafer Tanrıçası Nike'ın resmedildiği madalyalarla ödüllendirilirdi.

Wenlock Olimpiyatları'nın ünü hemen yayıldı ve Britanya'nın her yerinden başvurular almaya başladı. Hatta Atina'da bile ilgi çekti ve Helen Kralı I. George ödül olarak verilmek üzere gümüş bir madalya gönderdi.

Brookes, 1865'te eski oyunları uluslararası ölçekte bir organizasyon haline getirme ve yeniden canlandırma hayaliyle, Britanya Ulusal Olimpik Birliği'ni kurarak ilk oyunları Londra'daki Crystal Palace'ta sundu. Sponsorların yokluğunda, o zamanın önde gelen sporcuları tarafından ciddiye alınmadı.

Brookes 1888'de Baron Coubertin'le yazışmaya başladı. 1890'da Baron kendi adına Wenlock Oyunları'nı görmeye geldi ve köyde hâlâ durmakta olan bir meşe ağacı dikti. Evine eski oyunları yeniden canlandırmaya kararlı bir şekilde döndü ve 1894'te Uluslararası Olimpiyat Komitesi'ni kurdu.

Coubertin, sahip olduğu zenginlik, prestij ve politik bağlantılar sayesinde Brookes'un başaramadığı şeyi başardı; oyunların uluslararası alanda ilk kez yeniden canlanışını 1896 yazında Atina'da gerçekleştirdi.

Dr. Brookes bu tarihten bir yıl önce (1895'te), 86 yaşında öldü. Wenlock Oyunları hâlâ yılda bir kere onun şerefine düzenlenmeye devam ediyor.

Maraton neden 42 kilometre 195 metredir?

İngiliz Kraliyet Ailesinin rahatı için.

İlk üç modern Olimpiyatta (oyundan oyuna değişmekle birlikte) maraton yaklaşık 42 km olarak koşuldu. 1908'de

Londra'da düzenlenen Olimpiyat Oyunlarında ise maratonun başlama noktası, Kraliyet Ailesinin yarısının izlemesine uygun olan, Windsor Şatosu'nun penceresinden görünen bir nokta olarak alındı, bitiş noktasıysa kraliyet ailesinin diğer yarısının beklediği Beyaz Şehir Stadyumu'ndaki kraliyet protokolünün önü olarak belirlendi. Bu mesafe 42 km 195 metreydi ve o günden beri maratonun standart uzunluğudur.

42 km koşusunun kökleri Yunan ulak Pheidippides'e dayanır. Pheidippides MÖ 490'da Atinalıların Perslere karşı kazandığı zaferi iletmek için Maraton şehrinden Atina'ya olan mesafeyi koştu. Efsaneye göre, mesajı ilettikten sonra düşüp öldü.

Bu bir kahramanlık öyküsü ama iler tutar yanı yok. Çok az maraton koşucusu koşudan sonra ölmüştür, ayrıca Eski Yunan'daki profesyonel ulaklar düzenli olarak bu mesafenin iki katını koşmaktaydı.

Hikayenin bu versiyonu ilk kez, olaydan yaklaşık 500 yıl sonra Romalı tarihçi Plutarch'ın (MS 45-125) çalışmalarında geçmiştir. Plutarch, koşan ulağın adını da Eucles olarak yazmıştır. Görünüşe göre bu hikaye, o savaştan altı yıl sonra doğmuş olan Herodot'un kaydettiği çok daha eski Pheidippides hikayesiyle karışmıştır. Günümüzde bilinene en yakın kayıtlar Herodot'a ait olanlardır.

Herodot'a göre Pheidippides, Atina'dan Sparta'ya (246 km) Pers saldırısına karşı yardım istemek için koşmuştur. Spartalılar dini bir törenle çok meşgul olduklarından Pheidippides o yolu gerisin geri koşmuş ve Atinalılar Perslerle kendi başlarına savaşmak zorunda kalmışlardır. Atinalılar büyük yankı uyandıran bir zafer kazanmışlar ve Perslerin 6400 kaybına karşı 192 adamlarını yitirmişlerdir. Pheidippides ise ölmemiştir.

Ultra uzun mesafe koşusu, maratondan daha uzun koşuları

kapsayan disiplindir. Amerikan Ultra Uzun Mesafe Koşusu Birliği 1982'de Pheidippides'in gerçek yolunu (Yunan yetkililerce üzerinde anlaşılmış olan konsorsiyuma göre) koştu ve 1983'te bu parkuru Uluslararası Spartathlon haline getirdi. Bu yarışı ilk kazanan atlet modern bir efsaneydi: Yunan uzun mesafe koşucusu Yannis Kouros.

Kouros şu anda 200'den 1600 km'ye kadar tüm dünya rekorlarını elinde bulundurmaktadır. 2005'te Pheidippides'in tüm yolunu yeniden izledi ve koşarak Atina'dan Sparta'ya gidip geri geldi.

İskoçya'nın işgal ettiği son ülke hangisidir?

Panama.

1707'de İngiltere ve Galler'e katılarak Büyük Britanya'yı oluşturan Birlik Anlaşması'nı imzalamasından hemen önce İskoçya'nın son hamlesi talihsiz bir Darien kıstağını kolonileştirme girişimidir.

Bu plan İngiltere Merkez Bankası'nın (Bank of England) kurucusu William Paterson tarafından tasarlandı. Paterson, ticaret yapan Batı Avrupalı ülkelerle Pasifik'teki zenginler arasında, Orta Amerika'da bulunan bir ticaret merkezi oluşturma fırsatı gördü.

İngilizler bu işe ortak olmayacaklarını hemen ortaya koydular. O sırada Fransa'yla savaş halindeydiler ve (Panama üzerinde hak iddia eden) İspanyolları kızdırma riskini göze alamazlardı. Hükümet bu planı öğrendiğinde İngilizlerin bu işe yatırım yapmasını yasakladı. Paterson finansmanın tamamını sınırın kuzeyinden toplama kararı aldı. İskoçlar bunu öyle müthiş bir coşkuyla karşıladılar ki, altı ayda 400.000 pound toplandı; bu meblağ İskoçya'nın ulusal malvarlığının üçte ikisine eşitti. 5 pound yatırabilen hemen hemen tüm İskoçyalılar yatırımda bulundu.

İngilizler suratları asık olmadıkça mutlu değildir, İrlandalılar savaş halinde olmadıkları sürece huzurlu değildir, İskoçyalılar evden uzak olmadıkça kendilerini evlerinde hissetmez.
GEORGE ORWELL

1698'de beş gemilik ilk filo Leith'ten çıkıp Kasım'da yerine ulaştı. Fakat inanılmaz bir hazırlıksızlık ve yanlış bilgilendirme sözkonusuydu. Yeni Kaledonya'yı kurmayı düşündükleri toprak, tarıma elverişsiz ve sivrisinek dolu bir bataklıktı. Kızılderililerinse, onların satmayı düşündüğü sandıklar dolusu peruk, ayna ve taraklara hiç ihtiyaçları yoktu. Oradaki İngiliz kolonilerinin onlardan alışveriş yapmaları yasaklanmıştı, İspanyollarsa feci halde düşmanca yaklaşıyorlardı.

Altı ay içinde gelen 1200 göçmenden 200'ü sıtma ve diğer tropikal hastalıklardan öldü ve ölüm oranı günde on kişiye kadar çıktı. Canhıraş bataklık kurutma çabalarının yanında yiyecek stokları da bozuldu ve yaz başına gelindiğinde haftada kişi başına yarım kiloluk kurtlanmış unla hayatta kalmaya çalışıyorlardı. İspanya'nın saldırmasının an meselesi olduğu haberi de işin tuzu biberi oldu. Sadece 300 kişi İskoçya'ya dönmeyi başarabildi.

Darien girişimi, İskoçya için kelimenin tam anlamıyla bir fiyaskoyla sonuçlandı. İnsanlar moral olarak çöktü ve ülke neredeyse 250.000 pound borçlandı. İskoçya yedi yıl sonra İngiltere'yle Birlik Anlaşmasını imzalamaya zorlandı. Yaygın kanı, İngiltere'nin İskoçya'yı küçük düşürmek ve birleşmeyi kaçınılmaz hale getirmek için yardım etmeyi reddettiği yönündeydi. Bunu izleyen 40 yıl boyunca Jacobite'lerin* gördüğü desteğin nedeni büyük ölçüde, İskoçya'nın kaybettiği koloninin yarattığı korkuda ve sarsılmış arzularda aranmalıdır.

Darien'e gelince, orası hâlâ sık bir ormanlığın olduğu ve yerleşime kapalı bir yer. Hatta, tamamlandığında kuzeyde Alaska'yla güneyde Arjantin'i birleştirecek olan Pan-Amerikan otoyolu, Darien kısmında kesintiye uğramak zorunda kaldı.

Panama şapkaları nereden gelmiştir?

Ekvador'dan.

Bu şapkalar 19. yüzyılda ilk kez Kuzey Amerika ve Avrupa'da kullanılmaya başlandığında "panama" şapkası olarak adlandırıldı, çünkü Panama merkezli nakliyeciler tarafından ihraç ediliyorlardı.

Bu şapka, İngiltere'de kraliyet ailesi tarafından mükemmel bir yaz başlığı olarak tercih ediliyordu ve kısa sürede spor ve açık hava etkinliklerinin vazgeçilmez aksesuarı haline gelmişti. Kraliçe Victoria 1901'de öldüğünde şapkaya onun anısına siyah kurdele eklendi.

Amerika kıtasında bu şapkalar Panama Kanalı'nı kazan işçilerin özdeşleştirildiği bir başlıktı. Theodore Roosevelt 1906'da kazı alanını ziyaret etti ve orada bu şapkalardan biriyle poz verdi. Bu, Panama'nın ününün daha da yayılmasını sağladı.

Bu şapkanın kökenleri daha eskilere dayanır. Ekvador kıyılarında, MÖ 4000'lere dayanan, üzerinde acayip miğferler takmış insan tasvirleri olan seramikler bulunmuştur. Bazı ar-

---

* Stuart hanedanı yandaşlarına, yani İngiltere Kralı II. James'in soyundan birinin İngiltere kralı olmasını isteyenlere verilen ad (ç.n.).

keologlar, Panama şapkası yapmak için gerekli dokuma becerisinin, Pasifik'in keten dokumasıyla ünlü Polinezyalı insanlarından alındığını düşünmektedir. Oraya giden ilk İspanyollar bu maddenin yarı saydam özelliği karşısında o kadar irkildiler ki, bunun vampir derisi olduğuna inandılar.

Modern şapkalar 19. yüzyıla dayanır ve bu şapkalar, iki insan boyundaki Panama şapkası palmiyesinden alınan liflerin (*jipijapa* ya da *toquilla*; ya da bilimsel adıyla *Carludovica palmata*) dokunmasıyla yapılır. En kaliteli numuneleri Montecriti ve Biblian şehirlerinden gelse de, bu dokumalar çoğunlukla Cuenca şehrinde üretilir.

Bir panama şapkası yapmak için gereken süre çok değişkendir. *Toquilla*, palmiye liflerinin daha az su tuttuğu dönemde, yani ayda sadece beş gün (ayın son dördün evresinde) toplanır. Bu lifler daha az su tuttukları için daha hafiftir ve örülmeleri kolay olur. Yetenekli bir dokumacı ipek kadar iyi lifler toplayabilir. Düşük kaliteli bir şapka birkaç saat içinde ortaya çıkarılabilir, fakat en iyi kalite olan *superfino* şapkasının yapımı beş ay sürebilir ve 1000 pounda satılır.

1985'te Conran Vakfı, panama şapkasını V&A'de yapılan bir sergi için "Tarihin En İyi 100 Tasarımı"na aday gösterdi.

Ekvador adı, İspanyolcadaki "equator" kelimesinden gelir. Ekvador, şapkanın yanısıra muzda ve yeni tarz uçaklar için kullanılan balsa odununda da dünyanın en büyük ihracatçısıdır.

En uzun ömürlü insan kaç yaşına kadar yaşamıştır?

Arles'li Jeanne Calment, yaşı modern belgelerle doğrulanmış en yaşlı insandır. 1875'te doğmuş ve 122 yaşına kadar yaşamıştır.

Danimarka doğumlu bir Amerikalı olan ve 116 yaşında ölen Christian Mortense (1882-1998) kayıtlara geçmiş olan en yaşlı erkektir. En yakın rakibi Japon Shigechiyo Izumi'nin (1865?-1986) 120 yaşına ulaştığı iddia edilmektedir, fakat nüfus kağıdının aslında abisine ait olduğu dedikoduları vardır. *Guinness Rekorlar Kitabı* onun yaşıyla ilgili iddiasını kabul etmiştir.

Zaman büyük bir öğretmendir. Ne yazık ki bütün öğrencilerini öldürür.
HECTOR BERLIOZ

Jeanne Calment'e 121. doğum gününde uzun yaşamasının sırrı sorulduğunda, cevabı, her gün yediği ve cildine sürdüğü zeytinyağı olmuştur. Cilveli bir sesle şöyle demiştir: "Kırışan tek bir yerim var, onun da üzerinde oturuyorum."

Britanya'da Kraliçe her isteyene 100. yaş günlerinde ya da 105'ten sonraki her yaş gününde kutlama mesajı gönderir. Amerika Birleşik Devletleri'nde yüz yaşını aşmış kişiler Başkan'dan bir mektup alır. Günümüzde Britanya'da yüz yaşını aşmış insanlar demografik olarak en hızlı artan insan grubu haline gelmiştir (yılda yüzde 7 artış var). 2000 yılında Britanya'da 100 ve üzeri yaşta olan 7000 kişi vardı; dünyada ise yaklaşık 100.000 civarındaydı. 2050'de bu sayı iki milyonu geçebilir.

İncil'de Yaratılış 5:27'ye göre Methuselah 969 yaşına kadar yaşamıştır. Bunun ay ve güneş yıllarıyla ilgili yapılmış bir çeviri hatası olduğu öne sürülmektedir, yani bu rakam onun gerçek yaşının 13.5 katıdır. Bu durumda Methuselah öldüğünde gayet sıradan bir biçimde 72 yaşındaydı. Fakat İncil'de Mahalalel (Yaratılış 5:15) ve Enoch (Yaratılış 5:21) gibi diğer piskoposlar için 65 yaşından sonra baba oldukları yazar. Eğer ay yılına göre hesap edilecek olursa bu durumda bahsedilen yaş, 4 yıl 10 aya tekabül eder.

Kaç Osmanlı padişahı vardır?

Bu sorunun yanıtını ilkokul çocukları bile duraksamasız verebilir: 36. Biz de doğrular, aferin deriz! Kurucu Osman Bey'den (1299-1324?), sonuncu Vahideddin'e (1918-1922) 36 Osmanlı padişahı olduğunu bilmeyenimiz yok. TBMM'nin seçtiği, bir buçuk yıl sonra da yurtdışına gönderdiği Halife Abdülmecid (1922-1924) saltanat erki olmadığından padişahlar listesinin dışındadır.

Oysa padişahların sayısını 36 gösteren tarihlerin varlıklarını karartmayı başardığı, ister bey, ister padişah diyelim 2 Osmanlı daha vardır ve böylece sayı 38'e ulaşmaktadır. Bunlar, "Fetret"(karışıklık), "Saltanat Fasılası" diye tanımlanan 1402-1413 arasındaki 11 yıllık evrede Edirne'de art arda padişahlık eden Emir Süleyman (1402-1410) ve kardeşi Musa'dır (1410-1413). Bu ikisinin saltanatını yok sayıp diğer kardeş, Musa'nın ardılı Çelebi Mehmed'i (1413-1421) meşru hükümdar gösterme konusunda Osmanlı tarihçileri ağız birliği etmişlerdir.

1402 Ankara Savaşı'nda Timur'a yenilen 4. Osmanlı padişahı Yıldırım Bâyezid, savaşa katılan oğullarından İsa ve Musa Çelebilerle tutsak edilirken Emir Süleyman, Bursa üzerinden Edirne'ye, Çelebi Mehmed de Amasya'ya savuşmuşlardı. Yıldırım, 1403'te Akşehir'de öldü. İsa ve Musa çelebilerse Timur'un onayını alarak beylik sevdasıyla Balıkesir ve Bursa taraflarına gittiler. Savaş meydanında kaybolan Mustafa Çelebi ise yıllar sonra ortaya çıkacak ve "Düzmece" denilerek idam edilecektir.

Bozgun sonrasında Bursa'ya, oradan Edirne'ye geçerek vezir Çandarlı Ali Paşa'nın ve diğer ileri gelenlerin biatı ile tahta oturan Emir Süleyman (1402-1410) Osmanoğulları'nın 5'incisidir. Yedi yıl Edirne'de saltanat sürmüş; Eski Cami'nin yapımını başlatmış, kardeşleri Musa, İsa ve Mehmed Çelebiler de kendisini metbu tanımışlardır. Döneminin ozan yazarlarından Ahmedî, "Dasıtân ve Tevarih-i Âl-i Osman" adlı yapıtını Süleyman'ın beyliği sırasında yazmıştır. Kimi Batılı tarihçiler, Osmanoğulları soy cetvelinde onu I. Süleyman; Kanuni'yi de II. Süleyman göstermişlerdir.

1410'da kardeşi İsa Çelebi'yi bertaraf eden Musa Çelebi, ansızın Edirne'yi basıp tahtı ele geçirmiş; Süleyman, İstanbul'a kaçarken öldürülmüştür. Musa Çelebi'nin (1410-1413) saltanatı üç yıldır. Kimi Batılı ve Bizanslı tarihçiler, Musa Çelebi'yi 6. padişah gösterdikleri gibi, padişah portreleri arasında Süleyman'ın ve Musa'nın resimlerine de yer verirler.

1413 Vize Savaşı'nda Musa Çelebi'yi yenerek Edirne'de tahta oturan Çelebi Mehmed (1413-1421) bu durumda 7. padişahtır. 1402-1413 yıllarına "Fetret" denilmesi doğru kabul edilse de, "Fasıla-i Saltanat" tanımlaması yanlıştır. Çünkü bu 11 yıl boyunca payitaht Edirne'deki taht boş kalmamış, devlet düzeni de korunmuştur. Osmanlı tarihçilerinin Yıldırım'dan sonraki meşru padişahı Çelebi Mehmed göstermelerinin nedenininse, 17. yüzyıl başına dek, Fatih Kanunnamesi gereği tahtın babadan oğula geçmesinde ödün verilmediğini kanıtlama çabası olduğu açıktır.

"İstanbul" neresidir?

Karadeniz'le Marmara arasında iki burun üzerinde yayılan metropolün "İstanbul" olduğunu bilmeyen yoktur. Acaba doğru mudur? Bu doğruluk, son 150 yıllık süreçte geçerlik kazanmıştır. Oysa İstanbul, Sarayburnu'ndan Marmara ile Haliç arasındaki Kara Surları'na kadarki küçük yarımadada kurulup gelişmiş imparatorluklar başkentinin adıdır ve İstanbul adını sahiplenen şimdiki büyük yerleşimin %3'ü kadar bir alanı kapsar.

Karadan ve denizden surlarla çevrili, baştanbaşa tarihsel anıtlarla bezeli bu eski payitaht, 19. yüzyılın sonlarında iki yerel yönetim bölgesine ayrılmış; daha sonra, salt belediyecilik açısından birine "Eminönü" ötekine "Fatih" denilmiştir. Son bir değişiklikle Eminönü Belediyesi de kaldırılacağından Suriçi' ndeki tarihi İstanbul kenti de bundan böyle "Fatih" olacaktır!

Bu durumda, birbiriyle çelişen gariplikler söz konusudur: Giderek büyüyen, topoğrafik özellikleri silip doğal sınırlarından da taşan çevresel türedi yerleşimler "Büyükşehir" kapsamında bütünleşerek "İstanbul" olurken; asıl İstanbul'u da eski bir semti olan "Fatih" yutmuştur!

Tarihsel sürece bakıldığında ise şu gerçekler yakalanmaktadır:

Boğaz'ın her iki yakasındaki burunların yüksek noktalarındaki, doğuda Fikirtepe, batıda Kemerburgaz höyükleri, Neolitik çağ yerleşimleri olarak insanlığın binlerce yıllık gizemli izlerini saklamaktadır.

Sarayburnu'nda Byzans, Kadıköy kıyısında da Kalkedon, milattan önceki yüzyıllarda kurulan ilk sitelerin izlerini saklar.

Roma İmparatoru Konstantinus'un MS 331'de kurduğu Konstantinopolis, yani Sur-içi İstanbul, Roma ve Doğu Roma (Bizans) imparatorluklarına başkentlik etmiş; 1122 yıl sonra Türkler tarafından alınınca Kostantiniye adıyla Osmanlı Devleti'nin de payitahtı olmuştur. Bu resmi adına koşut Dersaadet, Deraliye gibi başka adları varsa da en yaygını "İstanbul"dur. Bu sözcüğün etimolojisi konusunda etütler yapılmış; "kentte, kent içinde, kent içi" anlamlarını veren Grekçe "Eis tin polin= İstinpolin" den Türkçeleştiği ya da önceki adının kimi hecelerinin düşmesinden "(Ko)stan(tino)poli" doğduğu tezleri tartışılmıştır.

Asıl İstanbul'a komşu "Galata" ve "Üsküdar" kentleriyle Haliç kıyısındaki Eyüp kasabası da yapısal ve yaşamsal kimliklerini yüzyıllar boyunca koruduktan sonra, Büyükşehir İstanbul içinde doğal sınırlarını yitirmişler; "Galata"nın adı da "Beyoğlu"na dönüşmüştür.

Kent belleğinin ve bilincinin sığlığında bir kez daha soralım: İstanbul neresi, Galata neresi?...

Topkapı Sarayı'nın asıl adını (adlarını) biliyor musunuz?

Ayasofya'nın arkasındaki kemerli cümle kapısından girilen Osmanlı Sarayı'nın adını bilmeyen yoktur: Topkapı Sarayı. Sonundaki "saray" sözcüğü bile gereksiz görülerek salt "Topkapı" demekle de yetinilir. Ama unutmamalı ki, sarayın çok uzağında Kara Surları'nın bir kapısı ile bu kapının içindeki ve dışındaki yaşam alanlarını kapsayan semt de Topkapı adını taşır.

Eski Osmanlı sarayının resmi ve doğru birkaç adı vardır. "Topkapı" çok sonraları hepsinin yerini almış ve diğerlerini unutturmuştur. Sarayı yaptıran Fatih Sultan Mehmed daha önce bir saray da Beyazıt'ta yaptırdığından ona Eski Saray, buna da Yeni Saray denmiş. Ama resmi yazılarda "yeni yönetim kurağı" anlamında Saray-ı Cedide-i Âmire" veya daha yaygın olarak "Saray-ı hümayûn"; Beyazıt'takine de Eski Saray anlamında Saray-ı Atik denmesi kurallaşmış.

II. Mahmud'un (1808-1839) ve oğlu Abdülmecid'in (1839-1861), Beşiktaş kıyılarında yaptırdıkları modern saraylara taşınmalarından sonra, padişahların ve ailelerinin, bu tarihi ata ocağına, denizden saltanat kayıklarıyla gelip Sarayburnu'ndaki Topkapısı'dan giriş çıkış yapmaları âdet olmuş. İki yanında yüksek kuleleri, rıhtımında da toplar bulunan kapının üstündeki ahşap yazlığa da Topkapısı Sahilsarayı denildiğinden zamanla yukarıdaki Saray-ı Hümayûn'a da "Topkapı Sarayı" denir olmuş. Sarayburnu'ndaki sahilsarayı yanmış; kulelerle berkitilmiş Topkapısı yıkılıp yok olmuş, ama her ikisinin adı, yukarıdaki sarayla özdeşleşmiş.

Türkler Anadolu'ya Malazgirt Savaşı (1071) ile mi girdi?

Bu sav, Selçuklu ordusunun kazandığı zaferin önemini vurgulayan bir yorumdur.

Anadolu'nun, Malazgirt Savaşı'ndan önceki dönemlerde, Orta Asya / Turan kökenli Oğuz boyları tarafından istila edildiğini 8-11. yüzyıllara ait Gürcü, Ermeni, Süryani ve Arap vekai-nameleri yazmaktadır. Örneğin, 8. yüzyılda, yarı Şaman yarı Müslüman bir Türk topluluğunun Anadolu'ya göçüşüne önderlik ettiği sanılan Battal Gazi, kaynaklarda ve adıyla anılan destanda, bir İslam mücahidi olarak tanımlanmıştır.

Abbasi halifelerinin, Bizans sınır bölgesi olan Güneydoğu Anadolu'ya Türk göçmenlerini iskân etmeleri 9. yüzyılın ilk çeyreğinde başlamış, 11. yüzyıl sonlarına kadar devam etmiştir. Bu süreçte Orta Asya bozkırlarından kopan Oğuz göçebelerinin, Kura, Çoruh, Kelkit, Aras, Murat Suyu vadilerinden; Hoy-Bargiri-Ahlat yolundan Doğu Anadolu'yu da dolduklarını yine adı geçen kaynaklar haber vermektedir. Oğuz göçlerinin 1010 yılından başlayarak daha da yoğunlaştığını vekayinamesinde vurgulayan Urfalı Mateos, 1018'de Van havzasına akında bulunan Tuğrul Bey'in süvarilerinin "Yaydan silahları ve dalgalanan saçları" ile yerlileri korkuttuğunu yazar.

1021'de Çağrı Bey, 1028-1038 evresinde Yabgu Oğuzları, 1044'te Tuğrul Bey'e başkaldıran Oğuzlar; 1045'te Kutalmış'ın, 1047'de İbrahim Yınal'ın önderliğindeki yurtsuz Oğuzlar akın akın Anadolu'ya dolmuşlardır. Anadolu'nun ilk Türk fatihlerinden Kutalmış, bir Bizans ordusunu yenip Horasan'a dönünce soydaşlarına: "Anadolu zengin, Rumlar da korkak! Gidiniz Tanrı yolunda gazâ ediniz. Ardınızdan geleceğim!" demesi ilginçtir. Mateos, 1048'de İbrahim Yınal'ın öncülüğündeki "Türk boylarının korkunç dalgalarının Erzurum ve Pasin ovalarına döküldüğünü, insan sellerinin her tarafı kapladığını, Halida (Gümüşhane), İspir, Daron (Muş) topraklarının istila edildiğini"; 1057-1059 yıllarında da "Birçok illerin Sultan Tuğrul'un divanından çıkmış emirleri tarafından yakılıp yıkıldığını; bunların, kara bulutları andıran orduların başında, ölüm simgesi bayraklar taşıyarak Sivas kentinin üstüne geldiklerini" anlatır. 1066'da, Gümüştekin, Afşin ve başka komutanlar Türk yayılımlarına önderlik etmişlerdir.

Tuğrul Bey'den sonra Selçuklu sultanı olan Alparslan'ın (1064-1072) Bizans İmparatoru Romanos Diogenes'e karşı kazandığı Malazgirt zaferi ise Anadolu'nun siyasal ve yönetsel egemenliğinin de Türklere geçişini sağlamış, göçler zaferden sonra da sürmüştür. Örneğin, 1220'lerdeki bir göç kafilesiyle Mevlâna ailesi de Anadolu'ya gelerek bir süre Erzincan Akşehri'nde, sonra Karaman'da, en son Konya'da yerleşmişlerdir.

Modern hastanelerin ilk örnekleri nerelerde kuruldu?

İstanbul, Sivas, Urfa ve Kayseri'de.

Modern hastane kavramının, Hıristiyanlığı benimseyen ilk Roma İmparatoru I. Constantinus'un (324-337) putperestlere ait hastaneleri kapatıp yenilerini açmasıyla 331 yılından sonra geliştiği kabul edilir. Roma'dan I. Constantinus ile birlikte gelen St. Zoticus, imparatorun desteğiyle yoksul, hasta ve yetimleri İstanbul'da büyük bir eve yerleştirerek bakılmalarını sağladı. İmparator, Galata başrahibi Arsacius'a yazdığı mektupta, Hıristiyanlığın *caritas* (charité/şefkat) yaklaşımının tezahürü olarak, giderleri kamu gelirlerinden karşılanmak üzere, her şehirde bir xenodochium/hastane kurulmasını istedi.

Sivas Piskoposu Eustathius (300-377) hayırseverlik faaliyetlerini organize ederek Sivas'ta (Sebaste), darülacezeler, hastaneler ve sığınaklar yaptırdı. St. Ephraem, Urfa'da (Edessa) kıtlık sırasında baş gösteren veba salgınında vebalılar için 300 yataklı bir hastane açtı (375). İlk hastanelerin en görkemlisi ve en ünlüsü St. Basil tarafından Kayseri (Caesarea) Kapadokya'da açılan Basilias'dır (369). Basilias, çeşitli hastalar için farklı koğuşları, doktor-hemşire konutları, laboratuvarları ve meslek okulları ile adeta bir şehir gibiydi. Bundan sonra; İskenderiye'de (Alexandria) St. John Almsgiver (610), Efes'te (Ephesusu) Brassianus, İstanbul'da (Constantinople) John Chrysostom ve II. Theodosius'un kızkardeşi St. Pulcheria tarafından hastalar ile acizlerin bakıldığı Basilias örneği kompleksler yapıldı. St. Samson Ayasofya yakınlarında bir hastane kurdu (6. yüzyıl). Bu dönemde İstanbul'da 35 hastane vardı. Batıda ilk hastane Fabiola tarafından 400 yılı civarında Roma'da kuruldu.

X-ışınlarının tanısal amaçla sistemli olarak kullanıldığı ilk savaş hangisidir?

1897 Türk-Yunan Savaşı. Türk yaralılarda Türk ve Alman hekimler, Yunan yaralılarda İngiliz hekimler tarafından kullanıldı.

28 Aralık 1895'te bilim dünyasına tanıtılan X-ışınları, ilk kez Mayıs 1896'da Dr. Guiseppe Alvaro tarafından, Etyopya'da yaralanan birkaç askerde kullanıldıysa da tanısal amaçla sistemli olarak ilk kez 1897 Türk-Yunan Savaşı'nın iki cephesinde yaralanan askerlere uygulandı. 17 Nisan-20 Mayıs 1897 tarihlerinde cereyan eden bu savaşta operasyon gerektiren ağır yaralılar İstanbul'da Seyyar Yıldız Askeri Hastanesi ile Gümüşsuyu Askeri Hastanesi'nde tedavi ediliyordu.

Seyyar Yıldız Askeri Hastanesi'ne başcerrah olarak atanan Opr. Dr. Cemil Paşa (Topuzlu, 1866-1958), yaralıların vücutlarındaki kurşun ve humbara parçalarının x-ışınlarıyla belirlenebileceğini anlatıp iç hastalıkları muallimi Salih Bey ile deneme mahiyetinde radyografik çekimler yapmakta olan tıp öğrencileri Esat Feyzi ve Rıfat Osman'ın Yıldız Hastanesi'nde görevlendirilmelerini sağladı. Mekteb-i Tıbbiye-i Şahane'de (Askeri Tıp Okulu) toplama yöntemiyle hazırladıkları röntgen düzeneğini hastaneye götüren öğrenciler, Dr. Salih Bey ile birlikte 18 Mayıs 1897 günü X-ışınlarıyla bir erin ayak ve bacağındaki kurşunların yerini belirledi.

Hastanede görevli Alman Kızılhaç Heyeti doktorları radyografik çekimin bilimsel kurallara göre yapıldığını onaylayıp bu yeni keşfin Türkiye'de uygulanmasından duydukları hayret ve hayranlığı gizlemediler. Dr. Küttner de Alman Kızılhaç Heyetinin Almanya'dan getirdiği röntgen cihazıyla, kendi koğuşlarındaki yaralıların radyografilerini çekti. Yunan cephesindeki yaralılara yardım amacıyla Atina'ya giden İngiliz hekimler ise hastaneye dönüştürülmüş bir villada yanlarında getirdikleri röntgen cihazıyla 1897 Haziran'ı ortalarında radyografik görüntüleme yaptılar.

İstanbul'daki en öldürücü salgın hangisidir?

Jüstinyen Vebası.

Roma İmparatoru I. Jüstinyen (527-565) zamanında 541-542 yıllarında başlayıp 767'de son bulan ilk büyük veba epidemisi "Jüstinyen Vebası" adıyla tarihe geçti. Afrika'nın merkezinden Akdeniz havzasına ve Küçük Asya'ya (Anadolu), Arabistan'dan Avrupa'ya çığ gibi büyüyerek Danimarka ve İrlanda'ya kadar yayıldı. O yıllarda 600.000 kişinin yaşadığı İstanbul, sakinlerini beslemek için çoğunlukla Mısır'dan büyük miktarda tahıl ithal etmek zorundaydı. İnsanların girip çıktığı devasa tahıl ambarları veba taşıyıcısı olan fareler ve pireler için de iyi bir besin kaynağı olduğundan, veba İstanbul'a tahıl getiren gemilerle ulaştı. Bizanslı tarihçi Procopius, zirve yaptığı esnada her gün İstanbul'da 10.000 kişinin vebadan öldüğünü kaydediyorsa da bu sayının doğru olup olmadığı tartışmalıdır. Bilinen tek şey kentte ölüleri gömecek yer kalmadığından cesetlerin çürümeye bırakıldığı ve rüzgar ile dalgaların akıntısına bırakılan kayıklara üst üste fırlatıldığıdır.

Antik çağ tarihçileri, modern dönemdekiler gibi verileri sınama, nicel bilgileri doğrulama tekniklerinden yoksun oldukları için Jüstinyen Vebası'ndan ölenlerin tam sayısı bilinemiyor. Ama modern tarihçiler pandeminin en şiddetli olduğu zamanlarda İstanbul'da günde 5000 kişinin öldüğünü ve salgının şehrin % 40'ını, yani 240.000 kişiyi yok ettiğini tahmin ediyorlar. Jüstinyen Vebası'nın 6, 7 ve 8. yüzyıllar boyunca yerel ve hafif özellikte yeni dalgalanmalarla devam ederek tüm dünyada 100 milyon insanı yok ettiği düşünülüyor.

Katerina, kimin çadırına girdi?

Kesinlikle Baltacı Mehmed Paşa'nınkine değil.

İsveç Kralı XII. Şarl ile Rus Çarı I. Petro'nun çekişmesinden, Kırım Hanı Devlet Giray'ın padişah III. Ahmed'e baskısından bize sıçrayan kıvılcım, 19 Şubat 1711'de Rusya'ya savaş ilan edilmesine yol açtı. Rusya Seferine çıkan Sadrazam ve Serdarıekrem Baltacı Mehmed Paşa, Prut nehrini geçip 18 Temmuz 1711'de Gura Seresti bataklığına yakın Han Tepesine ordugâh kurdu. Bir gün sonra Çar, çok uzaklarda olduğunu sandığı Baltacı'yı ansızın karşısında bularak bataklık, nehir ve Türk ordusu arasında tam bir imha tuzağına düştü. Daha kötüsü, 20 Temmuz'da Devlet Giray'ın baskını sonucu hayli kayıp verdi.

Türkler umumi hücuma kalkmadan, Baltacı'ya "mükâleme memurları" göndererek barış istedi. Baron Peter Şafirov, Mehmed Paşa'nın önerdiği ağır koşulları kabul etmedi. Otağdan çıkınca kapıcıbaşı çadırında kahve ikramına alındı. Sadaret Kethüdası Osman Ağa ile başbaşa görüşmelerinde her nasılsa anlaşma sağlandı. Devlet Giray ve İsveç elçisi Poniatawski'nin bu karara itirazları sonuçsuz kaldı. 23 Temmuz 1711 günü barış imzalanarak Çar kesin bir yenilgiden kurtuldu.

Yaygın söylentiye göre Şafirov, Osman Ağa aracılığıyla Baltacı Mehmed Paşa'ya, Rus ordugâhında bulunan Çar'ın metresi Katerina'nın gönderdiği mücevherat ve kürkleri sunmuş, yalvarıp yakararak uzlaşmayı sağlamıştı. Yine söylentiye göre, XII. Şarl ve Devlet Giray, Baltacı Mehmed Paşa hakkında asılsız dedikodular yayarak İstanbul'da hainlikle suçlanmasına, azledilip Limni'ye sürülmesine sebep olmuşlardı ki, ertesi yıl orada ölmüştür.

Zafer an meselesiyken Baltacı Mehmed Paşa'nın bu fırsatı

yüz geri edişini, çeşitli Türk yazarlar, "fantastik" unsurlarla zenginleştirerek hikaye ettiler. Bu hikayelerde asıl vurgulanan şuydu: Hafifmeşrep Katerina, yanına yüklüce altın mücevher alıp Osmanlı ordugâhına gelmişti; son hücum emrini vermemesi için, mücevherleriyle birlikte kadınlığını da sunarak Osmanlı Sadrazamını barışa razı etmişti. Bu efsanenin hiçbir dayanağı ve kaynağı yoktur. Olasılıkla barış karşıtı XII. Şarl ile Devlet Giray tarafından ortaya atılmıştır.

Olayın doğrusunu Voltaire'in, Nahit Sırrı Örik'in dilimize çevirdiği *XII. Şarl'ın Tarihi* adlı yapıtından öğreniyoruz. Voltaire, gençliğinde Londra'dayken Prut Savaşı'na katılmış yaşlı Rus generallerinden bu savaşın safahatını da dinlemişti. Kısaca şunu anlattı: Türk ordusu ile Prut bataklığı arasında sıkışıp kalan Petro, ertesi sabah olacakları düşünerek saçını başını yolmaktayken, Rus geleneklerine göre ordu içinde kadın bulunması ve hele çarın çadırına girmesi yasak olmasına rağmen, Katerina, generalleri ikna edip Çar'ın çadırına girip kocasını yatıştırdı; kendi mücevher ve kürkleriyle birlikte toplanan yüklüce bir parayı barış görüşmecileriyle Baltacı Mehmed Paşa'ya gönderdi. Yani Katerina'nın "çadıra girmesi" ve rüşvet sunması doğru; ama girilen "çadır" yaşlı Osmanlı sadrazamının değil, kocası Çar'ın çadırıydı! Osmanlı çadırında "başbaşa" görüşenlerse, uydurma hikaye gibi romantik olmayabilir ama, Osman Ağa ile Şafirov'du. Katerina ise 1724'te I. Katerina unvanıyla Çariçe oldu.